ADMINISTRATION FINANCIÈRE I

ADMINISTRATION FINANCIÈRE I

Jacques Leclerc
Narjess Boubakri
Claude Bergeron

Télé-université
Québec (Québec) Canada
2005

Ce document est utilisé dans le cadre du cours
Administration financière I (FIN 1020)
offert par la Télé-université.

La 3e édition de ce volume a été réalisée
sous la direction de Réjean Légaré.

• • •

ISBN 2-7624-1463-6 (3e édition complète)
ISBN 2-7624-1464-4 (3e édition, réimpression 2005)

ISBN 2-7624-1278-1 (2e édition complète)
ISBN 2-7624-1279-X (2e édition)

Dépôt légal – 1er trimestre 2002

Bibliothèque nationale du Québec
Bibliothèque nationale du Canada

Imprimé au Québec, Canada

Édité par :
Télé-université
455, rue de l'Église
C. P. 4800, succ. Terminus
Québec (Québec) Canada
G1K 9H5

Distribué par :
Presses de l'Université du Québec
2875, boulevard Laurier
Québec (Québec) Canada
G1V 2M3
Téléphone : (418) 657-4399
Télécopieur : (418) 657-2096

Remerciements

Nous tenons à remercier toutes les personnes qui ont contribué de près ou de loin à la réalisation de cet ouvrage.

Plus particulièrement, nous voulons souligner le travail de Claire Ghersi, spécialiste en sciences de l'éducation, celui de Chantal Fournier et Sylvie Pouliot, spécialistes en communication écrite, de Bernard Lépine, concepteur graphique, et remercier Réjean Légaré et Jean-Marc Fournier pour leurs commentaires et observations.

Jacques Leclerc
Narjess Boubakri
Claude Bergeron

Table des matières

Introduction générale

Chapitre 1
Introduction à l'administration financière

Chapitre 2
La notion de valeur

Chapitre 3
Les annuités

Chapitre 4
Les annuités et leurs particularités

Chapitre 5
La détermination du taux de rendement d'un actif : fondements

Chapitre 6
La détermination du taux de rendement d'un actif : applications

Chapitre 7
Les critères de choix des investissements

Chapitre 8
La détermination des flux monétaires d'un projet d'investissement

Chapitre 9
Le calcul de la *VAN* en contexte fiscal canadien

Chapitre 10
La gestion des investissements et ses particularités

Chapitre 11
Introduction à l'incertitude

Chapitre 12
Le budget de caisse

Chapitre 13
Les ratios financiers

Chapitre 14
Une application de l'analyse par les ratios

Annexe
Les tables de mathématiques financières

Note. – Dans ce document, le générique masculin est utilisé sans discrimination et uniquement dans le but d'alléger le texte.

Introduction générale

Nous sommes tous régulièrement amenés à prendre, que ce soit sur le plan personnel ou professionnel, des décisions de nature financière. Il nous faut alors analyser diverses situations afin d'en arriver aux meilleures décisions possible. Pour ce faire, on doit identifier, quantifier et analyser les implications financières de nos choix.

Administration financière I a donc pour but de vous fournir les outils nécessaires à une prise de décision éclairée face aux choix qui s'offrent à vous. Principalement orienté vers la dimension investissement des décisions financières, ce volume vous permet de vous familiariser avec la notion de valeur, de comprendre et d'appliquer les différentes approches qui permettent d'évaluer un investissement financier particulier tout en étant en mesure d'identifier, de quantifier et d'interpréter les diverses implications financières propres à un projet d'investissement. De plus, *Administration financière I* vous amène à considérer les implications d'ordre fiscal dans l'évaluation et la gestion de projets d'investissement et de vous initier au concept de risque.

La notion d'intérêt, les mathématiques financières, la détermination du taux de rendement d'un actif, les obligations, les actions et les prêts hypothécaires sont autant de sujets qui sont traités dans le cadre de ce volume. La détermination du coût d'un projet, de ses flux monétaires, l'allocation du coût en capital (*ACC*), la valeur actuelle nette (*VAN*), le taux de rendement interne (*TRI*), l'indice de rentabilité (*IR*), l'analyse de sensibilité, les ratios financiers, l'analyse historique de la rentabilité, le système Dupont ainsi que la notion de budget de caisse viennent compléter les thèmes couverts dans ce manuel.

Afin de faciliter l'assimilation des sujets traités dans *Administration financière I*, on retrouve au début de chacun des chapitres à partir du chapitre 2 un schéma d'intégration des contenus qui permet au lecteur de bien se situer par rapport à son évolution dans l'apprentissage des différents contenus. De plus, une attention particulière a été portée au traitement visuel des diverses notions qui sont vues dans cet ouvrage. Le lecteur dispose également, à la fin de chaque chapitre, d'activités d'apprentissage qui permettent de vérifier la compréhension des principaux thèmes à l'étude.

Ce manuel a été conçu principalement à l'intention des étudiants en administration, non initiés à l'approche financière de l'analyse de projets d'investissement et désireux de parfaire leurs connaissances de l'administration financière.

Bonne lecture!

Administration financière et fiscalité

Les divers paliers de gouvernement apportent de temps à autre des modifications à la fiscalité. Ces modifications peuvent avoir un impact sur les paramètres utilisés en administration financière (par exemple, le taux d'inclusion du gain en capital).

Les changements apportés aux paramètres fiscaux de l'administration financière modifient les résultats numériques et, dans certains cas, les conclusions de certains problèmes. Cependant, ces changements ne modifient en rien la démarche de l'analyse. *C'est cette démarche qu'il importe de maîtriser au terme du cours.*

Les paramètres fiscaux utilisés dans la documentation sont donc présentés à titre indicatif seulement.

Chapitre 1

Introduction à l'administration financière

Ce chapitre a pour objet de vous initier à l'administration financière. Plus particulièrement, la lecture de ce chapitre vous amènera à :

- comprendre la nature et le but de l'administration financière;
- saisir la dynamique de l'administration financière et la représenter;
- expliquer les deux types de décisions financières.

Introduction

Chaque jour, nous avons à faire des choix et à prendre des décisions qui touchent plusieurs aspects de notre vie, que ce soit la famille, le travail, les loisirs, l'hébergement, le transport, etc. Nous prenons ces décisions en tenant compte des objectifs que nous poursuivons et des contraintes auxquelles nous sommes confrontés, et qui sont fréquemment d'ordre économique. Afin d'élargir le champ de nos possibilités, nous devons gérer et administrer les ressources dont nous disposons de manière efficace. Dans le cadre d'une saine gestion financière, nous devons identifier, quantifier et analyser les implications de nos décisions.

Ce chapitre vise à vous initier à l'administration financière et à vous familiariser avec l'environnement dans lequel nous prenons nos décisions financières. Plus précisément, dans les deux premières sections, nous chercherons à définir l'administration financière et à déterminer son but. À la section suivante, nous étudierons les principales décisions financières que nous sommes amenés à prendre, en précisant la portée des choix effectués, que ce soit sur le plan de l'investissement ou celui du financement.

1. La définition de l'administration financière

Dans son sens le plus général, le terme *finance* se réfère à un domaine d'activités qui s'intéresse à la gestion des ressources mises à la disposition des différents agents économiques. On appelle *agent économique* toute entité qui contribue à l'économie par son activité de consommation, de production et d'investissement. Dans ce contexte, nous traiterons de trois principaux agents économiques présents sur les marchés, à savoir les individus, les entreprises et les gouvernements.

La majorité des décisions prises par ces agents économiques ont des implications financières et vont générer des sorties et/ou des entrées de fonds. Ces entrées et ces sorties de fonds constituent ce que l'on nomme les *flux monétaires*, et leur importance dépendra des ressources et des moyens de production à la disposition de chaque agent. Ces ressources, que l'on exprime en termes monétaires, diffèrent d'un agent économique à un autre en nature et en quantité.

L'individu

Par exemple, la ressource principale d'un individu est sa capacité de travailler, puisqu'il peut l'offrir sur le marché en échange de flux monétaires, dans ce cas, un salaire. Une fois les frais de subsistance payés, l'utilisation de ce revenu dépendra des objectifs poursuivis par l'individu. Ainsi, il pourra notamment choisir de consommer des biens matériels (automobile, maison, etc.), des actifs financiers (dépôt bancaire, obligation, etc.) ou de planifier ses loisirs (vacances, restaurant, etc.). Chacune de ces décisions a des implications financières dont il est important d'*identifier*, de *quantifier* et d'*analyser* la portée. Pour ce faire, il faut d'abord planifier, puis organiser, ensuite décider et, enfin, contrôler l'utilisation des ressources monétaires de façon à réaliser les objectifs prédéterminés.

L'entreprise

Dans le cas d'une entreprise, les ressources disponibles sont utilisées à des fins de production et se présentent en deux catégories principales : les biens tangibles et les biens intangibles. Un *bien tangible* est un bien physique, corporel et réel. On retrouve dans cette catégorie des biens tels que le matériel d'exploitation, les immeubles, la machinerie, etc. À l'opposé, un *bien intangible* est un bien non physique, non corporel et non palpable comme les brevets, la technologie, les droits d'exploitation, etc. On retrouve également dans cette catégorie les ressources humaines de l'entreprise, élément essentiel à son développement. L'ensemble de ces biens tangibles et intangibles permet aux entreprises de générer des revenus d'exploitation. Une fois que les frais d'exploitation et de financement sont assurés, l'utilisation des revenus nets dépendra des objectifs poursuivis par l'entreprise et pourrait servir, par exemple, à acquérir des biens de production ou des actifs financiers. Encore une fois, chacune de ces décisions a des implications financières dont il est important d'*identifier*, de *quantifier* et d'*analyser* la portée. Pour ce faire, l'entreprise doit également planifier, puis organiser, ensuite décider et, enfin, contrôler l'utilisation des ressources monétaires de façon à réaliser les objectifs prédéterminés.

Le gouvernement

Dans le cas du gouvernement, les ressources disponibles sont composées principalement de biens tangibles, comme les entreprises publiques, les édifices gouvernementaux, les ponts, les routes, etc. Ces ressources servent à livrer des services à l'ensemble de la population qui, en contrepartie, verse des impôts et des taxes, lesquels seront utilisés en fonction des choix effectués par le gouvernement. Comme nous l'avons mentionné précédemment, chacune de ces décisions a des implications financières dont il est important d'*identifier*, de *quantifier* et d'*analyser* la portée. Pour ce faire, le gouvernement doit d'abord planifier, puis organiser, ensuite décider et, enfin, contrôler l'utilisation des ressources monétaires de façon à réaliser les objectifs prédéterminés.

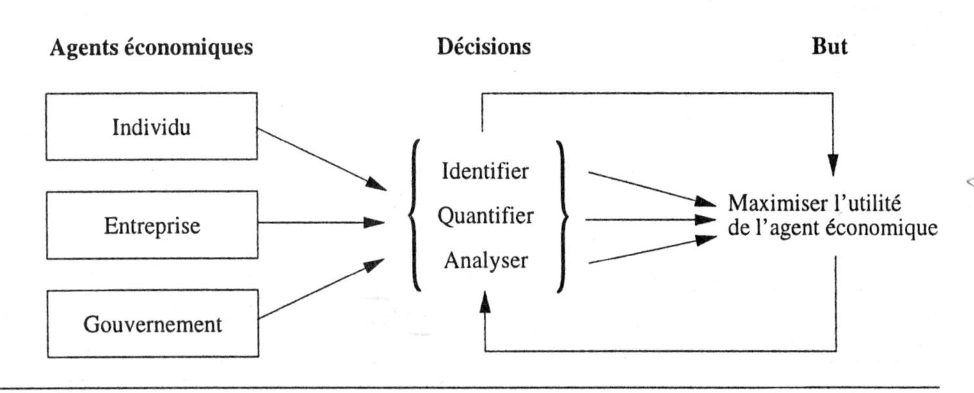

FIGURE 1.1
L'administration financière : un processus

L'*administration financière* se définit donc comme un processus dynamique à l'intérieur duquel un agent planifie, organise, décide et contrôle l'utilisation des ressources mises à sa disposition, dans l'atteinte d'objectifs prédéterminés. On entend par processus, un ensemble d'étapes successives menant à un objectif donné. Ce processus est dynamique car il est sujet à des révisions continuelles qui sont fonction de l'atteinte ou non des objectifs prédéterminés. En administration financière, les agents économiques, quels qu'ils soient, ont pour but de maximiser leur satisfaction que l'on nomme, dans le langage économique, « utilité ».

2. Le but de l'administration financière

Le but de l'administration financière consiste à utiliser les ressources limitées mises à notre disposition de la façon la plus efficace, afin d'en retirer la plus grande satisfaction possible. C'est ce qu'on appelle maximiser l'utilité de l'agent économique. La notion d'*utilité*, définie généralement comme la satisfaction espérée d'un choix économique, est habituellement exprimée en unité monétaire. Or, cette maximisation de la richesse espérée dépend des entrées et des sorties de fonds résultant des choix stratégiques effectués. En contexte de certitude, chaque agent tente de maximiser les entrées de fonds et de minimiser les sorties de fonds afin de maximiser sa richesse. Le but visé est d'avoir le plus grand écart positif possible entre les entrées et les sorties de fonds.

Pour l'individu, les entrées et les sorties de fonds sont relativement stables dans le temps et le pouvoir qu'il exerce sur ces flux monétaires est relativement peu important, comparativement à la dynamique des flux monétaires de l'entreprise ou du gouvernement.

Pour l'entreprise, les entrées et les sorties de fonds sont très variables. Ces changements dans les flux monétaires ou financiers résultent souvent de décisions stratégiques prises par les dirigeants. Ces derniers fondent leurs décisions sur les informations recueillies auprès des différentes fonctions de l'entreprise : marketing, production, ressources humaines, recherche et développement, et finance. La qualité de ces informations a une incidence directe sur la décision elle-même. Dans le cas d'un projet en particulier, la fonction *marketing* fournit généralement l'information nécessaire à l'estimation des entrées de fonds prévues à la suite de sa réalisation. La fonction *production,* pour sa part, évalue les sommes nécessaires à l'acquisition d'actifs et détermine les coûts d'opération de l'entreprise relativement à ce projet. La fonction *ressources humaines* fournit les informations sur les coûts et sur la disponibilité des ressources humaines nécessaires au projet. La fonction *recherche et développement* informe les dirigeants sur les capacités technologiques présentes et futures de l'entreprise, nécessaires à la faisabilité technologique du projet. La fonction *finance* a, quant à elle, la responsabilité de produire l'information financière sur la rentabilité du projet et sur la capacité de financement interne et externe de l'entreprise pour le réaliser. Ces différentes fonctions transmettent leurs informations à la direction de l'entreprise afin que celle-ci ait une vision exhaustive et claire de la situation.

Considérons, de façon plus spécifique, la fonction finance dans l'entreprise. Les individus évoluant dans cette fonction peuvent occuper différents postes, les plus fréquents étant ceux de vice-président aux finances, de vice-président à la planification financière, de contrôleur, de trésorier, etc. Dans les grandes entreprises, plusieurs personnes se répartissent les tâches de gestion financière, contrairement à ce qui se passe dans les PME (petites ou moyennes entreprises), où ces tâches sont souvent concentrées dans les mains d'un ou de quelques individus. La figure 1.2 situe la fonction finance dans l'entreprise et donne un aperçu de la structure possible des activités reliées à cette fonction.

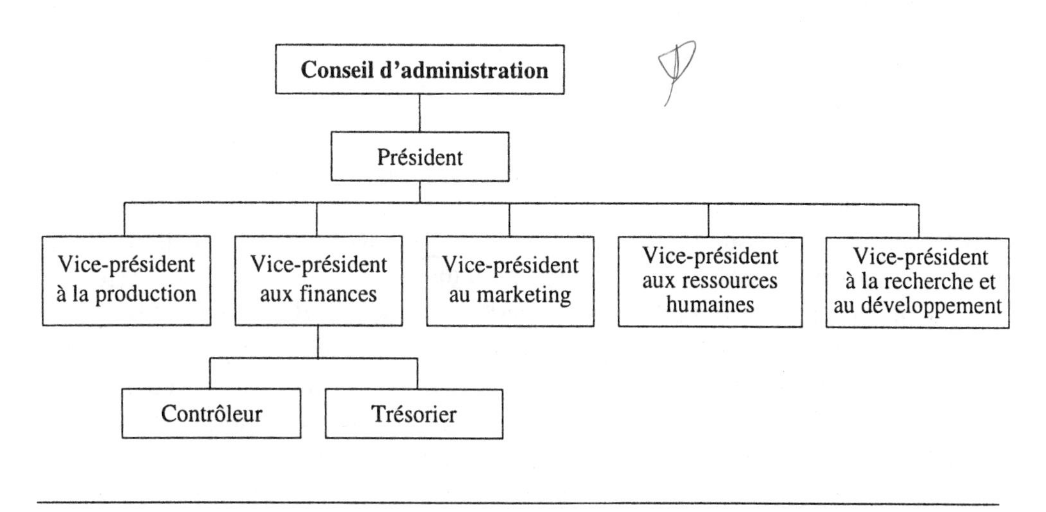

FIGURE 1.2
L'entreprise et ses différentes fonctions

On remarquera dans cette figure que les fonctions de contrôleur et de trésorier sont deux fonctions distinctes sous la responsabilité d'un vice-président aux finances. Il est important de comprendre ce qui différencie ces deux fonctions. Habituellement, le *trésorier* est le gestionnaire financier directement responsable de l'obtention et de la gestion des fonds nécessaires au bon fonctionnement de l'entreprise. Il doit, globalement, réaliser les différentes tâches suivantes :

- planifier les entrées et les sorties de fonds;
- prévoir les besoins de financement à court et à long terme;
- comparer et évaluer le coût des diverses possibilités de financement;
- gérer les comptes bancaires et l'encaisse.

Pour sa part, le *contrôleur*, comme son nom l'indique, se charge de la dimension contrôle de la fonction finance. Il s'assure que les fonds sont utilisés de façon efficace, conformément aux décisions qui ont été prises. Parmi ses tâches principales, il doit :

- établir, coordonner et administrer un plan de contrôle budgétaire des opérations;
- établir le budget de caisse et les autres budgets d'exploitation;
- préparer les états financiers;
- comparer les résultats obtenus avec les budgets;
- formuler les politiques et les procédures comptables à suivre.

La liste d'activités qui précède résume les différentes responsabilités d'un contrôleur et d'un trésorier. On ne peut, bien sûr, donner une description complète de leurs activités respectives, ni assurer que cette description recoupe toutes les situations possibles. La nature exacte de ces tâches et leur importance relative varieront considérablement selon la taille et la nature des activités de chaque entreprise. Il est cependant important de souligner que les développements technologiques et, en particulier, l'informatisation des entreprises, ont facilité de beaucoup l'exécution des tâches reliées à la dimension contrôle de la fonction finance. Ces deux intervenants fournissent au vice-président aux finances les informations nécessaires pour faire des choix éclairés et voir à ce que l'entreprise maximise l'utilisation des ressources financières mises à sa disposition.

3. Les décisions financières

La maximisation de la richesse des agents économiques dépend d'une bonne combinaison des différents types de décisions financières. On peut classer les types de décisions financières en deux catégories principales :

- la décision d'investissement;
- la décision de financement.

Comme l'indique la figure 1.3, la plupart des questions de nature financière peuvent être ramenées à ces deux décisions. Ces décisions sont d'une grande importance pour chaque agent économique. Dans ce volume, nous mettrons principalement l'accent sur la décision d'investissement[1].

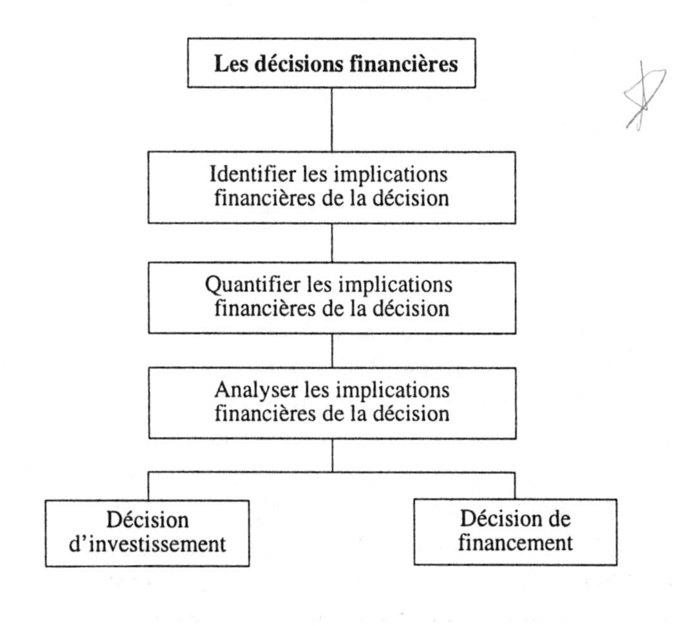

FIGURE 1.3
Les types de décisions financières

1. Les auteurs du présent ouvrage traitent de la décision de financement dans un second volume.

3.1 La décision d'investissement

La décision d'investissement consiste à choisir, parmi différentes possibilités, les projets qui permettent à chaque agent économique, qu'il soit un individu, une entreprise, ou encore un gouvernement, d'atteindre les objectifs préalablement fixés. Ces projets d'investissement impliquent souvent l'allocation de sommes importantes pour des périodes de temps prolongées. Un exemple de ce type de projet, dans le cas d'une entreprise, est l'achat d'immeubles, de machinerie ou de matériel d'exploitation, tandis que, pour l'individu, il peut s'agir d'acheter une maison ou une voiture, par exemple.

Les retombées futures d'un projet donné sont, dans la plupart des cas, échelonnées dans le temps alors qu'une partie souvent importante des investissements requis doit être déboursée au stade initial du projet. Chaque projet a des particularités que l'on doit considérer lors de l'analyse. Nous discuterons donc principalement, dans ce volume, des différentes approches mises à notre disposition pour prendre les décisions d'investissement les plus éclairées, et ce, en fonction des caractéristiques propres à chaque projet.

3.2 La décision de financement

La *décision de financement* vise à combler les besoins de fonds des agents. En effet, l'agent économique doit choisir parmi une gamme élaborée de sources de financement (épargne, emprunt, émission d'actions, réinvestissement des bénéfices, etc.) celles qui correspondent le mieux à ses besoins pour ce qui est des montants, des remboursements, du taux, etc. Cependant, le choix des moyens de financement et leurs coûts ne sont pas les mêmes d'un agent économique à un autre. Par exemple, on n'envisage pas une émission d'actions pour l'individu, alors que ce moyen de financement est monnaie courante pour l'entreprise. De même, des contraintes peuvent diminuer l'éventail des choix offerts et, ainsi, influencer la décision. Les possibilités de financement et les coûts qui s'y rattachent sont différents tant pour les diverses classes d'agents économiques (un individu ne pourra habituellement pas emprunter sur les marchés financiers internationaux comme le font les gouvernements) qu'à l'intérieur d'une même classe (un individu fortuné aura davantage de possibilités de financement qu'un individu moins fortuné).

De façon générale, l'individu doit financer son investissement, soit par l'emprunt ou par ses propres fonds. Pour sa part, l'entreprise se finance habituellement à partir du réinvestissement de ses bénéfices, de l'utilisation de la dette ou de l'émission de capital-actions. Le gouvernement doit trouver le moyen de financer ses investissements, soit en empruntant, soit, hélas, en augmentant les impôts et les taxes qu'il prélève.

Chacune de ces sources de financement possède ses caractéristiques propres, ses avantages et ses inconvénients. Par conséquent, le choix d'une source doit en tenir compte.

3.3 La séparation de la décision d'investissement et de la décision de financement

Il est important de saisir les distinctions fondamentales entre la décision d'investissement et la décision de financement. Ces distinctions font en sorte que la décision d'investissement et la décision de financement ne sont pas prises conjointement, mais de façon séparée. Cet état de fait s'appuie sur deux principaux éléments, l'un étant relié au type même de la décision à prendre et l'autre étant d'ordre temporel. En effet, les décisions d'investissement et de financement sont séparées par le temps et, généralement, la décision de financement survient après la décision d'investissement. Plus précisément, l'agent cherche à financer le montant nécessaire au projet d'investissement qu'il entend réaliser. Il doit donc déterminer ses besoins en fonds avant de déterminer la manière dont il va se les procurer.

En ce qui a trait au type de décision à prendre, la décision d'investissement se prend, pour un projet particulier, en identifiant, quantifiant et analysant les caractéristiques propres à ce projet; l'agent économique sélectionne les projets d'investissement qui s'offrent à lui sur la base de leurs caractéristiques individuelles. À l'opposé, la décision de financement déborde ce cadre spécifique et englobe un ensemble de paramètres se rapportant à l'agent.

À titre d'exemple, pour un individu, la décision d'investissement touchant à l'achat d'une voiture se fera sur la base des caractéristiques propres à cette dernière soit sa marque, sa couleur, sa puissance, son prix, etc. Cependant, en ce qui à trait à la décision de financement, l'individu devra décider entre la louer ou l'acheter, sur la base de ses revenus, de ses dépenses, de ses obligations financières, etc. Cette décision de financement se prendra donc indépendamment de la couleur de la voiture ou de sa marque et, donc, indépendamment de la décision d'investissement déjà prise.

Conclusion

Dans ce volume, nous nous intéresserons à l'administration financière des ressources détenues par un agent économique. Vous aurez, en tant qu'agent, à analyser des situations et à porter des jugements afin de prendre la meilleure décision possible. Vous devrez donc identifier, quantifier et analyser les implications de vos décisions. Nous allons principalement explorer la dimension investissement des décisions financières. La décision d'investissement sera analysée dans différents contextes et de façon évolutive : d'abord dans un contexte de certitude, ensuite dans un contexte de certitude avec impôts et, finalement, dans un contexte d'incertitude avec impôts.

Les activités d'apprentissage

Questions

1. Nommez les principaux agents économiques. Pourquoi les appelle-t-on ainsi?

2. Quels sont les éléments d'une saine gestion financière?

3. Expliquez ce qu'est l'administration financière.

4. Expliquez le but de l'administration financière.

5. Décrivez le rôle de chacune des grandes fonctions de l'entreprise.

6. Résumez les responsabilités d'un contrôleur et celles d'un trésorier.

7. Expliquez pourquoi vous serez amené à jouer le rôle d'un vice-président aux finances dans le cadre de ce cours.

8. Expliquez en quoi consiste la décision d'investissement.

9. Expliquez en quoi consiste la décision de financement.

10. Expliquez pourquoi la décision d'investissement et la décision de financement sont deux décisions séparées.

Chapitre 2

La notion de valeur

Schéma d'intégration des contenus

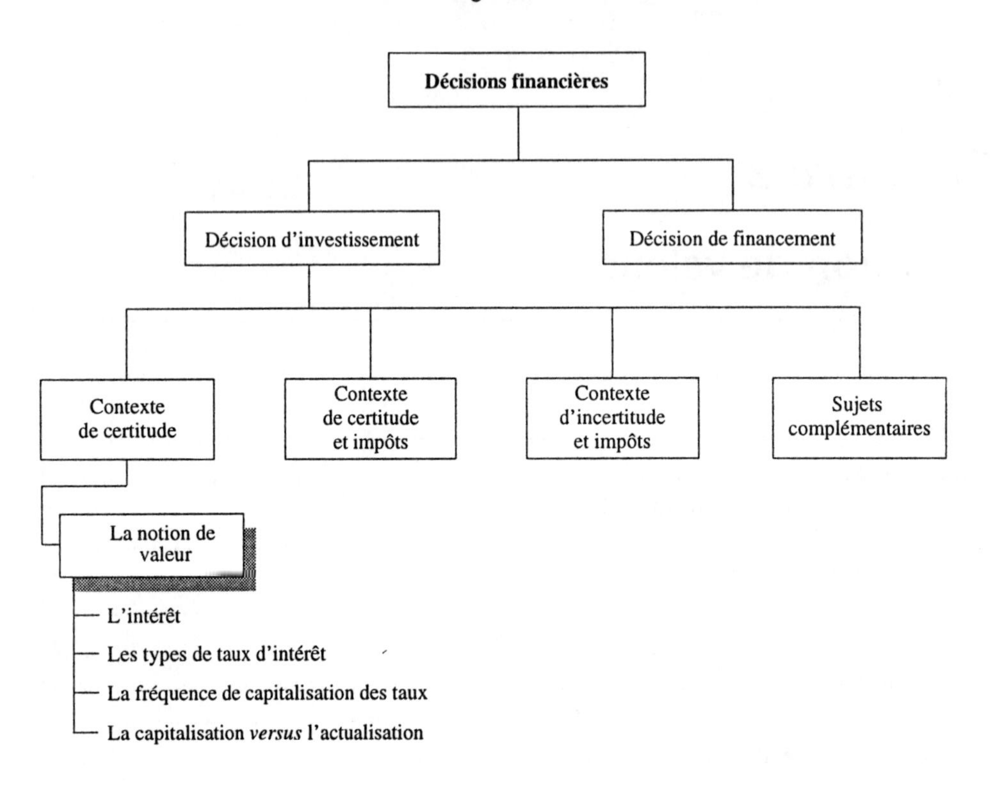

Le chapitre 2 vous amène à comprendre la notion de valeur. Pour ce faire, vous devrez atteindre les objectifs suivants :

- comprendre la dynamique de l'offre et de la demande de fonds;
- identifier les différentes sources de prime de risque;
- connaître les nuances entre taux d'intérêt simple et taux d'intérêt composé;
- distinguer les notions de taux d'intérêt nominal, de taux d'intérêt périodique et de taux d'intérêt effectif;
- saisir la notion d'équivalence des taux;
- comprendre les notions de capitalisation et d'actualisation;
- calculer la valeur actuelle et la valeur future d'un montant unique.

Introduction

La notion de valeur peut prendre plusieurs formes. Il peut s'agir de valeur sentimentale, de valeur personnelle, de valeur morale ou religieuse, ou encore de valeur économique d'un bien. C'est cette dernière notion de valeur qui retient notre attention. La valeur économique d'un bien se mesure par l'utilité que ce bien procure. L'*utilité*, pour sa part, est définie comme la satisfaction que l'on retire de la détention d'un bien ou de son utilisation. L'unité de mesure de cette utilité est souvent d'ordre monétaire.

De plus, la valeur économique d'un bien évolue dans le temps. Cet aspect temporel de la valeur d'un bien fait souvent appel à un concept fort important de l'économie moderne qui est l'intérêt. *L'intérêt* peut être vu comme le coût d'utilisation de l'argent dans le temps. Dans la première section de ce chapitre, nous allons nous familiariser avec cette notion d'intérêt. Nous étudierons ensuite les différents types de taux d'intérêt et leurs particularités. Finalement, nous mettrons en application les connaissances acquises afin de déplacer, dans le temps, différentes valeurs économiques.

1. L'intérêt

L'intérêt est le lien qui permet un transfert de richesse entre l'épargne du prêteur et la consommation de l'emprunteur. En effet, l'argent emprunté donne à l'emprunteur l'opportunité de faire immédiatement une transaction qui, autrement, aurait été reportée à plus tard ou même perdue à jamais. Par conséquent, pour l'emprunteur, l'intérêt représente le prix à payer pour ne pas attendre à plus tard afin de bénéficier immédiatement d'une opportunité. En contrepartie, les individus qui possèdent des réserves monétaires importantes (ou épargne) n'ont aucune raison de s'en défaire, à moins d'y trouver un quelconque avantage. Par conséquent, pour le prêteur, l'intérêt représente la compensation reçue pour reporter une opportunité à un moment ultérieur.

Cette incitation à prêter et à emprunter est d'ordre monétaire et est versée sous forme d'intérêt par l'emprunteur au prêteur. En théorie, l'intérêt versé par l'emprunteur devrait être moindre que la satisfaction que ce dernier retire de l'emprunt effectué. Dans le même ordre d'idée, l'intérêt reçu par le prêteur doit être suffisamment élevé pour compenser le fait de reporter à plus tard la jouissance qu'il aurait retirée de son argent.

1.1 L'offre et la demande de fonds

Si l'on accepte que l'intérêt soit le prix à payer par l'emprunteur pour ne pas reporter une opportunité, alors on peut supposer que celui-ci soit déterminé comme n'importe quel autre prix : par les forces de l'offre et de la demande. Dans ce cas précis, il s'agit de l'offre et de la demande de fonds qui affluent sur les marchés financiers. La figure 2.1 nous aide à mieux saisir cette idée.

La courbe de demande nous montre que plus le taux d'intérêt (ou prix) sera élevé, plus la quantité demandée de fonds par les emprunteurs sera faible. À l'inverse, la courbe d'offre nous indique que plus le taux d'intérêt sera élevé, plus la quantité offerte par les prêteurs sera grande. Le taux d'intérêt qui prévaudra sur le marché sera celui qui fera en sorte que la quantité demandée égalera la quantité offerte et on dira qu'il s'agit du taux d'équilibre.

En effet, si le taux d'intérêt est supérieur au taux d'équilibre, alors il y aura davantage d'individus désireux d'offrir (prêter) leurs fonds que d'individus disposés à emprunter. Comme il y aura un surplus de fonds disponibles, certains prêteurs décideront de baisser leur taux (prix) jusqu'à ce qu'ils placent tous leurs fonds disponibles. Si, à l'opposé, le taux d'intérêt est inférieur au taux d'équilibre, alors il y aura davantage d'individus voulant se procurer du financement à bas prix que d'individus décidés à en offrir. Puisqu'il y aura pénurie de fonds sur le marché, certains emprunteurs voudront payer un taux (prix) plus élevé pour obtenir les fonds qu'ils désirent. Ainsi, les forces de l'offre et de la demande se manifesteront de la sorte jusqu'à ce qu'il y ait absence de surplus ou de pénurie de fonds, c'est-à-dire jusqu'à ce que le taux soit tel que la quantité offerte équilibre (ou égale) la quantité demandée .

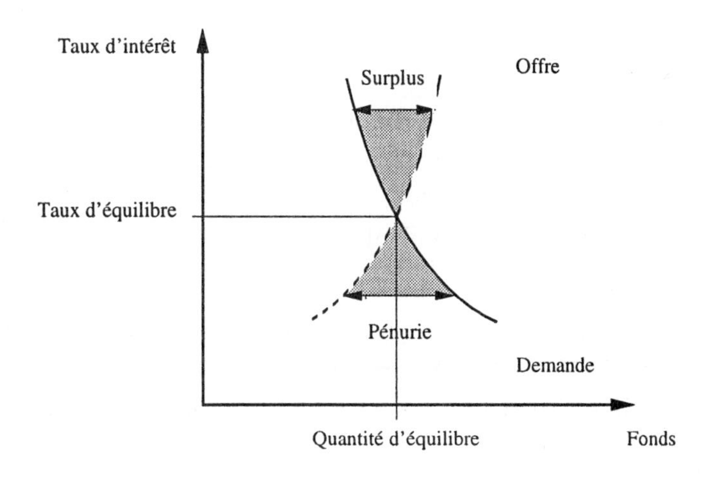

FIGURE 2.1
La détermination du niveau du taux d'intérêt par l'offre et la demande

Ce taux d'intérêt, qui constitue un *revenu pour le prêteur* et *une dépense pour l'emprunteur*, voit sa justification dans différents facteurs qui varient selon que nous sommes demandeur ou offreur de fonds. Ces facteurs de prime se retrouvent dans le tableau 2.1 et sont développés dans les sections suivantes. Notez, cependant, qu'à des fins de simplification, nous retiendrons, à partir de maintenant, uniquement le point de vue du prêteur, puisque chaque élément justifiant une partie du niveau du taux d'intérêt chez le prêteur trouve sa réciprocité chez l'emprunteur.

TABLEAU 2.1
Les facteurs de prime justifiant le niveau du taux d'intérêt

Prêteur		Emprunteur
Report de la consommation	◄──►	Devancement de la consommation
Perte de pouvoir d'achat	◄──►	Gain de pouvoir d'achat
Risque de non-remboursement	◄──►	Privilège d'emprunt

1.2 Le report de la consommation

Le prêteur exige une prime de l'emprunteur pour compenser le sacrifice qu'il doit faire en prêtant ses fonds. En effet, le prêteur pourrait utiliser ces fonds aujourd'hui pour consommer des biens qui lui procureront utilité et jouissance. Puisque le prêteur doit remettre à plus tard la jouissance qu'il aurait pu obtenir aujourd'hui, il va réclamer une prime pour compenser ce sacrifice.

À titre d'exemple, un individu dispose de la somme nécessaire pour effectuer l'achat d'une voiture neuve de 20 000 $ afin de remplacer sa voiture d'occasion. Il envisage cependant la possibilité de prêter cette somme à un ami pour une période de cinq ans. S'il le fait, il exigera de son ami l'emprunteur une prime afin de compenser la non-jouissance d'une voiture neuve pour les cinq prochaines années.

1.3 La perte de pouvoir d'achat

Nous savons que les prix à la consommation, loin de rester constants dans le temps, tendent en moyenne à augmenter. Ce phénomène se nomme l'inflation. L'*inflation* correspond à la perte du pouvoir d'achat d'un certain montant d'argent, à mesure que l'on reporte sa consommation à plus tard. Autrement dit, plus la consommation est reportée dans le temps, plus la quantité de biens, obtenue pour un même montant d'argent, diminue. Afin de se prémunir contre toute perte de pouvoir d'achat, entre le moment où le prêteur avance son argent et celui où il sera remboursé, ce dernier exige une prime de la part de l'emprunteur pour lui permettre de conserver le même pouvoir d'achat avec les sommes prêtées. Cette prime est incluse dans le prix exigé par le prêteur et sera d'autant plus élevée que le taux d'inflation anticipé est élevé. L'inflation, comme le montre le tableau 2.2, varie cependant d'une période à une autre et d'un pays à un autre.

TABLEAU 2.2
Tableau comparatif des taux d'inflation dans divers pays

	Taux annuel d'inflation en %		
Pays	*1993*	*1994*	*1995*
Allemagne	4,5	2,7	1,8
Canada	1,8	0,2	2,2
Grèce	14,4	10,9	9,3
France	2,1	1,7	1,7
Espagne	4,6	4,7	4,7
Mexique	9,8	7,0	37,0
Turquie	66,1	105,1	89,1
États-Unis	3,0	2,6	2,8

Source : *Perspectives économiques de l'OCDE*, juin 1996.

Dans l'exemple qui nous occupe, si le prêteur reporte l'achat d'une voiture neuve de cinq ans, il exigera de l'emprunteur une prime afin de compenser l'augmentation du prix de la voiture durant cette période car, dans cinq ans, cette dernière coûtera sûrement plus cher que les 20 000 $ actuels.

1.4 Le risque de non-remboursement

Aucun individu, de par la nature humaine, ne privilégie l'incertitude au détriment de la certitude. Ainsi, la possession d'une certaine somme d'argent est une certitude absolue puisqu'on peut physiquement le certifier et utiliser cet argent comme bon nous semble. Cependant, à partir du moment où l'on prête cet argent, la certitude de pouvoir un jour l'utiliser dépendra de la solvabilité de l'emprunteur. Il existe donc un risque de ne jamais récupérer cet argent, puisque, entre le moment où l'argent est prêté et le moment où il devrait être remboursé, plusieurs événements peuvent survenir empêchant l'emprunteur de s'acquitter de ses obligations.

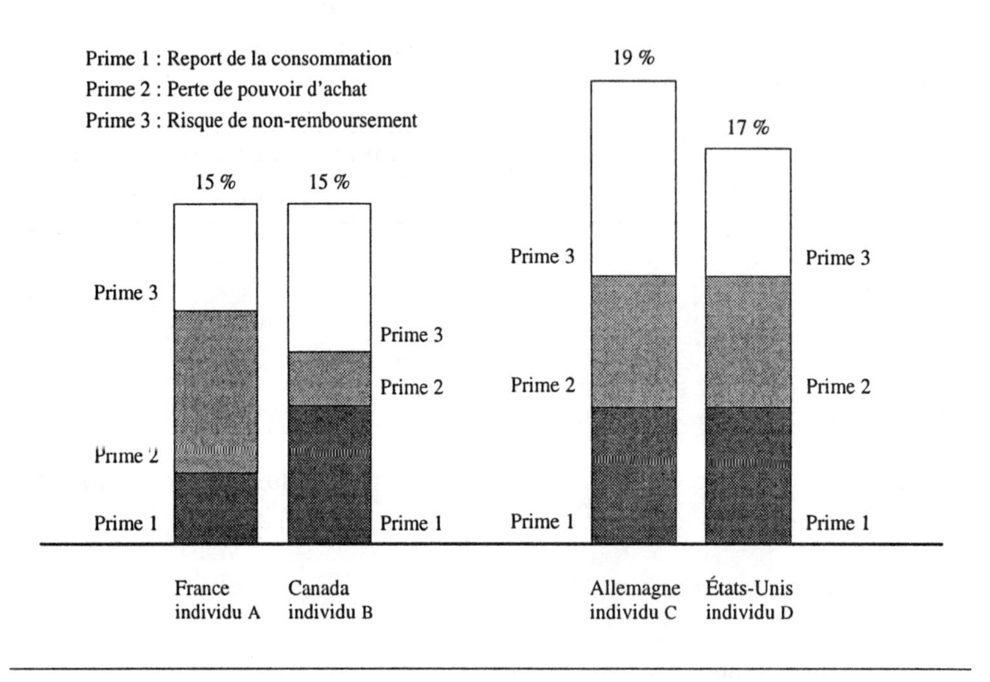

FIGURE 2.2
Diverses ventilations des primes de risque pour différents taux d'intérêt donnés

Dans notre exemple, si l'ami emprunteur ne peut, pour quelque raison que ce soit, rembourser le montant de 20 000 $ emprunté, notre prêteur ne pourra plus acheter une nouvelle voiture. Afin de compenser ce risque, le prêteur exigera de l'emprunteur qu'il lui verse une prime additionnelle.

L'importance relative de chacune de ces primes, qui constituent le taux d'intérêt, est très variable. Par exemple, pour un taux d'intérêt donné, soit 15 %, tel que représenté à la figure 2.2, chaque prime a un poids différent, même si le taux d'intérêt est identique.

De plus, un taux d'intérêt peut être différent en raison d'une prime en particulier, comme le taux d'inflation qui peut varier d'un pays à l'autre sans pour autant que les autres sources de risque soient différentes. Plus particulièrement, la prime liée au pouvoir d'achat est fonction de l'inflation; l'inflation est calculée sur une base nationale (par pays). La prime liée au pouvoir d'achat est donc la même à la grandeur d'un pays. Soit deux individus habitant le même pays : la prime liée au pouvoir d'achat devrait être la même pour chacun d'eux. Tel qu'il est illustré dans la figure 2.2, si l'individu A habite la France, et l'individu B le Canada, alors l'individu A aurait à supporter, dans le cas d'un emprunt, une prime liée à la perte de pouvoir d'achat beaucoup plus élevée que l'individu B. Ainsi, même si les individus A et B font tous les deux face à un même taux d'intérêt de 15 %, la prime liée à la perte de pouvoir d'achat (ou à l'inflation) a un poids relatif plus important pour l'individu A.

Par ailleurs, soit deux autres individus C et D habitant respectivement l'Allemagne et les États-Unis. Ces deux individus peuvent faire face à des taux d'intérêt différents en raison d'une prime de non-remboursement différente. Si on suppose que le poids relatif des autres primes, qui constituent le taux d'intérêt, est le même pour les deux individus, la différence entre les deux taux d'intérêt observés s'explique par la différence entre les deux primes de non-remboursement (voir figure 2.2). Le même principe s'applique à des individus habitant le même pays.

2. Les types de taux d'intérêt

Il existe deux types de taux d'intérêt : l'intérêt simple et l'intérêt composé. Les différences régissant ces deux types de taux sont majeures, tant dans leurs fondements que dans leur finalité.

2.1 L'intérêt simple

L'intérêt est de type simple s'il est caractérisé par ce qui suit :

- il s'agit d'un montant toujours égal de période en période;
- sa détermination est toujours basée sur le capital initial;
- les intérêts sont toujours versés à la fin de chaque période;
- le montant dû au prêteur est toujours limité au capital initial.

Exemple 1

Le 1er janvier 20X0, vous déposez un montant de 1 000 $ dans un compte à intérêt simple de 10 % par année pendant cinq ans (le terme *montant* est synonyme de « capital » ou « somme » ou « principal » ou encore « prêt »). Autrement dit, vous prêtez à la banque 1 000 $. En contrepartie, cette dernière vous remettra 100 $ d'intérêt par année, pendant cinq ans. Nous avons illustré dans le tableau 2.3, pour la période couverte par l'exemple, les flux monétaires (entrées et sorties de fonds) résultant de cette transaction, à la fois pour le prêteur et l'emprunteur.

TABLEAU 2.3
Les flux monétaires d'une transaction selon l'intérêt simple

	Prêteur		**Emprunteur**	
Date	*Sortie de fonds*	*Entrée de fonds*	*Sortie de fonds*	*Entrée de fonds*
01-01-20X0	1 000 $	0 $	0 $	1 000 $
01-01-20X1	0	100	100	0
01-01-20X2	0	100	100	0
01-01-20X3	0	100	100	0
01-01-20X4	0	100	100	0
01-01-20X5	0	1 100	1 100	0
	1 000 $	1 500 $	1 500 $	1 000 $

Nous constatons dans le tableau 2.3 l'application des règles de l'intérêt simple énumérées plus haut. En effet, on voit bien que le montant d'intérêt reste constant d'année en année ou de période en période. De plus, son calcul est toujours basé sur le capital initial, soit 1 000 × 10 % = 100 $. On constate également que les intérêts sont versés en fin de période, puisqu'il a fallu attendre la fin de l'année 20X0, c'est-à-dire le début de l'année 20X1, pour encaisser les intérêts pour la première fois. Finalement, on remarque que le montant dû par l'emprunteur reste toujours égal au montant prêté initialement, soit 1 000 $.

À partir de ce tableau, nous pouvons également constater que la perspective du prêteur trouve sa réciproque chez l'emprunteur. En effet, le solde du début correspond à une sortie de fonds pour le prêteur et à une entrée de fonds pour l'emprunteur. Il en va de même pour l'intérêt, où le revenu de l'un correspond à la dépense de l'autre.

L'intérêt simple est toujours calculé sur le capital initial, soit 1 000 $ dans l'exemple 1. Comme le taux d'intérêt ne change pas, et que le principal sur lequel il s'applique ne change pas non plus, le montant d'intérêt reçu est égal, pour chacune des années, à 100 $. Au total, le prêteur a touché 500 $ en intérêt, soit 100 $ par année pendant cinq ans.

Un tel tableau peut facilement devenir encombrant si nous avons à calculer le montant d'intérêt reçu sur un prêt durant une très longue durée. Afin de remédier à cette situation, nous utiliserons une formulation algébrique. Une seule formule nous permettra de déterminer le montant total d'intérêt encaissé, et ce, indépendamment de la période couverte, du capital utilisé ou du taux d'intérêt simple appliqué.

Cette formule, qui nous donne l'intérêt simple total reçu pour un principal initial, est représentée par l'équation 2.1 :

$$TOT\,i = (PV \times I) \times N \tag{Éq. 2.1}$$

où :

$TOT\,i$	=	le montant total d'intérêt versé ou reçu
PV	=	le capital prêté ou emprunté initialement (*present value)*
I	=	le taux d'intérêt simple annuel
$(PV \times I)$	=	le versement d'intérêt annuel
N	=	le nombre de périodes de placement exprimé sur une base annuelle (en années)

Rappelons que les termes « capital », « principal », « montant », « somme » ou « prêt » sont équivalents et peuvent être interchangés.

À partir de l'exemple 1, déterminons le montant d'intérêt total reçu sur un capital initial de 1 000 $, placé pendant cinq ans, à un taux d'intérêt simple de 10 % :

$TOT\,i$ = à déterminer
PV = 1 000 $
I = 10 %
N = 5 ans

Donc, à partir de l'équation 2.1 :

$$TOT\,i = PV \times I \times N$$
$$TOT\,i = 1\,000 \times 0{,}10 \times 5$$
$$TOT\,i = 500\ \$$$

En outre, afin d'obtenir la somme totale reçue FV_N, nous devons additionner le principal PV au montant total des intérêts $TOT\,i$, d'où l'équation 2.2 :

$$FV_N = PV + TOT\,i \qquad \textbf{Éq. 2.2}$$

En insérant $TOT\,i = PV \times I \times N$ dans l'équation 2.2, nous obtenons :

$$FV_N = PV + (PV \times I \times N) \qquad \textbf{Éq. 2.2.1}$$

et en mettant PV en facteur, nous obtenons :

$$FV_N = PV(1 + I \times N) \qquad \textbf{Éq. 2.3}^{1}$$

où :

FV_N = la valeur à la période N (*future value*)
PV = le capital prêté ou emprunté initialement (principal)
I = le taux d'intérêt simple annuel
N = le nombre de périodes de placement exprimé sur une base annuelle

En utilisant cette équation dans l'exemple précédent, le capital prêté de 1 000 $, placé à 10 % d'intérêt simple sur cinq ans, donne une valeur accumulée de 1 500 $.

1. Dans le calcul de l'équation 2.3, la multiplication doit être effectuée avant l'addition (priorité des opérateurs mathématiques).

En effet :

FV_5 = à déterminer
PV = 1 000 $
I = 10 %
N = 5 ans

Donc, à partir de l'équation 2.3 :

$$FV_N = PV(1 + I \times N)$$
$$FV_5 = 1\,000\,(1 + 0{,}10 \times 5)$$
$$FV_5 = 1\,000 \times (1{,}50)$$
$$FV_5 = 1\,500\ \$$$

De nos jours, on utilise peu l'intérêt simple et on en comprendra vite la raison lors du traitement, dans la section suivante, de l'intérêt composé.

2.2 L'intérêt composé

L'intérêt est de type composé s'il est caractérisé par ce qui suit :

- les intérêts se calculent sur le solde du début de chaque période;
- les intérêts s'additionnent au capital à la fin de chaque période;
- le solde du début de chaque période s'accroît, de période en période, du montant d'intérêt dégagé pendant chaque période;
- le prêteur récupère son capital et les intérêts accumulés à l'échéance finale.

À la différence de l'intérêt simple, qui demeure constant pour chaque période, l'intérêt composé s'accroît, pour sa part, de période en période.

Exemple 2

Le 1er janvier 20X0, vous déposez un montant de 1 000 $ dans un compte à intérêt composé de 10 % par année, pendant cinq ans. Autrement dit, vous prêtez à la banque 1 000 $. Nous avons illustré dans le tableau 2.4, pour la durée de l'investissement, les flux monétaires (entrées et sorties de fonds) résultant de cette transaction, à la fois pour le prêteur et pour l'emprunteur.

TABLEAU 2.4
Les flux monétaires d'une transaction selon l'intérêt composé

	Prêteur		**Emprunteur**	
Date	*Sortie de fonds*	*Entrée de fonds*	*Sortie de fonds*	*Entrée de fonds*
01-01-20X0	1 000 $	0 $	0 $	1 000 $
01-01-20X1	0	0	0	0
01-01-20X2	0	0	0	0
01-01-20X3	0	0	0	0
01-01-20X4	0	0	0	0
01-01-20X5	0 $	1 610,51 $	1 610,51 $	0 $

Le montant de 1 610,51 $ est constitué principalement de deux éléments : le capital initial de 1 000 $ et l'intérêt de 610,51 $. Sa provenance est illustrée dans la figure 2.3 et repose sur la dynamique propre à l'intérêt composé.

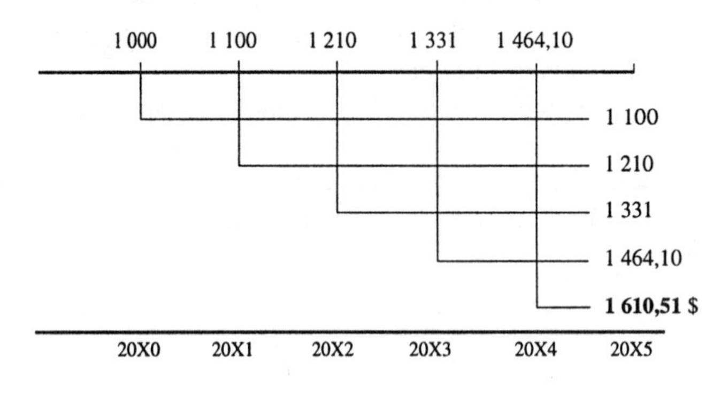

FIGURE 2.3
Le calcul de l'intérêt composé

La figure 2.3 nous permet de constater que le montant de 1 000 $ placé au début de 20X0 va engendrer des intérêts de 100 $ durant la première période, ce qui constituera le capital initial pour la période suivante, soit 1 100 $. À la fin de 20X1, les intérêts de cette période, qui s'élèvent à 110 $, s'ajoutent au capital initial de la période afin de constituer le capital initial de la période subséquente, soit 1 210 $, et ainsi de suite jusqu'à la fin de la durée du placement. Pour chacune des périodes considérées, le calcul du capital initial se fait comme suit :

Période	Capital initial	Capital final		
1	1 000 $	1 000 $ + (1 000 $ × 10 %)	=	1 100 $
2	1 100 $	1 100 $ + (1 100 $ × 10 %)	=	1 210 $
3	1 210 $	1 210 $ + (1 210 $ × 10 %)	=	1 331 $
4	1 331 $	1 331 $ + (1 331 $ × 10 %)	=	1 464,10 $
5	1 464,10 $	1 464,10 $ + (1 464 $ × 10 %)	=	1 610,51 $

Les principes de l'intérêt composé, énumérés précédemment, sont donc vérifiés. En effet, on voit que les intérêts se calculent sur le solde de début de chaque période. Ils sont dus, mais non utilisés, car réinvestis. Par exemple, pour la deuxième année, l'intérêt se calcule sur 1 100 $, soit 1 000 $ auquel on ajoute l'intérêt de 100 $ dégagé pendant la première période. Le solde s'accroît donc de période en période de 1 100 $, à 1 210 $, à 1 331 $, etc. On constate également que le capital initial de chaque période est constitué du capital de la fin de la période précédente auquel s'ajoutent les intérêts accumulés pendant la présente période.

À partir des équations dont nous disposons, on peut déterminer les valeurs accumulées période par période de la façon suivante :

La valeur accumulée après la première période :

$$FV_1 = PV(1 + I \times N)$$

Sachant que

$$N = 1$$

$$FV_1 = PV(1 + I)$$

$$FV_1 = 1\,000\,(1 + 0{,}10)$$
$$FV_1 = 1\,000\,(1{,}10)$$
$$FV_1 = 1\,100\ \$$$

La valeur accumulée après la deuxième période :

$$FV_2 = FV_1(1 + I)$$

Sachant que

$$FV_1 = FV_1(1 + I)$$

on a :

$$FV_2 = FV_1\,(1 + I)$$
$$FV_2 = PV\,(1 + I)\,(1 + I)$$
$$FV_2 = 1\,000\,(1{,}1)\,(1{,}1)$$
$$FV_2 = 1\,210\ \$$$

La valeur accumulée après la troisième période :

$$FV_3 = FV_2(1 + I)$$

Sachant que

$$FV_2 = PV\,(1 + I)\,(1 + I)$$

on a :

$$FV_3 = FV_2\,(1 + I)$$
$$FV_3 = PV\,(1 + I)\,(1 + I)\,(1 + I)$$
$$FV_3 = 1\,000\,(1{,}1)\,(1{,}1)\,(1{,}1)$$
$$FV_3 = 1\,331\ \$$$

Par conséquent, on peut utiliser une formule algébrique générale qui nous permet de déterminer la valeur finale FV_N, d'un capital initial PV, placé à un taux d'intérêt composé I sur une période N :

$$FV_N = PV(1 + I)^N \qquad \textbf{Éq. 2.4}$$

où :

FV_N	=	la valeur à la fin de la période N
PV	=	le capital prêté ou emprunté initialement (principal)
I	=	le taux d'intérêt composé annuellement
N	=	le nombre de périodes d'accumulation exprimé sur une base annuelle

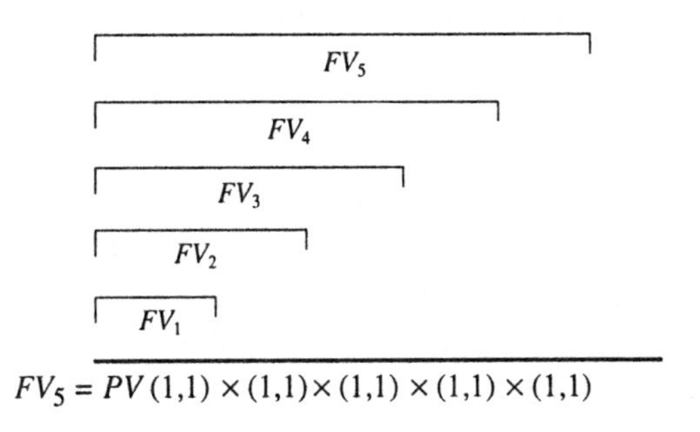

$$FV_5 = PV(1{,}1) \times (1{,}1) \times (1{,}1) \times (1{,}1) \times (1{,}1)$$

FIGURE 2.4
La dynamique de l'intérêt composé avec un taux d'intérêt de 10 %

Vérifions maintenant notre formule avec l'exemple précédent :

FV_N = à déterminer
PV = 1 000 $
I = 10 %
N = 5 ans

donc :

$$FV_N = PV(1 + I)^N$$
$$FV_5 = 1\,000\,(1 + 0{,}10)^5$$
$$FV_5 = 1\,610{,}51\ \$$$

En comparant le tableau 2.3 (intérêt simple) et le tableau 2.4 (intérêt composé), nous constatons qu'il n'y a pas de différence entre l'intérêt simple et l'intérêt composé lors de la première période. Le montant de l'intérêt périodique est de 100 $ et le montant accumulé après une année est le même, soit 1 100 $. À partir de la deuxième année, cependant, les choses sont différentes. L'intérêt composé, contrairement à l'intérêt simple, n'est plus calculé sur les 1 000 $ placés initialement, mais plutôt sur le capital de la première année, gonflé des intérêts touchés et réinvestis au cours de cette même année, soit 1 000 $ + 100 $ = 1 100 $. L'intérêt de la deuxième année est donc en partie composé de l'intérêt sur l'intérêt de la première année. Le montant périodique d'intérêt composé va donc s'accroître de période en période, contrairement au montant de l'intérêt simple qui, lui, demeure constant. Ainsi, après cinq ans, on obtient 610,51 $ avec l'intérêt composé, au lieu de 500 $ avec l'intérêt simple, soit une différence de 110,51 $[2].

Cette différence provient de l'intérêt supplémentaire généré par les intérêts dégagés au cours des quatre premières périodes et réinvestis. Plus précisément, la première année nous a permis de générer 100 $ d'intérêt qui ont été réinvestis pour une durée de quatre ans. Par conséquent, ce placement de 100 $, sur quatre ans à 10 %, a généré, à lui seul, le montant total d'intérêt *TOT i* de :

$$TOT\,i = PV \times I \times N$$
$$TOT\,i = 100 \times 0{,}10 \times 4$$
$$TOT\,i = 40\ \$$$

Par ailleurs, la deuxième année, le montant d'intérêt de 110 $, qu'on a encore réinvesti pendant trois années, au taux de 10 %, va générer un total d'intérêt *TOT i* égal à :

$$TOT\,i = PV \times I \times N$$
$$TOT\,i = 110 \times 0{,}10 \times 3$$
$$TOT\,i = 33\ \$$$

De même, les intérêts de la troisième et de la quatrième année, réinvestis pendant les années suivantes, vont générer :

$$TOT\,i = 121 \times 0{,}10 \times 2 = 24{,}20\ \$$$

2. Soulignons que la dynamique de l'intérêt simple est identique à celle de l'intérêt composé si l'intérêt reçu en simple, à chaque période, est réinvesti aux mêmes conditions durant toute la durée de l'investissement qui s'échelonne sur plusieurs périodes.

et :

$$TOT\,i \;=\; 133{,}10 \times 0{,}10 \times 1 \;=\; 13{,}31\ \$$$

Par conséquent, le montant total d'intérêt généré par les intérêts est de 40 + 33 + 24,20 + 13,31 = 110,51 $. Ce montant correspond à la différence entre les sommes accumulées selon l'intérêt simple (500 $) et celles accumulées selon l'intérêt composé (610,51 $). La figure 2.5 représente la différence dans la croissance du montant d'intérêt périodique, selon que l'intérêt est simple ou composé.

À noter.– À partir de maintenant, nous tiendrons toujours pour acquis que nous nous situons dans une dynamique d'intérêt composé.

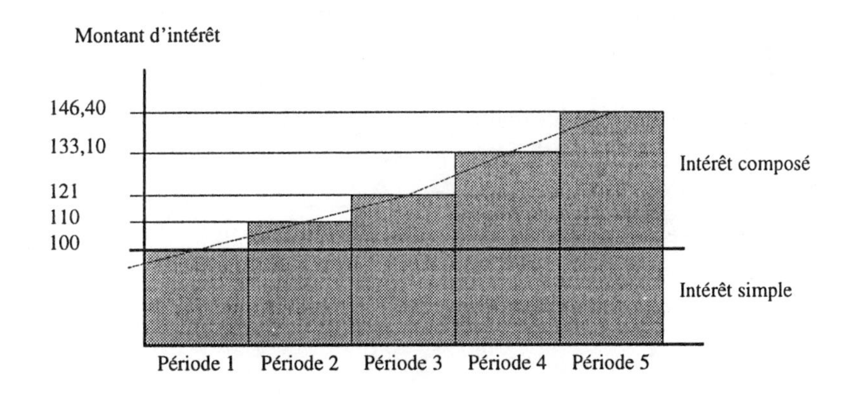

FIGURE 2.5
La différence entre les montants accumulés en intérêt simple et en intérêt composé

3. La fréquence de capitalisation des taux

Jusqu'à présent, nous avons seulement considéré les taux exprimés sur une base annuelle où les intérêts sont calculés une fois par an. En pratique, cependant, les intérêts peuvent être versés et calculés plus d'une fois par année selon différentes fréquences.

La *fréquence* est le nombre de fois, à l'intérieur d'une même année, où l'intérêt vient s'ajouter au capital initial. Les fréquences les plus courantes sont : semestrielle (tous les six mois, soit deux fois par an), trimestrielle (tous les trois mois, soit quatre fois par an), mensuelle (chaque mois, soit 12 fois par an), hebdomadaire (chaque semaine, soit 52 fois par an) ou quotidienne (tous les jours, soit 365 fois par an).

Cette fréquence à laquelle sont calculés et versés les intérêts (la fréquence de capitalisation des taux) a un impact significatif sur la valeur accumulée d'un montant. Par exemple, un placement de 1 000 $ à un taux de 10 % capitalisé annuellement, sur une période de cinq ans, n'a pas la même valeur accumulée qu'un montant de 1 000 $ placé à un taux de 10 % capitalisé mensuellement. Intuitivement, puisque l'intérêt est calculé et versé plus souvent dans le deuxième cas (12 fois par an plutôt qu'une seule), et vu l'effet « explosif » des intérêts composés sur la croissance du capital initial, le montant accumulé sera plus élevé, pour un même principal et un même taux, lorsque la fréquence de capitalisation des taux est plus élevée.

Afin de pouvoir bien saisir les nuances de la dynamique de fréquence de capitalisation des taux, il est important de différencier les appellations se rapportant au taux d'intérêt. Nous avons donc :

- le taux d'intérêt nominal (représenté par le symbole I);
- le taux d'intérêt périodique (représenté par le symbole i);
- le taux d'intérêt effectif (représenté par le symbole i_r).

3.1 Le taux d'intérêt nominal

Le *taux d'intérêt nominal* est le taux d'intérêt nommé, celui qu'on annonce ou qu'on affiche. Par définition, le taux nominal est un taux annuel. Il est important de noter que l'on ne peut prendre de décision financière sur la base du taux nominal, à moins de comparer des taux capitalisés avec la même fréquence.

3.2 Le taux d'intérêt périodique

Le *taux d'intérêt périodique* est celui qui correspond à chaque période de capitalisation. Si nous avons un taux nominal de 10 % capitalisé semestriellement, par exemple, alors le taux d'intérêt périodique est un taux semestriel de 10 %/2 = 5 %. Le taux d'intérêt périodique i, s'obtient en divisant le taux nominal I par le nombre de périodes de capitalisation m, à l'intérieur d'une même année. La formulation mathématique pour obtenir le taux périodique est :

$$i = I/m \qquad \textbf{Éq. 2.5}$$

où :

i = le taux d'intérêt périodique
I = le taux d'intérêt nominal
m = la fréquence de capitalisation à l'intérieur d'une même année

Les taux périodiques ne sont comparables l'un à l'autre que s'ils ont la même fréquence de capitalisation. Autrement dit, on ne peut comparer un taux périodique semestriel à un taux périodique mensuel que si on les ramène à une même fréquence de capitalisation.

3.3 Le taux d'intérêt effectif

Le *taux d'intérêt effectif* est un taux annuel par définition. Il exprime sur une base annuelle, et indépendamment de la fréquence de capitalisation, le taux effectivement obtenu durant l'année. Tous les taux, dont la périodicité est différente, peuvent, une fois leur équivalent annuel effectif déterminé, être comparés entre eux sur une base commune annuelle. Donc, le taux effectif permet la comparaison entre divers taux d'intérêt ayant des périodicités différentes.

L'équation 2.6 nous permet d'effectuer cette transposition du taux périodique au taux effectif :

$$(1 + i_r) = (1 + i)^m \qquad \textbf{Éq. 2.6}$$

où :

i_r = le taux d'intérêt effectif
i = le taux d'intérêt périodique
m = la fréquence de capitalisation à l'intérieur d'une même année

Si la fréquence de capitalisation est infinie ou en temps continu, (m est infini), le taux effectif s'obtient de la manière suivante :

$$i_r = e^I - 1$$ **Éq. 2.7**

où :

I = le taux d'intérêt nominal

e = la base du logarithme népérien ou naturel, c'est-à-dire $e = 2{,}718282$

Exemple 3

Pour un taux nominal de 12 % capitalisé de façon continue ou infinie, le taux effectif, serait :

$$i_r = e^I - 1$$

$$i_r = 2{,}718282^{0{,}12} - 1$$

$$i_r = 12{,}75\ \%$$

On peut donc, maintenant, comparer des taux capitalisés selon des fréquences différentes en les ramenant à une base commune, c'est-à-dire en calculant les taux d'intérêt effectifs, ou les équivalents annuels, qui correspondent à chacun de ces taux.

3.4 L'équivalence des taux d'intérêt

L'équivalence des taux d'intérêt découle de la relation qui existe entre les différentes fréquences de capitalisation des taux décrits précédemment. Il y a équivalence entre deux taux, si tout montant placé à l'un ou à l'autre de ces taux, procure la même valeur au bout d'un horizon commun, quel que soit cet horizon.

Il existe quatre grands principes généraux à retenir concernant le lien entre les taux nominaux, effectifs et périodiques.

Principe 1

Pour un taux nominal donné, le taux effectif est égal au taux nominal lorsque la fréquence de capitalisation est d'une fois par an.

Par exemple, si $I = 10\ \%$ et $m = 1$, alors :

$$i_r = \left[1 + \frac{10\ \%}{1}\right]^1 - 1 = 10\ \%$$

Principe 2

Pour un taux nominal donné, le taux effectif s'accroît avec l'augmentation de la fréquence de capitalisation à l'intérieur d'une même année.

En effet, pour $I = 10\ \%$

Si 10 % est capitalisé annuellement ($m = 1$), alors :

$$i_r = \left[1 + \frac{10\ \%}{1}\right]^1 - 1 = 10\ \%$$

Si 10 % est capitalisé semestriellement ($m = 2$), alors :

$$i_r = \left[1 + \frac{10\ \%}{2}\right]^2 - 1 = 10{,}25\%$$

Si 10 % est capitalisé trimestriellement ($m = 4$), alors :

$$i_r = \left[1 + \frac{10\ \%}{4}\right]^4 - 1 = 10{,}38\%$$

Si 10 % est capitalisé mensuellement ($m = 12$), alors :

$$i_r = \left[1 + \frac{10\ \%}{12}\right]^{12} - 1 = 10{,}47\%$$

Principe 3

Pour un taux nominal donné, l'augmentation de la fréquence de capitalisation à l'intérieur d'une même année entraîne une augmentation du taux effectif, mais à un taux décroissant. Par exemple, toujours pour $I = 10\ \%$, le passage d'une fréquence de capitalisation annuelle à semestrielle donne une différence de 10,25 % – 10 % = 0,25 % du taux effectif, de semestrielle à trimestrielle, la différence est de 0,13 %, et de trimestrielle à mensuelle, l'augmentation du taux effectif n'est plus que de 0,09 %.

Principe 4

On remarque que le taux d'intérêt nominal est égal au taux périodique et est égal au taux effectif lorsque la fréquence de capitalisation est égale à 1.

En effet, pour $I = 10\ \%$ et $m = 1$

on a : $I = i = i_r = 10\ \%$

TABLEAU 2.5
La relation entre le taux nominal et la fréquence de capitalisation du taux

Fréquence	Taux										
Taux nominal / Taux effectif	5 %	6 %	7 %	8 %	9 %	10 %	11 %	12 %	13 %	14 %	15 %
Annuelle (1)	5	6	7	8	9	10	11	12	13	14	15
Semestrielle (2)	5,06	6,09	7,12	8,16	9,20	10,25	11,30	12,36	13,42	14,49	15,56
Trimestrielle (4)	5,09	6,14	7,19	8,24	9,31	10,38	11,46	12,55	13,65	14,75	15,87
Mensuelle (12)	5,11	6,17	7,23	8,30	9,38	10,47	11,57	12,68	13,80	14,93	16,08
Hebdomadaire (52)	5,12	6,18	7,25	8,32	9,41	10,51	11,61	12,73	13,86	15,01	16,16

Nous retrouvons dans le tableau 2.5 différents taux effectifs pour un taux nominal donné et cinq fréquences différentes. L'équation 2.6 nous permet de jongler avec les taux d'intérêt ayant des fréquences de capitalisation différentes.

Exemple 4

Quel est le taux qui, capitalisé une fois l'an, est équivalent à un taux nominal de 12 %, capitalisé mensuellement?

On a :

i_r = à déterminer
I = 12 %
m = 12
i = 1 %

donc :

$i_r = (1 + i)^m - 1$
$i_r = (1 + 0{,}01)^{12} - 1$
$i_r = 1{,}1268 - 1 = 12{,}68\ \%$

Il n'y a donc pas de différence entre recevoir 12,68 % d'intérêt par année capitalisé une fois l'an et recevoir un taux d'intérêt nominal de 12 % capitalisé 12 fois l'an.

Exemple 5

Quel est le taux périodique hebdomadaire correspondant à un taux effectif de 10 %?

On a :

i = à déterminer
i_r = 10 %
m = 52
$i_r = (1 + i)^m - 1$

donc :

$0{,}10 = (1 + i)^{52} - 1$
$0{,}10 + 1 = (1 + i)^{52}$
$1{,}10 = (1 + i)^{52}$
$i = 0{,}1835\ \%$

Il n'y a donc pas de différence entre recevoir un taux d'intérêt périodique hebdomadaire de 0,1835 % et recevoir un taux de 10 % par année capitalisé une fois l'an.

Exemple 6

À quel taux préférez-vous placer votre argent? À un taux nominal de 11 % capitalisé trimestriellement ou à un taux nominal de 10,5 % capitalisé mensuellement?

On a :

i_r = à déterminer
I = 11 %
m = 4

donc :

$i_r = (1 + i)^m - 1$
$i_r = (1 + 0{,}11/4)^4 - 1$
$i_r = 11{,}46\ \%$

On a :

i_r = à déterminer
I = 10,5 %
m = 12

donc :

$i_r = (1 + i)^m - 1$
$i_r = (1 + 0{,}105/12)^{12} - 1$
$i_r = 11{,}02\ \%$

Il est donc préférable d'investir à un taux nominal de 11 % capitalisé quatre fois l'an. En effet, étant donné que les taux effectifs calculés pour chacun des taux nominaux nous montrent que, sur une base annuelle, 11,46 % est supérieur à 11,02 %, on choisira d'investir le taux nominal correspondant au taux effectif de 11, 46 %, soit un taux de 11 % capitalisé trimestriellement.

On peut également trouver l'équivalence entre des taux nominaux avec des périodes de capitalisation différentes à l'aide de l'équation 2.8. Cette approche est particulièrement intéressante lorsqu'on cherche à établir certaines équivalences de taux, parmi des taux capitalisés différemment, sans avoir à déterminer le taux effectif correspondant :

$$(1 + I_1/m_1)^{m1} = (1 + I_2/m_2)^{m2}$$ Éq. 2.8

Exemple 7

À quel taux préférez-vous placer votre argent? À un taux nominal de 12 % capitalisé mensuellement (soit un taux périodique de 1 %) ou à un taux nominal de 10,5 % capitalisé trimestriellement?

$$\begin{aligned}(1 + 0{,}105/4)^4 &= (1 + I/12)^{12}\\(1 + 0{,}105/4)^4 &= (1 + i)^{12}\\(1 + 0{,}105/4)^{4/12} &= (1 + i)\\i &= 0{,}0087 \text{ soit } 0{,}87\ \%\end{aligned}$$

Ainsi, le taux périodique mensuel correspondant à un taux nominal de 10,5 % capitalisé trimestriellement est de 0,87 %. Si on le compare au taux périodique de 1 % correspondant au taux nominal de 12 % capitalisé mensuellement, on voit que 1 % est supérieur à 0,87 % et, par conséquent, faire un placement à un taux de 12 % capitalisé 12 fois l'an est une meilleure option.

4. La capitalisation *versus* l'actualisation

Les principes de capitalisation et d'actualisation reviendront continuellement dans ce volume puisqu'ils sont essentiels à la compréhension de la notion de valeur. La *capitalisation* consiste à projeter dans le futur la valeur d'une somme d'argent qu'on a en main aujourd'hui. Par contre, l'*actualisation* consiste à ramener vers aujourd'hui la valeur future d'une somme d'argent. Les deux processus sont représentés sur un axe temporel dans la figure 2.6. La différence entre les principes d'actualisation et de capitalisation est le sens du déplacement temporel à partir d'un point de départ prédéterminé.

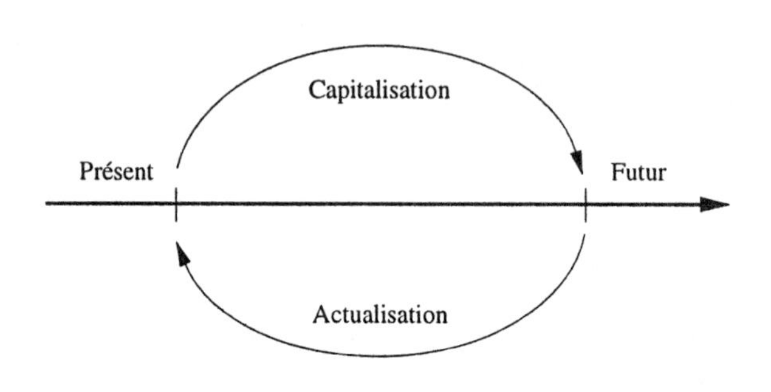

FIGURE 2.6
Axe temporel

4.1 La valeur future d'un montant unique

Comme nous l'avons vu, nous pouvons déterminer à l'aide de l'équation 2.4 la valeur finale FV_N d'un capital initial PV, placé à un taux d'intérêt composé annuellement I, pour un nombre de périodes d'accumulation exprimé sur une base annuelle de N.

$$FV_N = PV(1+I)^N \qquad \text{Éq. 2.4}$$

Or, cette équation n'est valable que lorsque la fréquence de capitalisation est annuelle. Afin d'être universelle, cette formulation doit tenir compte de la fréquence de capitalisation des taux. Ainsi, la valeur future d'un montant unique peut être obtenue quelle que soit la fréquence de capitalisation des taux à l'aide de l'équation suivante :

$$FV_n = PV(1+i)^n \qquad \textbf{Éq. 2.9}$$

où :

FV_n	=	la valeur à la fin de la période n
PV	=	la valeur actuelle ou initiale
i	=	le taux d'intérêt périodique (I/m)
n	=	le nombre de périodes de capitalisation ($N \times m$)
N	=	le nombre d'années
m	=	la fréquence de capitalisation à l'intérieur d'une même année

Exemple 8

Sachant que vous pouvez placer votre argent à un taux nominal de 15 % capitalisé semestriellement, si on vous donnait le choix entre recevoir 100 000 $ aujourd'hui ou recevoir 150 000 $ dans trois ans, que feriez-vous?

$$FV_n = PV(1+i)^n$$
$$FV_{N \times m} = PV(1 + I/m)^{N \times m}$$
$$FV_{3 \times 2} = 100\,000\,(1 + 0{,}15/2)^{3 \times 2}$$
$$FV_6 = 100\,000\,(1{,}075)^6$$
$$FV_6 = 154\,330{,}15\ \$$$

Il est donc préférable d'avoir 100 000 $ aujourd'hui, puisque, dans trois ans, ce montant, placé à un taux nominal de 15 % capitalisé deux fois l'an, vaudra plus que 150 000 $.

Pour obtenir la valeur accumulée d'une somme unique placée à intérêt composé, vous pouvez également utiliser ce qu'on appelle les *tables financières*. Ces tables donnent pour un nombre total de périodes de capitalisation $N \times m$ et un taux d'intérêt périodique I/m, le facteur d'accumulation $(1 + I/m)^{N \times m}$, qu'on note $F_{I/m,\, N \times m}$ ou $F_{i,\, N \times m}$. Pour toute somme donnée, ces tables, situées à la fin de ce volume, permettent de résoudre l'exemple 8 de la façon suivante :

$$FV_n = PV\,(F_{i,\, N \times m})$$
$$FV_n = 100\,000\,(F_{0{,}075,\, 3 \times 2})$$

$$FV_n = 100\,000\,(1{,}5438)$$
$$FV_n = 154\,380\ \$$$

En effet, en vous reportant aux tables financières à la fin de ce volume et, plus particulièrement, à la table 1 qui donne les facteurs d'actualisation pour des montants uniques, vous pourrez trouver la valeur de ce facteur d'accumulation de la manière suivante :

- on choisit la colonne qui correspond au taux de 7,5 %;
- on cherche ensuite la ligne correspondant à $N \times m = 6$.

Comme la table ne donne pas le facteur pour 7,5 %, nous prendrons la moyenne des deux facteurs d'accumulation correspondant aux taux de 7 % et de 8 %, respectivement. Le facteur recherché devrait être compris entre 1,5007 et 1,5869, soit $(1{,}5007 + 1{,}5869)/2 = 1{,}5438$.

4.2 La valeur actuelle d'un montant unique

Dans la section précédente, nous avons capitalisé dans le futur une valeur actuelle connue. Mais nous pouvons aussi faire le chemin inverse. Une somme future connue peut être ramenée au moment présent afin d'obtenir sa valeur actuelle. C'est ce qu'on appelle l'actualisation.

Algébriquement, nous avons :

$$PV = FV_n(1 + i)^{-n} \qquad \textbf{Éq. 2.10}$$

où :

PV	=	la valeur initiale ou présente
FV_n	=	la valeur à la fin de la période n
i	=	le taux d'intérêt périodique (I/m)
n	=	le nombre de périodes de capitalisation ($N \times m$)
N	=	le nombre d'années
m	=	la fréquence de capitalisation à l'intérieur d'une même année

Exemple 9

Sachant que le taux d'intérêt nominal couvrant les trois prochaines années sera de 15 % capitalisé semestriellement, si on vous donnait le choix entre recevoir 100 000 $ aujourd'hui ou recevoir 150 000 $ dans trois ans, que feriez-vous?

$$PV = FV_n (1 + i)^{-n}$$
$$PV = FV_{N \times m} (1 + I/m)^{-N \times m}$$
$$PV = 150\,000\,(1{,}075)^{-6}$$
$$PV = 97\,194\ \$$$

On voit donc qu'il est préférable de recevoir 100 000 $ aujourd'hui puisque la valeur actuelle de 150 000 $ à recevoir dans trois ans est moindre que 100 000 $.

Conclusion

Nous avons développé dans ce chapitre la notion fondamentale de taux d'intérêt qui nous permet de déterminer la valeur économique d'un bien à différents points dans le temps.

Nous avons aussi identifié les différents types de taux d'intérêt : nominal, périodique et effectif ainsi que les relations qui les unissent. Finalement, nous avons appliqué nos connaissances pour déplacer dans le temps des montants uniques, soit en les actualisant (en les ramenant au présent) ou en les capitalisant (en les projetant dans le futur).

En réalité, les principes d'actualisation et de capitalisation font plus souvent intervenir des séries de flux monétaires que des montants uniques, d'où l'objet du prochain chapitre.

Les activités d'apprentissage

Questions

1. Définissez l'utilité.

2. Que représente la notion d'intérêt pour l'emprunteur et pour le prêteur?

3. Expliquez comment on détermine le taux d'intérêt versé ou reçu sur les transferts de fonds.

4. Identifiez et expliquez les facteurs de prime qui justifient le niveau de taux d'intérêt, du point de vue du prêteur.

5. Quelles sont les caractéristiques de l'intérêt simple?

6. Quelles sont les caractéristiques de l'intérêt composé?

7. Distinguez le *taux d'intérêt nominal* du *taux d'intérêt périodique* et du *taux d'intérêt effectif.*

8. Expliquez et représentez par une figure la différence entre la capitalisation et l'actualisation.

Problèmes

1. a) Complétez la table financière suivante (cinq décimales) :

Valeur accumulée (future) de 1 $

Période	Taux			
	0 %	1 %	10 %	100 %
1				
1,5				
2				
5				
30				

b) Comment appelle-t-on chacun des facteurs trouvés?

c) En n'utilisant que les données de cette table, calculez la valeur accumulée d'un dépôt de 5 730,86 $ après 30 périodes, si le taux d'intérêt périodique est de 10 %.

d) À partir de la même table, dites à quel taux annuel on a placé 100 $, si on a accumulé 1 744,94 $ après 30 périodes.

2. a) Complétez la table financière suivante :

Valeur actuelle de 1 $ reçu en fin de période

n	*i*			
	1 %	10 %	15 %	20 %
1				
5				
20				
50				

b) Comment appelle-t-on chacun des 16 facteurs calculés?

3. Votre père est propriétaire d'une maison dont la valeur marchande actuelle est de 75 000 $. Lors d'une récente conversation très sérieuse que vous avez eue avec lui, il vous a fait la promesse de vous revendre sa maison dans exactement dix ans. Il vous assure qu'il ne veut pas réaliser de gain excessif et, conséquemment, il vous revendra la maison à sa valeur actuelle, gonflée uniquement de l'inflation qui surviendra au cours des dix prochaines années. Si les spécialistes prévoient un taux d'inflation annuel moyen de 4,5 %, combien paierez-vous la maison de votre père?

4. Quelle est la valeur future, ou accumulée, ou capitalisée, d'un capital de 3 000 $ placé au taux de 12 % capitalisé semestriellement pendant 4,5 ans?

5. Vous avez placé 10 000 $ il y a huit ans exactement et vous n'avez jamais touché au capital ni aux intérêts accumulés depuis lors. Votre compte montre un solde actuel de 25 750,83 $. Sachant que l'intérêt était composé et accumulé trimestriellement, on demande :

a) quel était le taux d'intérêt périodique?

b) quel était le taux nominal?

c) quel était le taux effectif?

6. Calculez l'intérêt total généré par un capital initial de :

a) 5 000 $ placé à 12 % capitalisé mensuellement pendant cinq ans et deux mois;

b) 2 000 $ placé à 14 % capitalisé semestriellement pendant 78 mois.

7. Vous avez placé 10 000 $ pendant cinq ans, au taux effectif de 15 %. Calculez les intérêts composés produits au cours des deux dernières années.

8. Votre mère vous a ouvert un compte afin que vous disposiez d'un montant intéressant pour commencer vos études universitaires, soit dans douze ans exactement. Elle a donc placé 10 000 $ au taux de 12 % composé mensuellement.

a) De combien disposerez-vous au début de vos études?

b) Si l'intérêt de 12 % avait été simple plutôt que composé, combien votre mère aurait-elle dû déposer pour que vous disposiez du même montant calculé en a)?

9. Votre riche et généreux parrain vient de mourir et vous êtes un de ses heureux héritiers. Voici ce qu'il vous lègue (nous sommes présentement le 1er janvier 20X0) :

- 100 000 $ dans deux ans exactement, soit au 01-01-20X2;
- 500 000 $ dans cinq ans exactement, soit au 01-01-20X5.

Vous êtes sage et décidez de ne pas toucher cet argent avant le 01-01-20X10. Vous prévoyez que les taux d'intérêt offerts par les banques seront les suivants :

- du 01-01-20X2 au 31-12-20X2, 12 % composé mensuellement;
- du 01-01-20X3 au 31-12-20X4, 10 % composé mensuellement;
- du 01-01-20X5 au 31-12-20X9, 16 % composé mensuellement.

Si vos prévisions se révélaient exactes, de combien disposeriez-vous au 1er janvier de l'an 20X10?

10. Sauriez-vous partager une somme de 100 000 $ entre deux personnes âgées respectivement de 40 ans et 46 ans, de façon à ce que chacune d'elles ait accumulé le même montant à son soixante-cinquième anniversaire et sachant qu'elles pourront placer la somme initialement reçue à un taux de 15 % composé annuellement?

11. Vous venez de gagner 1 000 000 $ à la loterie et vous avez la lourde tâche d'identifier la banque qui recevra votre dépôt du lot gagné. Très confiant, vous téléphonez donc aux gérants de trois succursales bancaires qui vous proposent les taux d'intérêt suivant :

- la Banque Nationale : 13,75 % composé quotidiennement;
- la Banque de Montréal : 14,25 % composé semestriellement;
- la Caisse populaire : 14,5 % composé annuellement.

Quelle banque allez-vous choisir?

12. Marcel a acheté une radio portative d'une valeur totale de 79,95 $. Il a déboursé un comptant de 19,95 $ et a promis au vendeur de lui payer la différence dans trois mois exactement, plus 2 $ d'intérêt.

a) Quel taux d'intérêt annuel simple le vendeur lui a-t-il demandé implicitement?

b) Quel taux d'intérêt nominal composé mensuellement le vendeur lui a-t-il demandé implicitement?

13. Combien de temps faudra-t-il pour doubler un montant unique :

a) à 5 % d'intérêt simple?

b) à 5 % d'intérêt composé (utilisez la calculatrice)?

c) Expliquez la différence entre les réponses obtenues en a) et b).

14. a) Complétez le billet à ordre suivant, en sachant que le montant total remboursé par monsieur Tremblay sera de 5 800 $ au terme du contrat.

> Québec, le 1er juin 20X0
>
> Je promets de rembourser à J. Gagnon dans un an exactement, le capital emprunté d'une valeur de ____/100
> plus les intérêts y afférents, au taux nominal composé annuellement de 16 %.
>
> *Monsieur Tremblay*
> ____________________
> (*signature*)

b) Si monsieur Tremblay emprunte le montant trouvé en a) et qu'on lui demande plutôt un intérêt nominal de 18 % composé mensuellement, quel montant aura-t-il déboursé au terme du contrat?

15. Un père déposa 5 000 $ dans un compte d'épargne à la naissance de sa fille. Si ce compte devait lui rapporter un intérêt moyen de 14 % composé mensuellement, de combien sa fille disposerait-elle à son dix-huitième anniversaire?

16. Lequel des taux suivants préféreriez-vous si vous deviez effectuer un emprunt :

a) un taux de 18,25 % capitalisé semi-annuellement?

b) un taux de 18,5 % capitalisé trimestriellement?

c) un taux de 18 % capitalisé mensuellement?

d) un taux de 17,8 % capitalisé quotidiennement?

17. Pour chacun des trois taux nominaux suivants, calculez le taux périodique et le taux effectif correspondants :

a) un taux nominal de 17 % capitalisé annuellement;

b) un taux nominal de 16,2 % capitalisé quotidiennement;

c) un taux nominal de 16,3 % capitalisé semestriellement.

18. Pour chacun des trois taux périodiques suivants, calculez le taux nominal et le taux effectif correspondants :

a) un taux périodique de 1,25 % par mois;

b) un taux périodique de 0,042 % par jour;

c) un taux périodique de 8,5 % par six mois.

19. Pour chacun des trois taux effectifs suivants, calculez le taux nominal et le taux périodique correspondants :

a) un taux effectif de 19,5 % comportant une période de capitalisation par année;

b) un taux effectif de 16,4 % comportant douze périodes de capitalisation par année;

c) un taux effectif de 12,9 % comportant quatre périodes de capitalisation par année.

ANNEXE 2.1
Les équations

L'intérêt simple

Montant total d'intérêts accumulés

$$TOT\,i = PV \times I \times N$$ Éq. 2.1

FV d'un montant placé à intérêt simple

$$FV_N = PV + TOT\,i$$ Éq. 2.2

$$FV_N = PV\,(1 + I \times N)$$ Éq. 2.3

L'intérêt composé

FV d'un montant placé à intérêt composé

$$FV_N = PV\,(1 + I\,)^N$$ Éq. 2.4

Taux périodique (i)

$$i = I/m$$ Éq. 2.5

Transposition du taux périodique au taux effectif

$$(1 + i_r) = (1 + i)^m$$ Éq. 2.6

$$(1 + i_r) = (1 + I\,/m)^m$$

Taux effectif quand la fréquence de capitalisation est infinie

$$i_r = e^I - 1$$ Éq. 2.7

Équivalence entre des taux nominaux

$$(1 + I_1 / m_1)^{m1} = (1 + I_2 / m_2)^{m2}$$

Éq. 2.8

Valeur future d'un montant unique

$$FV_n = PV(1 + i)^n$$

Éq. 2.9

$$FV_{N \times m} = PV(1 + I/m)^{N \times m}$$

Valeur actuelle d'un montant unique

$$PV = FV_n (1 + i)^{-n}$$

Éq. 2.10

$$PV = FV_{N \times m} (1 + I/m)^{-N \times m}$$

Chapitre 3

Les annuités

Schéma d'intégration des contenus

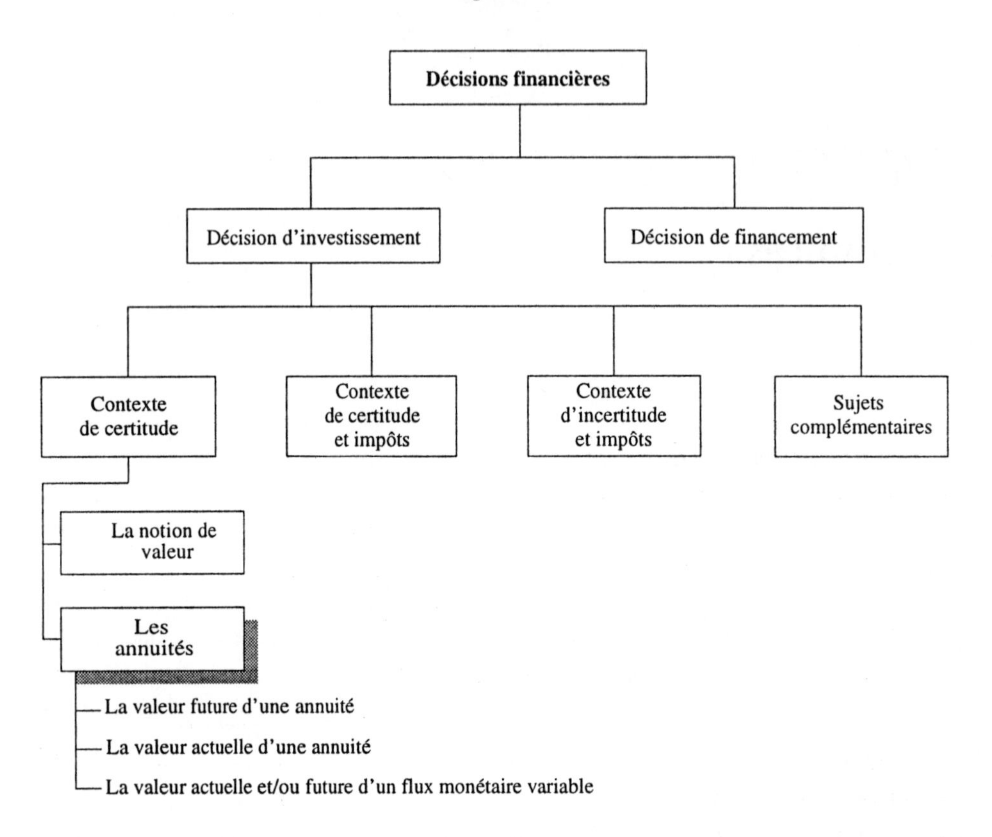

Le chapitre 3 vous offre les outils nécessaires pour actualiser et capitaliser les annuités. Dans ce contexte, vous devrez :

- vous familiariser avec les notions d'actualisation et de capitalisation, appliquées aux annuités;
- distinguer les annuités de début de période et les annuités de fin de période;
- calculer la valeur future et actuelle d'une annuité;
- actualiser un flux monétaire variable en début et en fin de période.

Introduction

La plupart des décisions financières font intervenir les principes d'actualisation ou de capitalisation de plusieurs flux monétaires plutôt que des montants uniques. Ces flux monétaires, s'ils répondent à certains critères, peuvent être catégorisés comme des annuités.

Une *annuité* se définit comme un flux monétaire périodique et constant. On qualifie de *périodique* un flux monétaire dont la fréquence d'occurrence est régulière. Il s'agit d'un montant d'argent qui revient plus d'une fois et à intervalle régulier (une année, un semestre, un trimestre, un mois, une semaine, etc.). On qualifie de *constant* un flux monétaire qui est toujours le même, d'une période à l'autre, et qui est égal du premier au dernier.

La figure 3.1 nous permet de visualiser une annuité ayant les caractéristiques suivantes :

- l'annuité revient de façon périodique;
- l'annuité est constante de période en période et est égale à 5 000 $;
- l'annuité se répète à six reprises.

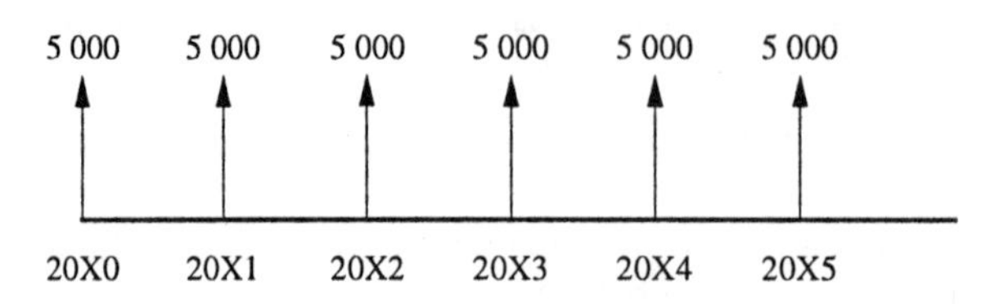

FIGURE 3.1
L'annuité

Ce chapitre vous permettra de développer les habiletés nécessaires afin d'actualiser et de capitaliser des annuités, et ce, indépendamment de la fréquence du flux monétaire, du nombre de flux monétaires, qu'ils soient fixes ou variables ou qu'ils soient de début ou de fin de période. Notons qu'à partir de maintenant et pour tous les chapitres subséquents, l'intérêt retenu sera de type composé et non de type simple puisque ce dernier est fort peu représentatif de la dynamique propre à l'analyse de décisions financières couvrant une période de temps plus ou moins longue.

1. La valeur future d'une annuité

La notion de valeur future ou valeur accumulée fait intervenir le principe de la capitalisation ou accumulation. Nous allons donc, dans cette section, déterminer la valeur future d'un ou de plusieurs flux monétaires à un moment prédéterminé dans le temps. Pour ce faire, il est nécessaire de connaître les informations suivantes :

- le ou les taux couvrant la période d'analyse;
- le montant du flux monétaire;
- le nombre de flux monétaires;
- la fréquence du flux monétaire;
- la date à laquelle on veut déterminer la valeur accumulée.

De plus, nous devons établir si nous sommes en présence de flux monétaires de début ou de fin de période. En effet, cet élément aura une incidence directe sur le choix des outils mathématiques nécessaires pour effectuer le traitement de l'information financière le plus adéquatement possible.

En ce qui a trait à cette *notion de début et de fin de période*, l'emplacement du premier flux monétaire de la série de flux détermine si nous sommes en présence d'une annuité de début ou de fin de période. Si on se réfère à la figure 3.2, on constate que le premier flux monétaire survient à la fin de la première période. Or, la fréquence des flux monétaires est périodique. Par conséquent, *si un flux monétaire est de fin de période, tous les autres le sont également.* Dans le même ordre d'idée, *si un flux monétaire d'une série de flux monétaires est de début de période, tous les autres le sont également.*

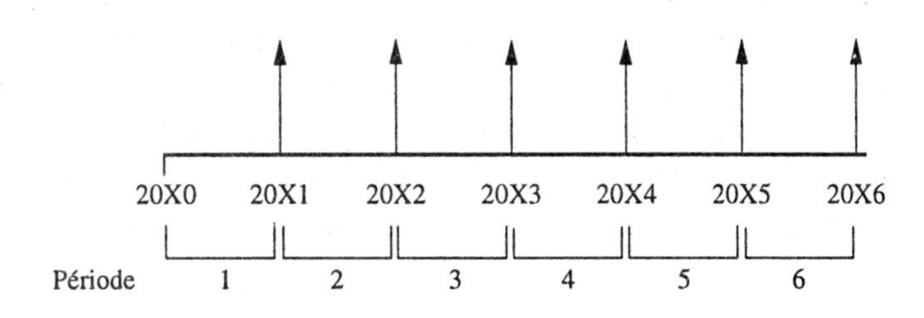

FIGURE 3.2
Les flux monétaires de fin de période

1.1 L'annuité de fin de période

Comme nous l'avons souligné plus haut, la figure 3.2 illustre une série de flux monétaires périodiques constants de fin de période, puisque le premier flux monétaire de la série arrive à la fin de la première période. Nous allons donc, à partir de cet exemple, résoudre le problème de la valeur future d'une annuité, et ce, selon trois approches différentes :

- en considérant chaque flux monétaire comme un montant unique;
- en utilisant les formules mathématiques appropriées;
- en utilisant les tables financières.

Chacune de ces approches nous fournira un même et unique résultat à un problème particulier. Seuls le cheminement et les outils utilisés différeront. Pour ce faire, nous utiliserons les informations suivantes :

- le taux nominal : 11 %
- le montant du flux monétaire : 5 000 $
- le nombre de flux : 6
- la fréquence du flux monétaire : annuelle
- la date à laquelle on veut déterminer la valeur accumulée : fin de la période 6

En considérant chaque flux monétaire comme un montant unique

À partir des outils dont nous disposons à l'heure actuelle, il nous est possible de déterminer la valeur future de cette série de flux monétaires, à la fin de la période 6, en considérant chaque flux monétaire comme un montant unique et en utilisant la formule qui nous permet d'obtenir la valeur future d'un montant unique. Nous atteindrons ainsi l'objectif recherché, tel que présenté dans la figure 3.3, mais au prix de plusieurs calculs répétitifs, souvent sources d'erreur de manipulation.

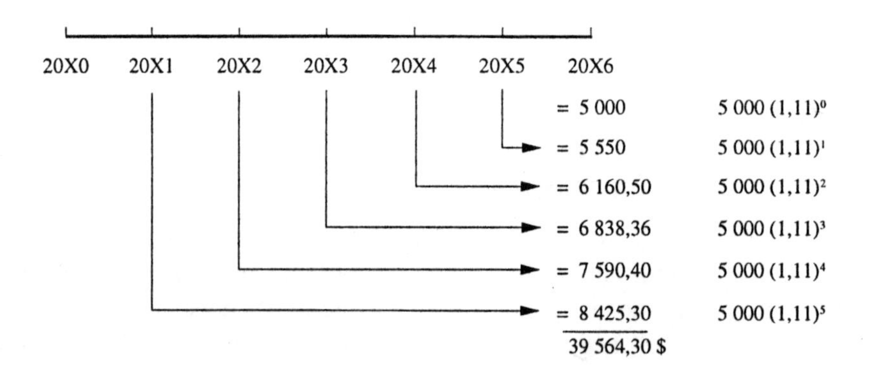

FIGURE 3.3
La valeur future d'une annuité de fin de période (montant unique)

Cette approche nous permet de garder à l'esprit un des grands principes fondamentaux qui touche à la sommation de flux monétaires : *il ne faut jamais, au grand jamais, additionner des flux monétaires qui se situent à des dates différentes.* Comme nous l'avons illustré dans la figure 3.3, il faut d'abord ramener les flux monétaires à un même moment dans le temps, dans ce cas-ci à la fin de la période 6, avant de les additionner entre eux.

En utilisant les formules mathématiques appropriées

La première façon de faire peut s'avérer laborieuse et longue dans des situations où le nombre de flux monétaires est considérable. Une formalisation plus spécifique, obtenue après quelques développements mathématiques[1] et appliquée à des situations d'annuités de fin de période, nous permet de déterminer la valeur future totale de la série de flux monétaires.

$$FV_n = PMT\left[\frac{(1+i)^n - 1}{i}\right] \qquad \textbf{Éq. 3.1}$$

où :

FV_n	=	la valeur future de l'annuité à la fin de la période n
PMT	=	le flux monétaire
i	=	le taux d'intérêt périodique
n	=	le nombre de flux monétaires

L'équation 3.1 nous permet d'obtenir rapidement la valeur future d'une série de flux monétaires périodiques constants de fin de période. Il est très important de noter que le résultat obtenu à l'aide de l'équation 3.1 se situe, sur l'axe temporel, exactement à l'endroit où arrive le dernier flux monétaire de la série. Par définition, l'équation 3.1 présente la valeur future d'une série de flux monétaires périodiques de fin de période, à la fin de la dernière période, soit au moment du dernier flux monétaire, tel qu'il est illustré dans la figure 3.4.

1. Voir l'annexe 3.2.

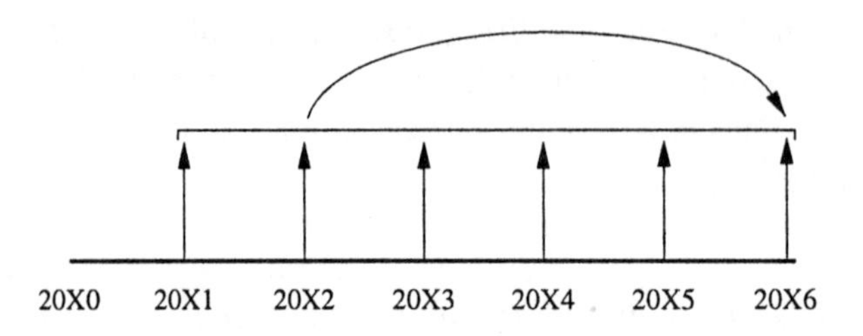

FIGURE 3.4
La valeur future d'une annuité de fin de période (formulation algébrique)

Dans le cas présent, nous avons donc :

FV_6 = à déterminer
PMT = 5 000 $
i = 0,11
n = 6

d'où :

$$FV_n = PMT\left[\frac{(1+i)^n - 1}{i}\right]$$

$$FV_6 = 5\,000\left[\frac{(1+0{,}11)^6 - 1}{0{,}11}\right]$$

$$FV_{6n} = 39\,564{,}30\ \$$$

On constate que cette approche, qui donne un résultat identique à celui qui a été obtenu en considérant chaque flux monétaire comme un montant unique, est nettement plus rapide et moins sujette à des erreurs de manipulation de données.

En utilisant les tables financières

On peut également reformuler l'équation 3.1 afin de résoudre les problèmes à l'aide des tables financières, comme suit :

$$FV_n = PMT\left[\frac{(1+i)^n - 1}{i}\right]$$ Éq. 3.1

$$FV_n = PMT \times S_{i,n}$$ **Éq. 3.2**

où :

$S_{i,n} = \dfrac{(1+i)^n - 1}{i}$ est le facteur d'accumulation des annuités de fin de période.

Dans le cas présent, nous avons donc :

FV_6 = à déterminer
PMT = 5 000 $
i = 0,11
n = 6
$S_{i,n}$ = 7,9129 (voir la valeur encadrée dans la table 3 à la fin de ce volume)

d'où :

$$FV_6 = PMT \times S_{i,n}$$
$$FV_6 = 5\,000 \times 7{,}9129$$
$$FV_6 = 39\,564{,}30\ \$$$

Comme nous avons été à même de le constater, la première approche qui considère chaque flux monétaire sur une base individuelle se révèle nettement plus longue que les deux autres. Pour sa part, l'approche nécessitant l'utilisation des tables financières apparaît moins conviviale puisqu'elle nécessite un accès constant à des tables financières, faute de quoi il est impossible de résoudre le moindre petit problème. Ces deux raisons nous amènent à privilégier l'approche mathématique puisqu'elle est universelle, rapide et autonome. De plus, un troisième élément joue en faveur de l'équation 3.1 : cette formalisation facilite la recherche des autres variables présentes dans l'équation, soit *PMT*, *i* ou *n*, lorsqu'une seule inconnue subsiste.

Nous vous présentons quatre exemples qui vous permettront de bien saisir la polyvalence de l'équation 3.1.

Exemple 1

Une personne dépose 100 $ à la fin de chaque année, pendant cinq ans, dans un compte qui rapporte un intérêt de 12 % capitalisé annuellement. Quelle sera la valeur accumulée de ces dépôts à la fin de la cinquième année?

FV_5 = à déterminer

PMT = 100 $

i = 0,12

n = 5

$$FV_n = PMT\left[\frac{(1+i)^n - 1}{i}\right]$$

$$FV_5 = 100\left[\frac{(1+0{,}12)^5 - 1}{0{,}12}\right]$$

FV_5 = 635,28 $

Exemple 2

Quelle somme faut-il verser, à la fin de chaque mois, à un taux d'intérêt de 10 % capitalisé mensuellement, si l'on désire avoir dans trois ans un montant de 10 000 $?

PMT = à déterminer

FV_{36} = 10 000 $

i = $I/m = 0{,}10/12 = 0{,}00833$

n = $m \times N = 12 \times 3 = 36$

$$FV_n = PMT\left[\frac{(1+i)^n - 1}{i}\right]$$

$$10\,000 = PMT\left[\frac{(1+0{,}00833)^{36} - 1}{0{,}00833}\right]$$

PMT = 239,34 $

Exemple 3

Vous voulez accumuler un capital de 100 000 $, en effectuant des versements de 3 000 $ par année pendant 20 ans. Votre premier versement aura lieu dans un an. À quel taux d'intérêt devez-vous placer votre argent pour réaliser votre objectif?

i = à déterminer

FV_{20} = 100 000 $

PMT = 3 000 $

$n = N \times m = 20 \times 1 = 20$

$$FV_n = PMT\left[\frac{(1+i)^n - 1}{i}\right]$$

$$100\,000 = 3\,000\left[\frac{(1+i)^{20} - 1}{i}\right]$$

i = 5,08 %

Ce résultat de 5,08 % aurait pu être obtenu manuellement en utilisant l'interpolation linéaire, approche développée ultérieurement dans le chapitre 5.

Exemple 4

Combien de versements de 375 $ devez-vous effectuer afin d'accumuler 5 475 $, si vous déposez votre argent trimestriellement, dans un compte d'épargne rapportant un taux d'intérêt de 14 % capitalisé quatre fois l'an?

n = à déterminer

FV_n = 5 475 $

PMT = 375 $

$i = I/m = 0{,}14/4 = 0{,}035$

$$FV_n = PMT\left[\frac{(1+i)^n - 1}{i}\right]$$

$$5\,475 = 375\left[\frac{(1+0{,}035)^n - 1}{0{,}035}\right]$$

n = 12 versements

1.2 L'annuité de début de période

Contrairement à la section précédente, nous traiterons maintenant de flux monétaires périodiques constants de début de période (voir figure 3.5). Rappelons que c'est l'emplacement du premier flux monétaire qui détermine si nous sommes en présence d'une annuité de début ou de fin de période.

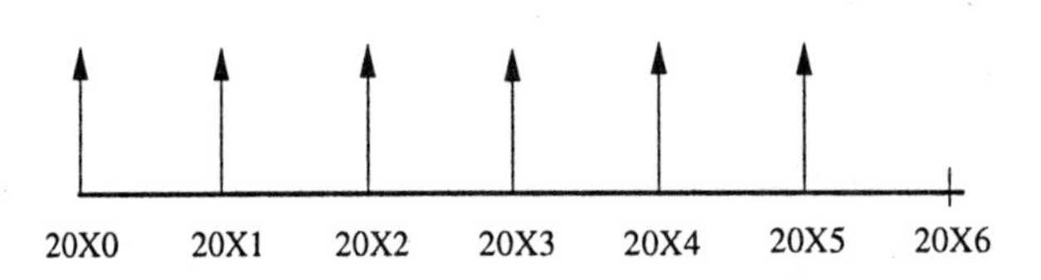

FIGURE 3.5
Les flux monétaires de début de période

Nous allons donc, à partir de cet exemple, résoudre le problème de la valeur future d'une annuité de début de période, selon les mêmes trois approches vues précédemment :

- en considérant chaque flux monétaire comme un montant unique;
- en utilisant les formules mathématiques appropriées;
- en utilisant les tables financières.

Il sera alors intéressant de constater la différence dans le traitement de l'information selon qu'il s'agit de flux monétaires de début ou de fin de période dans chacune de ces approches. Pour ce faire, les mêmes informations financières seront utilisées :

- le taux nominal : 11 %
- le montant du flux monétaire : 5 000 $
- le nombre de flux : 6
- la fréquence du flux monétaire : annuelle
- la date à laquelle on veut déterminer la valeur accumulée : fin de la période 6

En considérant chaque flux monétaire comme un montant unique

Il nous est possible de déterminer la valeur future de cette série de flux monétaires à la fin de la période 6, en considérant chaque flux monétaire comme un montant unique et en utilisant la formule qui nous permet d'obtenir la valeur future d'un montant unique. Nous atteindrons ainsi l'objectif recherché, tel que présenté dans la figure 3.6, mais au prix, encore une fois, de plusieurs calculs répétitifs, souvent sources d'erreur de manipulation.

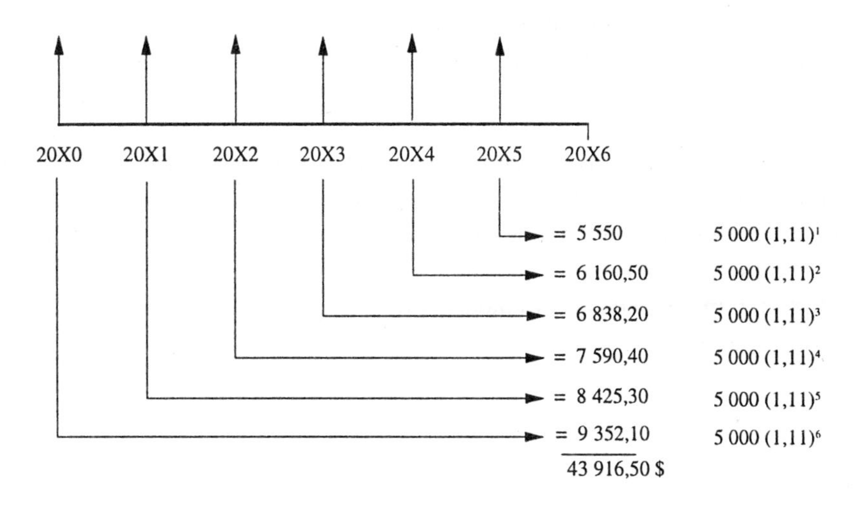

FIGURE 3.6
La valeur future d'une annuité de début de période
(montant unique)

Notons ici le parallèle entre la figure 3.6 et la figure 3.3. En effet, la démarche est identique dans les deux cas, à l'exception du nombre de périodes de capitalisation de chaque flux qui s'est vu augmenté de un dans le cas du début de période.

En utilisant les formules mathématiques appropriées

Encore une fois, une formalisation plus spécifique, obtenue après quelques développements mathématiques, et appliquée à des situations d'annuités de début de période, nous permet de déterminer la valeur future totale de la série de flux monétaires.

$$FV_n = PMT\left[\frac{(1+i)^n - 1}{i}\right](1+i) \qquad \text{Éq. 3.3}$$

où :

FV_n	=	la valeur future de l'annuité à la fin de la période n
PMT	=	le flux monétaire
i	=	le taux d'intérêt périodique
n	=	le nombre de flux monétaires

L'équation 3.3 nous permet d'obtenir rapidement la valeur future d'une série de flux monétaires périodiques constants de début de période. Le résultat obtenu à l'aide de l'équation 3.3 se situe, sur l'axe temporel, exactement une période après le dernier flux monétaire de la série, puisque, par définition, l'équation 3.3 nous présente la valeur future d'une série de flux monétaires périodiques constants de début de période à la fin de la dernière période, soit une période après le dernier flux monétaire.

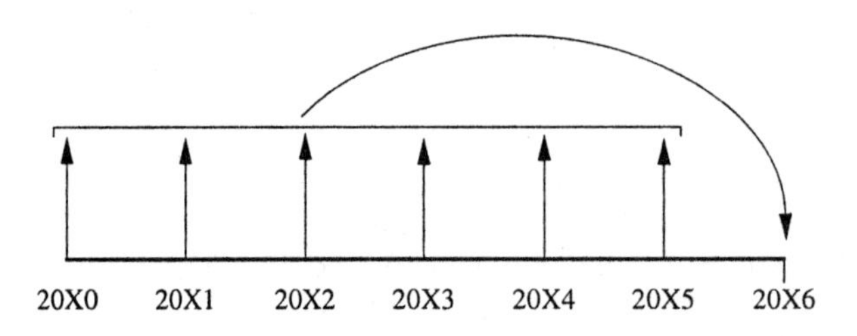

FIGURE 3.7

La valeur future d'une annuité de début de période (formulation algébrique)

Dans le cas présent, nous avons donc :

FV_6 = à déterminer

PMT = 5 000 $

i = 0,11

n = 6

d'où :

$$FV_n = PMT\left[\frac{(1+i)^n - 1}{i}\right](1+i)$$

$$FV_6 = 5\,000\left[\frac{(1+0{,}11)^6 - 1}{0{,}11}\right](1+0{,}11)$$

$$FV_6 = 43\,916{,}37\ \$$$

Comme nous l'avons souligné précédemment, il y a une similarité entre les équations 3.1 et 3.3. L'élément distinctif consiste en l'ajout, dans l'équation 3.3, d'un facteur de capitalisation d'une période, $(1 + i)$, qui vient modifier l'ensemble du résultat de l'équation 3.1. On se souviendra que, selon l'approche des flux monétaires considérés comme montants uniques, *chaque montant se trouvait capitalisé d'une période additionnelle lorsqu'il était de début de période.* Or, l'équation 3.3 ne fait que représenter cette situation puisque nous constatons qu'effectivement la différence entre les résultats des équations 3.1 et 3.3 est une période de capitalisation additionnelle sur chaque flux monétaire.

Algébriquement, ce cheminement se traduit ainsi :

$$FV_n = PMT\left[\frac{(1+i)^n - 1}{i}\right](1+i)$$

$$FV_6 = 39\,569{,}30\,(1+0{,}11)$$

$$FV_6 = 43\,916{,}37\ \$$$

En utilisant les tables financières

On peut également reformuler l'équation 3.3 afin de résoudre les problèmes à l'aide des tables financières, comme suit :

$$FV_n = PMT(S^1_{i,n}) \qquad \textbf{Éq. 3.4}$$

où :

$$S^1_{i,n} = \left[\frac{(1+i)^n - 1}{i}\right](1+i)$$ est le facteur d'accumulation des annuités de début de période.

Dans le cas présent, nous avons donc :

FV_6 = à déterminer

PMT = 5 000 $

i = 0,11

n = 6

$S_{i,n} = S_{i,n}(1+i) = 7{,}9129\ (1{,}11) = 8{,}7833$

d'où :

$FV_n = PMT(S_{i,n})$

$FV_6 = 5\,000 \times 8{,}7833$

$FV_6 = 49\,916{,}50$ $ [2]

Pour les même raisons énoncées précédemment, nous privilégions l'approche mathématique.

Nous vous présentons à nouveau quatre exemples qui vous permettront de bien saisir la polyvalence de l'équation 3.3.

---

2. La solution d'un problème selon l'approche mathématique peut diverger légèrement de celle où on utilise les tables financières, compte tenu de la précision à seulement quatre décimales que l'on retrouve dans les tables financières.

Exemple 5

Une personne dépose 1 000 $ au début de chaque année, pendant dix ans, dans un compte rapportant un taux d'intérêt de 8 % capitalisé annuellement. Quelle sera la valeur accumulée de ces dépôts à la fin de la dixième année?

FV_{10} = à déterminer

PMT = 1 000 $

i = 0,08

n = 10

$$FV_n = PMT\left[\frac{(1+i)^n - 1}{i}\right](1+i)$$

$$FV_{10} = 1\,000\left[\frac{(1+0{,}08)^{10} - 1}{0{,}08}\right](1+0{,}08)$$

FV_{10} = 15 645,49 $

Exemple 6

Quelle somme faut-il verser au début de chaque mois à un taux d'intérêt de 12 % capitalisé mensuellement, si l'on désire avoir dans cinq ans un montant de 10 000 $?

PMT = à déterminer

FV_{60} = 10 000 $

i = I/m = 0,12/12 = 1 %

n = $m \times N$ = 12×5 = 60

$$FV_n = PMT\left[\frac{(1+i)^n - 1}{i}\right](1+i)$$

$$10\,000 = PMT\left[\frac{(1+0{,}01)^{60} - 1}{0{,}01}\right](1+0{,}01)$$

PMT = 121,23 $

Exemple 7

Vous voulez accumuler un capital de 400 000 $ en effectuant des versements de 1 000 $ par mois pendant 20 ans. Vos versements auront lieu au début de chaque mois. À quel taux d'intérêt devez-vous placer votre argent pour réaliser votre objectif?

i = à déterminer

PMT = 1 000 $

FV_{240} = 400 000 $

n = $m \times N = 12 \times 20 = 240$

$$FV_n = PMT\left[\frac{(1+i)^n - 1}{i}\right](1+i)$$

$$400\,000 = 1\,000\left[\frac{(1+i)^{240} - 1}{i}\right](1+i)$$

i = 0,3942 %

Il est très important de souligner que le taux obtenu est un taux périodique mensuel. Un taux périodique mensuel de 0,3942 % correspond à un taux nominal capitalisé mensuellement de 4,73 % et à un taux effectif de 4,83 %[3].

Exemple 8

Combien de versements de 500 $ devez-vous effectuer afin d'accumuler 10 920,28 $ si vous déposez votre argent au début de chaque trimestre dans un compte d'épargne rapportant un taux d'intérêt de 8 % capitalisé quatre fois l'an?

n = à déterminer

FV_n = 10 920,28 $

PMT = 500

i = $I/m = 0{,}08/4 = 0{,}02$

3. Ces résultats sont obtenus à partir des équations 2.5 et 2.6 du chapitre 2.

$$FV_n = PMT\left[\frac{(1+i)^n - 1}{i}\right](1+i)$$

$$10\,920{,}28 = 500\left[\frac{(1+0{,}02)^n - 1}{0{,}02}\right](1+0{,}02)$$

$$n = 18 \text{ versements}$$

2. La valeur actuelle d'une annuité

La notion de valeur actuelle fait intervenir le principe de l'actualisation. Dans cette section, nous déterminerons la valeur actuelle d'un flux monétaire périodique constant, à un moment prédéterminé dans le temps. *Règle générale, la valeur actuelle que l'on tente de déterminer se situe habituellement au temps zéro, soit au moment présent.* Afin de pouvoir résoudre un problème d'actualisation, nous devons disposer, comme dans le cas de la valeur future d'une annuité, d'un certain nombre d'informations :

- le ou les taux couvrant la période d'analyse;
- le montant du flux monétaire;
- le nombre de flux monétaires;
- la fréquence du flux monétaire;
- la date à laquelle on veut déterminer la valeur accumulée.

Dans le calcul de la valeur actuelle d'une annuité, nous devons également déterminer si nous sommes en présence de flux monétaires de début ou de fin de période. En effet, cet élément aura une incidence directe sur le choix des outils les plus adéquats pour le traitement de l'information financière.

2.1 L'annuité de fin de période

Nous avons illustré à la figure 3.2 une série de flux monétaires périodiques constants de fin de période. Nous allons donc, à partir de cet exemple, résoudre le problème de la valeur actuelle d'une annuité de fin de période, et ce, encore une fois, selon trois approches différentes :

– en considérant chaque flux monétaire comme un montant unique;
– en utilisant les formules mathématiques appropriées;
– en utilisant les tables financières.

Pour ce faire, nous utiliserons, encore une fois, les données suivantes :

– le taux nominal : 11 %
– le flux monétaire : 5 000 $
– le nombre de flux monétaires : 6
– la fréquence du flux monétaire : annuelle
– la date à laquelle on veut déterminer la valeur actuelle : temps zéro

En considérant chaque flux monétaire comme un montant unique

Nous pouvons déterminer la valeur actuelle de cette série de flux monétaires au temps zéro, en considérant chaque flux monétaire comme un montant unique et en actualisant individuellement chacun de ceux-ci à une même date prédéterminée. Cette démarche est représentée à la figure 3.8.

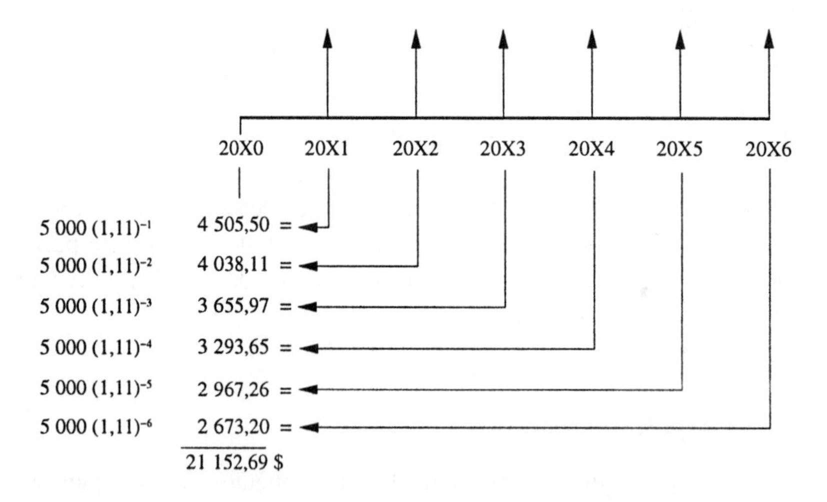

FIGURE 3.8
La valeur actuelle d'une annuité de fin de période (montant unique)

En utilisant les formules mathématiques appropriées

Il existe une formalisation spécifique nous permettant d'avoir la valeur actuelle totale d'une série de flux monétaires appliquée à des situations d'annuités de fin de période. L'équation 3.5 permet d'obtenir rapidement la valeur actuelle d'une série de flux monétaires périodiques constants de fin de période.

$$PV = PMT\left[\frac{1-(1+i)^{-n}}{i}\right] \quad \text{Éq. 3.5}$$

où :

PV	=	la valeur actuelle d'une annuité
PMT	=	le montant de l'annuité
i	=	le taux d'intérêt périodique
n	=	le nombre de flux monétaires

Il est très important de noter que le résultat obtenu à l'aide de l'équation 3.5 se situe, sur l'axe temporel, exactement une période avant le premier flux monétaire de la série (voir figure 3.9). En effet, l'équation 3.5 nous présente la valeur actuelle d'une série de flux monétaires périodiques de fin de période au début de la première période, soit au moment zéro.

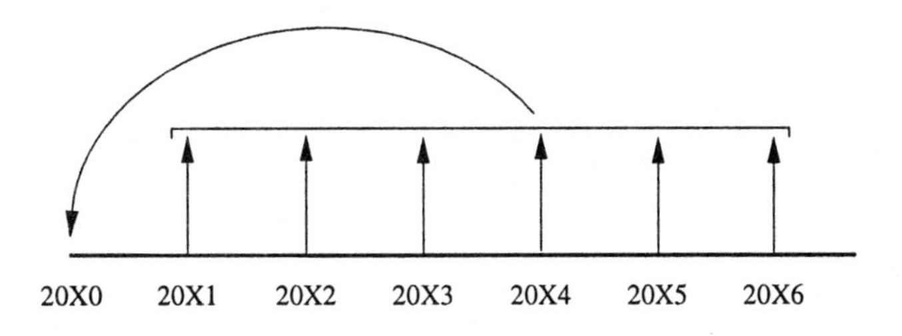

FIGURE 3.9
La valeur actuelle d'une annuité de fin de période (formulation algébrique)

Dans le cas présent, nous avons donc :

PV = à déterminer

n = 6

i = 0,11

d'où :

PMT = 5 000 $

$$PV = PMT\left[\frac{1-(1+i)^{-n}}{i}\right] \quad \textbf{Éq. 3.5}$$

$$PV = 5\,000\left[\frac{1-(1+0{,}11)^{-6}}{0{,}11}\right]$$

$$PV = 21\,152{,}69\ \$$$

En utilisant les tables financières

On peut également utiliser l'équation 3.6 afin de résoudre les problèmes à l'aide des tables financières.

$$PV = PMT\left[\frac{1-(1+i)^{-n}}{i}\right] \quad \text{Éq. 3.5}$$

$$PV = PMT \times A_{i,n} \quad \textbf{Éq. 3.6}$$

où :

$A_{i,n} = \left[\frac{1-(1+i)^{-n}}{i}\right]$ est un facteur d'actualisation d'une annuité de fin de période.

Dans le cas présent, nous avons donc :

PV = à déterminer

PMT = 5 000 $

n = 6

i = 0,11

d'où :

$$PV = PMT\left[\frac{1-(1+i)^{-n}}{i}\right]$$

$$PV = PMT \times A_{i,n}$$

$$PV = 5\,000 \times 4{,}2305$$

$$PV = 21\,152{,}50\ \$$$

Une fois de plus, nous privilégions l'approche mathématique. Ainsi, afin d'en apprécier toutes les facettes, nous vous présentons quatre exemples qui font ressortir la souplesse et la polyvalence de l'équation 3.5.

Exemple 9

Quelle est la valeur actuelle de versements mensuels de 400 $, si ces versements se font en fin de période, et ce, sur une période de cinq ans au taux de 14 % capitalisé mensuellement?

PV = à déterminer

PMT = 400 $

i = I/m = 0,14/12 = 0,011667

n = 60

$$PV = PMT\left[\frac{1-(1+i)^{-n}}{i}\right]$$

$$PV = 400\left[\frac{1-(1+0{,}011667)^{-60}}{0{,}011667}\right]$$

$$PV = 17\,190{,}81\ \$$$

Exemple 10

Vous achetez une voiture de 20 000 $. Le concessionnaire vous propose de faire des versements à la fin de chaque mois pendant trois ans. Il vous offre un taux d'intérêt de 10 % capitalisé mensuellement. Quels versements devrez-vous effectuer?

PMT = à déterminer

PV = 20 000 $

i = I/m = 0,10/12 = 0,00833

n = 36

$$PV = PMT\left[\frac{1-(1+i)^{-n}}{i}\right]$$

$$20\,000 = PMT\left[\frac{1-(1+0{,}008333)^{-36}}{0{,}008333}\right]$$

$$PMT = 645{,}34\ \$$$

Exemple 11

Un ami à qui vous avez prêté 6 000 $ désire vous rembourser en effectuant 52 versements de 125 $ à la fin de la semaine. Quel taux d'intérêt vous offre-t-il?

i = à déterminer

PV = 6 000 $

PMT = 125

n = 52

$$PV = PMT\left[\frac{1-(1+i)^{-n}}{i}\right]$$

$$6\,000 = 125\left[\frac{1-(1+i)^{-52}}{i}\right]$$

$$i = 0{,}3065\ \%$$

Il est très important de souligner que le taux obtenu est un taux périodique hebdomadaire. Ce taux correspond à un taux nominal à capitalisation hebdomadaire de 15,93 % et à un taux effectif de 17,24 %.

Exemple 12

Combien de versements de 400 $ devez-vous effectuer afin d'avoir une valeur actuelle de 5 431,08 $, si l'argent est déposé à la fin de chaque trimestre dans un compte d'épargne rapportant un taux d'intérêt de 8 % capitalisé quatre fois l'an?

n = à déterminer

PV = 5 431,08 $

PMT = 400 $

i = $I/m = 0{,}08/4 = 0{,}02$

$$PV = PMT\left[\frac{1-(1+i)^{-n}}{i}\right]$$

$$5\,431{,}08 = 400\left[\frac{1-(1+0{,}02)^{-n}}{0{,}02}\right]$$

n = 16 versements

2.2 L'annuité de début de période

La figure 3.5 nous met en présence d'une série de flux monétaires périodiques constants de début de période. Comme nous l'avons mentionné antérieurement, cela résulte du fait que le premier flux monétaire de la série arrive au début de la première période. Nous allons donc, à partir de cet exemple, résoudre le problème de la valeur actuelle d'une annuité de début de période, selon les mêmes trois approches vues précédemment :

- en considérant chaque flux monétaire comme un montant unique;
- en utilisant les formules mathématiques appropriées;
- en utilisant les tables financières.

En considérant chaque flux monétaire comme un montant unique

Nous pouvons déterminer la valeur actuelle de cette série de flux monétaires au temps zéro, en considérant chaque flux monétaire comme un montant unique et en actualisant individuellement chacun de ceux-ci à une même date prédéterminée. Cette démarche est représentée dans la figure 3.10.

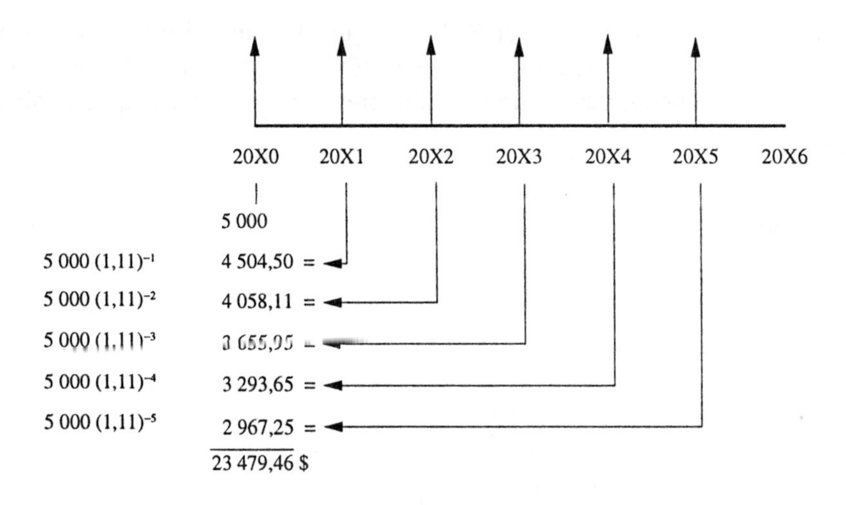

FIGURE 3.10
La valeur actuelle d'une annuité de début de période (montant unique)

En utilisant les formules mathématiques appropriées

Encore une fois, après quelques développements mathématiques, une formalisation spécifique est obtenue afin de résoudre la valeur actuelle totale de la série de flux monétaires dans le cas où les annuités sont de début de période.

$$PV = PMT\left[\frac{1-(1+i)^{-n}}{i}\right](1+i) \qquad \text{Éq. 3.7}$$

où :

PV	=	la valeur actuelle d'une annuité
PMT	=	le montant de l'annuité
i	=	le taux d'intérêt périodique
n	=	le nombre de flux monétaires

L'équation 3.7 nous permet d'obtenir rapidement la valeur actuelle d'une série de flux monétaires périodiques constants de début de période. Le résultat obtenu à l'aide de l'équation 3.7 se situe, sur l'axe temporel, exactement au moment du premier flux monétaire de la série.

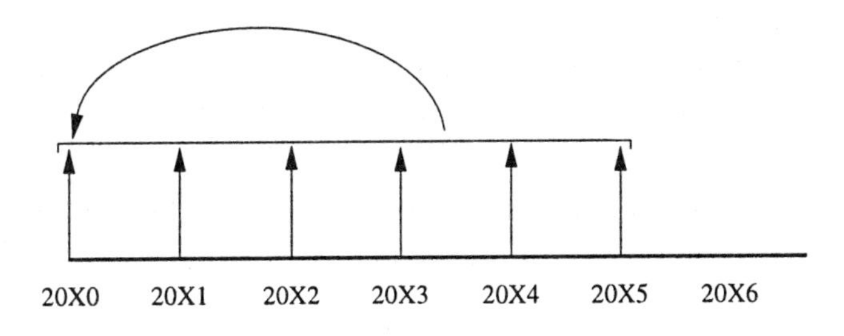

FIGURE 3.11
La valeur actuelle d'une annuité de début de période (formulation algébrique)

Dans le cas présent, nous avons donc :

PV	=	à déterminer
PMT	=	5 000 $
i	=	0,11
n	=	6

d'où :

$$PV = PMT\left[\frac{1-(1+i)^{-n}}{i}\right](1+i)$$

$$PV = 5\,000\left[\frac{1-(1+0,11)^{-6}}{0,11}\right](1+0,11)$$

$$PV = 23\,479{,}49\ \$$$

Comme nous l'avons souligné précédemment, il y a une similarité entre les équations 3.5 et 3.7. L'élément distinctif consiste en l'ajout, dans l'équation 3.7, d'un facteur de capitalisation d'une période qui vient influencer l'ensemble du résultat de l'équation 3.5. On se souviendra que, selon l'approche des flux monétaires considérés comme montants uniques, chaque montant se trouvait actualisé d'une période de moins lorsqu'il était de début de période. Or, l'équation 3.7 ne fait que représenter cette situation puisque nous constatons qu'effectivement la différence entre les résultats des équations 3.5 et 3.7 est une période d'actualisation en moins sur chaque flux monétaire.

D'ailleurs, reformulé algébriquement, ce problème d'actualisation devient :

$$PV = PMT\left[\frac{1-(1+i)^{-n}}{i}\right](1+i)$$

$$PV = 21\,152{,}69(1+0{,}11)$$

$$PV = 23\,479{,}49\ \$$$

En utilisant les tables financières

On peut également formuler l'équation 3.7 afin de résoudre les problèmes à l'aide des tables financières.

$$PV = PMT\left[\frac{1-(1+i)^{-n}}{i}\right](1+i) \qquad \text{Éq. 3.7}$$

$$PV = PMT \times A^{1}_{i,n} \qquad \textbf{Éq. 3.8}$$

où :

$A^1_{i,n} = \left[\frac{1-(1+i)^{-n}}{i}\right](1+i)$ est un facteur d'actualisation d'une annuité de début de période.

Dans le cas présent, nous avons :

$$PV = PMT \times A^1_{i,n}$$

$$PV = 5\,000 \times 4{,}6959$$

$$PV = 23\,479{,}49\ \$$$

Pour les même raisons qu'énoncées précédemment, nous privilégions l'approche mathématique.

Nous vous présentons à nouveau quatre exemples qui vous permettront de bien saisir la polyvalence de l'équation 3.7.

Exemple 13

Quelle est la valeur actuelle de versements mensuels de 200 $ de début de mois si ces versements se font sur une période de quatre ans, au taux de 14 % capitalisé mensuellement?

PV = à déterminer

PMT = 200 $

i = I/m = 0,14/12 = 0,011667

n = 48

$$PV = PMT\left[\frac{1-(1+i)^{-n}}{i}\right](1+i)$$

$$PV = 200\left[\frac{1-(1+0{,}011667)^{-48}}{0{,}011667}\right](1+0{,}011667)$$

$$PV = 7\,404{,}30\ \$$$

Exemple 14

Quelle somme faut-il verser, au début de chaque mois pendant quatre ans, à un taux d'intérêt de 10 % capitalisé mensuellement, si l'on veut que ces versements représentent aujourd'hui un montant de 5 000 $?

PMT = à déterminer

PV = 5 000 $

i = I/m = 0,10/12 = 0,00833

n = 48

$$PV = PMT\left[\frac{1-(1+i)^{-n}}{i}\right](1+i)$$

$$5\,000 = PMT\left[\frac{1-(1+0{,}00833)^{-48}}{0{,}00833}\right](1+0{,}00833)$$

PMT = 125,76 $

Exemple 15

On vous propose de vous faire quatre versements, en début de trimestre, de 650 $. Quel est le taux d'intérêt appliqué à ces versements si ceux-ci ont une valeur actuelle de 2 500 $?

i = à déterminer

PV = 2 500 $

PMT = 650 $

n = 4

$$PV = PMT\left[\frac{1-(1+i)^{-n}}{i}\right](1+i)$$

$$2\,500 = 650\left[\frac{1-(1+i)^{-4}}{i}\right](1+i)$$

i = 2,68 %

Il est important de souligner que le taux obtenu est un taux périodique trimestriel correspondant à un taux nominal capitalisé trimestriellement de 10,72 % et à un taux effectif de 11,15 %.

Exemple 16

Combien de versements de 500 $ devez-vous effectuer en début de période afin d'avoir une valeur actuelle de 8721,80 $, si l'argent est déposé trimestriellement dans un compte d'épargne rapportant un taux d'intérêt de 12 % capitalisé quatre fois l'an?

n = à déterminer

PV = 8 721,80 $

PMT = 500 $

I = $I/m = 0{,}12/4 = 0{,}03$

$$PV = PMT\left[\frac{1-(1+i)^{-n}}{i}\right](1+i)$$

$$8\,721{,}80 = 500\left[\frac{1-(1+0{,}03)^{-n}}{0{,}03}\right](1+0{,}03)$$

n = 24 versements

3. La valeur actuelle et/ou future d'un flux monétaire variable

Nous avons vu dans les sections précédentes une façon de résoudre des problèmes d'annuité en procédant comme si l'annuité n'était qu'une série de montants uniques. Or, il s'agit de l'approche qu'on doit préconiser lorsque nous sommes en présence de flux monétaires non uniformes ou non constants, donc variables. En effet, dans de telles situations, nous devons traiter chaque flux monétaire individuellement selon les spécificités du problème et, ensuite, procéder à une dernière sommation une fois que tous les flux monétaires sont ramenés à un même et unique moment.

L'équation 3.9 nous permet d'obtenir la valeur actuelle d'une série de flux monétaires variables.

$$PV = \sum_{t=1}^{n} FM_t(1+i)^{-t} \qquad \text{Éq. 3.9}$$

où :

PV = la valeur actuelle de la série de flux monétaires

FM_t = le montant du flux monétaire à la date t

i = le taux d'intérêt périodique

L'équation 3.10 nous permet d'obtenir la valeur future d'une série de flux monétaires variables.

$$FV = \sum_{t=1}^{n} FM_t(1+i)^{n-t} \qquad \text{Éq. 3.10}$$

où :

FV = la valeur future de la série de flux monétaires

FM_t = le montant du flux monétaire à la date t

i = le taux d'intérêt périodique

n = le nombre de flux monétaires

t = la période du flux monétaire

Prenons par exemple une situation où vous recevez trois montants différents de 5 000 $, 10 000 $ et 15 000 $, qui vous seraient versés dans un, deux et trois ans. Durant cette période, le taux d'intérêt capitalisé annuellement serait de 10 %.

La valeur actuelle de cette série de flux monétaires variables s'établit donc comme suit :

$$PV = \sum_{t=1}^{3} FM_t(1+i)^{-t}$$

$$PV = FM_1(1+i)^{-1} + FM_2(1+i)^{-2} + FM_3(1+i)^{-3}$$

$$FM_1 = 5\,000$$

$$FM_2 = 10\,000$$

$$FM_3 = 15\,000$$

$$PV = 5\,000(1{,}10)^{-1} + 10\,000(1{,}10)^{-2} + 15\,000(1{,}10)^{-3}$$

$$PV = 4\,545{,}45 + 8\,264{,}46 + 11\,269{,}72$$

$$PV = 24\,079{,}63\ \$$$

La valeur future de cette série de flux monétaires variables s'établit pour sa part à la fin de l'an trois, comme suit :

$$FV = \sum_{t=1}^{3} FM_t(1+i)^{n-t}$$

$$FV = FM_1(1+i)^{3-1} + FM_2(1+i)^{3-2} + FM_3(1+i)^{3-3}$$

$$FV = 5\,000(1{,}10)^{2} + 10\,000(1{,}10)^{1} + 15\,000(1{,}10)^{0}$$

$$FV = 6\,050 + 11\,000 + 15\,000$$

$$FV = 32\,050\ \$$$

Dans le cas où les flux monétaires auraient lieu en début de période, des ajustements similaires à ceux que nous avons rencontrés précédemment doivent être effectués.

Comme nous venons encore une fois de le constater, *il ne faut jamais, au grand jamais, additionner des flux monétaires qui se situent à des dates différentes*. Il faut d'abord ramener les flux monétaires à un même moment dans le temps, afin de pouvoir les additionner entre eux.

Conclusion

Nous avons conclu à plusieurs reprises dans ce chapitre que l'approche mathématique est la plus conviviale pour la résolution des différents problèmes liés à la décision d'investissement auxquels nous pouvons être confrontés. Cette approche a le mérite d'être universelle, rapide et autonome. Nous délaisserons donc, dans les chapitres suivants, les approches où on utilise les montants uniques successifs et les tables financières, et ce, afin de ne pas alourdir indûment le traitement des sujets retenus. Maintenant que nous disposons d'outils d'analyse, nous sommes donc prêts à aborder, dans le prochain chapitre, les cas particuliers des annuités, tels que les hypothèques, etc.

Les activités d'apprentissage

Questions

1. Expliquez ce qu'est une annuité.

2. Reliez les principes de capitalisation et d'actualisation à la valeur actuelle et à la valeur future d'une annuité.

3. Quelles sont les informations nécessaires pour déterminer la valeur future ou actuelle d'une annuité?

4. Distinguez, à l'aide de graphiques, les annuités de début de période et les annuités de fin de période.

5. Lorsque vous calculez la valeur actuelle ou future d'une annuité en considérant chaque flux monétaire comme un montant unique, de quel principe devez-vous tenir compte lors de la sommation?

Problèmes

1. Vous avez un montant de 25 000 $ que vous pouvez investir à un taux de 11 % capitalisé trimestriellement. Dans combien de temps aurez-vous accumulé la somme de 45 408,83 $?

2. Un client d'une institution financière a laissé fructifier un montant de 200 000 $ pendant dix ans et a obtenu à l'échéance une somme de 465 000 $. Compte tenu que cette institution a capitalisé semestriellement les intérêts, déterminez le taux d'intérêt nominal qui a été crédité à ce client.

3. Vous avez besoin de 20 000 $ pour aménager le sous-sol de votre maison. La caisse populaire consent à vous les prêter à un taux de 15 % capitalisé trimestriellement, tandis qu'une banque à charte accepte de vous les prêter à un taux effectif de 16,5 %. À quel endroit est-il plus avantageux d'emprunter? Justifiez votre réponse.

4. Une entreprise projette un important investissement en l'an 20X6 et veut, dans cette optique, effectuer plusieurs placements successifs :

Dates prévues des placements	*Montants prévus*
01-01-20X1	50 000 $
01-01-20X2	10 000 $
01-01-20X3	15 000 $

   On prévoit que le taux d'intérêt sera en moyenne de 8 % capitalisé annuellement. Calculez le capital accumulé au 1er janvier 20X6.

5. Un immeuble locatif est mis en vente par une maison de courtage. Les trois offres suivantes sont faites :

   – offre A : 100 000 $ payables comptant;
   – offre B : 65 000 $ payables comptant et 50 000 $ payables dans deux ans;
   – offre C : 40 000 $ payables comptant, 25 000 $ payables dans un an, 20 000 $ dans deux ans et 40 000 $ dans quatre ans.

Sachant que le propriétaire est en mesure de placer son argent à un taux de 9 % capitalisé semestriellement, quelle est la meilleure offre et de combien est-elle supérieure à la deuxième?

6. À cause de l'augmentation prévue de son chiffre d'affaires, une entreprise projette de construire dans quatre ans un entrepôt supplémentaire dont le coût est estimé à 125 000 $. Pour disposer des fonds nécessaires, le contrôleur de l'entreprise désire ouvrir un compte spécial dans une société de fiducie dans lequel il désire verser quatre montants annuels au début de chacune des années débutant aujourd'hui même. Considérant que le taux d'intérêt sera de 7 % capitalisé annuellement, quelle doit être la valeur de ce versement?

7. Entre les deux possibilités suivantes, déterminez celle qui maximise votre richesse et indiquez la différence entre les deux possibilités, compte tenu d'un taux de 10 % capitalisé semestriellement :

a) 4 000 $ comptant et 1 500 $ dans deux ans;
b) 700 $ comptant et 600 $ à la fin de chaque semestre pendant quatre ans et demi.

8. La compagnie XYZ inc. vient de se porter acquéreur d'un équipement spécialisé qui lui permettra d'accroître sa production. La compagnie vendeuse accepte de financer cet achat à un taux d'intérêt de 12 % effectif selon la série de versements suivante : 4 500 $ comptant et une annuité de cinq versements annuels de 12 500 $ débutant un an après la date de vente. Calculez le prix de vente de cet équipement.

9. À la suite du décès du propriétaire d'une petite entreprise familiale, vous êtes engagé comme exécuteur testamentaire pour régler les problèmes de la succession. Le premier problème à résoudre a trait à un emprunt de 70 000 $ contracté il y a cinq ans pour acheter de l'équipement. Les conditions initiales du prêt étaient les suivantes :

- taux du prêt : 14 % capitalisé semestriellement;
- durée du prêt : 15 ans (versements de début de période tous les six mois);
- taux d'intérêt renégociable après cinq ans pour une période de dix ans.

Après discussion avec le chef du service du crédit de la société prêteuse, vous convenez de renouveler le prêt au taux de 13 % capitalisé trimestriellement et d'effectuer pour les dix prochaines années des versements trimestriels de fin de période. Quel sera le montant des paiements trimestriels que la succession devra effectuer?

10. Vous avez actuellement 25 000 $ d'accumulés dans votre régime de retraite. Vous pensez prendre votre retraite dans 20 ans et vous désirez vous assurer un revenu annuel de 35 000 $ pendant 25 ans après votre retraite. Ce montant de 35 000 $ sera encaissé au début de chaque année.

Combien devez-vous déposer à la fin de chaque année d'ici à votre retraite pour atteindre votre objectif? Le taux de rendement effectif de votre régime est de 11 %.

11. Pour les six prochaines années, vous désirez assurer une allocation mensuelle (fin de mois) à vos parents. Cette allocation devrait être de 500 $ par mois pour les deux premières années et de 750 $ par mois pour les quatre années suivantes. Combien devez-vous déposer aujourd'hui dans un compte rapportant un taux effectif de 13,5 % pour les deux premières années et un taux nominal de 14,75 % capitalisé semestriellement pour les quatre années suivantes, afin de pouvoir verser les allocations prévues?

12. Au début de l'année 20X0, vous investissez un montant de 20 000 $ et vous songez par la suite à effectuer des placements de sommes égales chaque année, sauf la première année où vous verserez deux fois la somme normalement investie chaque année. Sachant que votre objectif est de vous constituer un capital de 75 000 $ au début de l'an 20X10, et compte tenu d'un taux d'intérêt moyen anticipé sur vos placements de 11 % capitalisé trimestriellement, quel sera le montant annuel de votre placement? Les versements, au nombre de dix (excluant l'investissement initial de 20 000 $), débutent en 20X1 et se terminent en 20X10.

ANNEXE 3.1
Les équations

L'intérêt simple

Montant total d'intérêts accumulés

$$TOT\,i = PV \times I \times N$$ **Éq. 2.1**

FV d'un montant placé à intérêt simple

$$FV_N = PV + TOT\,i$$ **Éq. 2.2**

$$FV_N = PV(1 + I \times N)$$ **Éq. 2.3**

L'intérêt composé

FV d'un montant placé à intérêt composé

$$FV_N = PV(1 + I)^N$$ **Éq. 2.4**

Taux périodique (i)

$$i = I/m$$ **Éq. 2.5**

Transposition du taux périodique au taux effectif

$$(1 + i_r) = (1 + i)^m$$ **Éq. 2.6**

$$(1 + i_r) = (1 + I/m)^m$$

Taux effectif quand la fréquence de capitalisation est infinie

$$i_r = e^I - 1$$ **Éq. 2.7**

Équivalence entre des taux nominaux

$$(1 + I_1 / m_1)^{m1} = (1 + I_2 / m_2)^{m2}$$ Éq. 2.8

Valeur future d'un montant unique

$$FV_n = PV(1 + i)^n$$ Éq. 2.9

$$FV_{N \times m} = PV(1 + I/m)^{N \times m}$$

Valeur actuelle d'un montant unique

$$PV = FV_n (1 + i)^{-n}$$ Éq. 2.10

$$PV = FV_{N \times m} (1 + I/m)^{-N \times m}$$

Valeur future d'une annuité de fin de période

$$FV_n = PMT\left[\frac{(1 + i)^n - 1}{i}\right]$$ Éq. 3.1

$$FV_n = PMT\left[\frac{(1 + I/m)^{N \times m} - 1}{I/m}\right]$$

$$FV_n = PMT \times S_{i,n}$$ Éq. 3.2

Valeur future d'une annuité de début de période

$$FV_n = PMT\left[\frac{(1 + i)^n - 1}{i}\right](1 + i)$$ Éq. 3.3

$$FV_n = PMT\left[\frac{(1 + I/m)^{N \times m} - 1}{I/m}\right](1 + I/m)$$

$$FV_n = PMT(S^1_{i,n})$$ Éq. 3.4

Valeur actuelle d'une annuité de fin de période

$$PV = PMT\left[\frac{1-(1+i)^{-n}}{i}\right]$$ Éq. 3.5

$$PV = PMT\left[\frac{1-(1+I/m)^{-N\times m}}{I/m}\right]$$

$$PV = PMT \times A_{i,n}$$ Éq. 3.6

Valeur actuelle d'une annuité de début de période

$$PV = PMT\left[\frac{1-(1+i)^{-n}}{i}\right](1+i)$$ Éq. 3.7

$$PV = PMT\left[\frac{1-(1+I/m)^{-N\times m}}{I/m}\right](1+I/m)$$

$$PV = PMT \times A^{1}{}_{i,n}$$ Éq. 3.8

Valeur actuelle d'une série de flux monétaires variables

$$PV = \sum_{t=1}^{n} FM_t(1+i)^{-t}$$ Éq. 3.9

Valeur future d'une série de flux monétaires variables

$$FV = \sum_{t=1}^{n} FM_t(1+i)^{n-t}$$ Éq. 3.10

ANNEXE 3.2
Dérivation de l'équation 3.1

Cette équation sert à calculer la valeur future d'une annuité de fin de période.

Par définition, la valeur future d'une série de flux monétaires périodiques constants de fin de période est donnée par :

$$FV_n = PMT + PMT(1+i)^1 + PMT(1+i)^2 + \ldots + PMT(1+i)^{n-2} + PMT(1+i)^{n-1}$$

En multipliant chaque côté de l'équation par $(1 + i)$, on a :

$$FV_n(1+i) = PMT(1+i)^1 + PMT(1+i)^2 + PMT(1+i)^3 + \ldots + PMT(1+i)^{n-1} + PMT(1+i)^n$$

En soustrayant la dernière équation de la précédente, on obtient :

$$FV_n - FV_n(1+i) = PMT - PMT(1+i)^n$$

ou encore :

$$FV_n - FV_n - Fv_n(i) = PMT - PMT(1+i)^n$$

Ensuite, en multipliant par (-1) chaque côté de l'équation il en résulte que :

$$FV_n(i) = PMT(1+i)^n - PMT$$

Ce qui donne bien, après simplification, l'équation 3.1 :

$$FV_n = PMT\left[\frac{(1+i)^n - 1}{i}\right]$$

ANNEXE 3.3
Dérivation de l'équation 3.5

Cette équation sert à calculer la valeur actuelle d'une annuité de fin de période.

Par définition, la valeur actuelle d'une série de flux monétaires périodiques constants de fin de période est donnée par :

$$PV = PMT(1+i)^{-1} + PMT(1+i)^{-2} + PMT(1+i)^{-3} + \ldots + PMT(1+i)^{-(n-1)} + PMT(1+i)^{-n}$$

En multipliant chaque côté de l'équation par $(1 + i)$, on a :

$$PV(1+i) = PMT + PMT(1+i)^{-1} + PMT(1+i)^{-2} + \ldots + PMT(1+i)^{-(n-2)} + PMT(1+i)^{-(n-1)}$$

En soustrayant la dernière équation de la précédente, on obtient :

$$PV - PV(1+i) = -PMT + PMT(1+i)^{-n}$$

ou encore :

$$PV - PV - PV(i) = -PMT + PMT(1+i)^{-n}$$

Ensuite, en multipliant par (-1) chaque côté de l'équation il en résulte que :

$$PV(i) = PMT - PMT(1+i)^{-n}$$

Ce qui donne bien, après simplification, l'équation 3.5 :

$$PV = PMT\left[\frac{1-(1+i)^{-n}}{i}\right]$$

Chapitre 4

Les annuités et leurs particularités

Schéma d'intégration des contenus

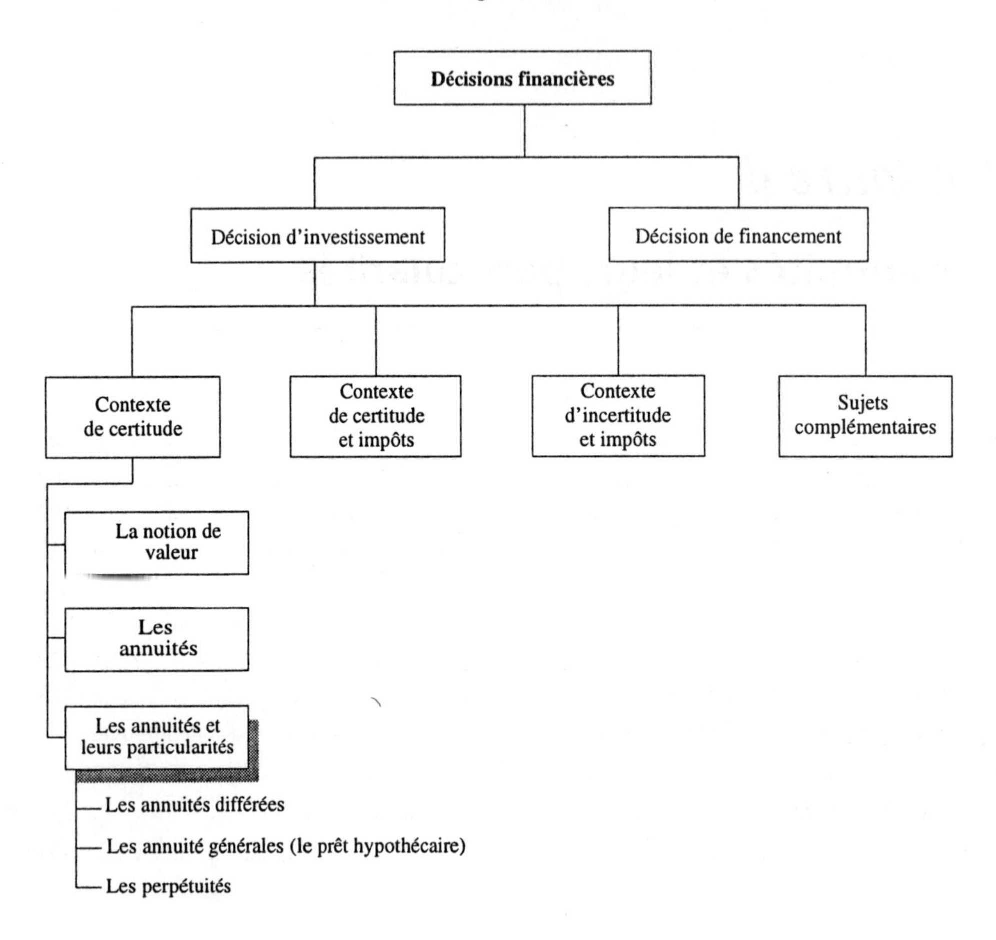

Le chapitre 4 présente les cas particuliers d'annuités que vous pouvez rencontrer. Après la lecture de ce chapitre, vous devriez être capable :

- de déterminer la valeur actuelle et la valeur future des annuités différées;
- de définir les annuités générales;
- d'appliquer aux annuités générales les connaissances acquises pour l'actualisation et la capitalisation;
- de définir les perpétuités;
- de déterminer la valeur actuelle d'une perpétuité.

Introduction

Dans les chapitres précédents, nous avons actualisé et capitalisé des annuités simples de début et de fin de période. Les annuités peuvent cependant être caractérisées par certaines particularités. Par exemple, la série de flux monétaires périodiques constants, qu'on doit verser ou recevoir, peut ne pas débuter dès la première période et être reportée dans le temps. Nous sommes alors en présence d'*annuités différées*. Certaines situations peuvent présenter des cas où la fréquence de capitalisation des taux et la périodicité des flux monétaires sont différentes. Nous sommes alors en présence d'*annuités générales*. De plus, le nombre de flux monétaires faisant partie d'une annuité peut être illimité. Nous sommes alors en présence de *perpétuités*. Ce chapitre regroupe, sans être exhaustif, ces cas particuliers d'annuités qui englobent les principales mises en situation auxquelles nous risquons d'être confrontés.

1. Les annuités différées

Une *annuité différée* est une série de flux monétaires périodiques constants dont le premier flux monétaire ne se matérialise pas à la première période. Le début de la série est donc différé dans le temps par rapport à la première période. La série peut être différée *d'une ou de plusieurs* périodes et cette particularité se doit d'être considérée lors de l'analyse des flux monétaires, tant dans une perspective de valeur actuelle que de valeur future.

1.1 La valeur actuelle

Pour déterminer la valeur actuelle d'une annuité différée, nous devons tenir compte d'un laps de temps où aucun flux monétaire ne se produit. Ce laps de temps est borné, d'une part, par l'instant zéro et, d'autre part, par le moment où l'on reçoit le premier flux de la série de flux monétaires.

En ce qui concerne les annuités simples, comme nous l'avons constaté dans le chapitre précédent, l'actualisation nécessite la connaissance de certaines variables :

- le taux couvrant la période d'analyse;
- le montant du flux monétaire;
- le nombre de flux monétaires;
- la fréquence du flux monétaire;
- la date de détermination de la valeur actuelle.

Pour établir la valeur actuelle de flux monétaires périodiques constants différés dans le temps, nous adopterons trois approches différentes, soit :

- en considérant l'annuité comme une annuité de fin de période;
- en considérant l'annuité comme une annuité de début de période;
- en considérant l'annuité comme une annuité complète non différée.

Comme mise en situation, nous supposons que vous détenez un billet de loterie gagnant. Nous sommes présentement en 20X0. Le prix rattaché à ce billet vous permet de recevoir dans cinq ans, soit en 20X5, et jusqu'à la dixième année, soit en 20X10, un montant de 5 000 $ par année. Nous chercherons à estimer la valeur de votre prix, en dollars d'aujourd'hui, en sachant que le taux d'actualisation est de 11 % capitalisé annuellement.

Une multitude d'approches pourraient être utilisées pour résoudre ce problème d'actualisation représenté à la figure 4.1. Nous n'avons retenu cependant que celles qui sont mentionnées ci-dessus puisqu'elles mettent à profit les connaissances développées jusqu'à maintenant. Examinons ces trois approches une à une.

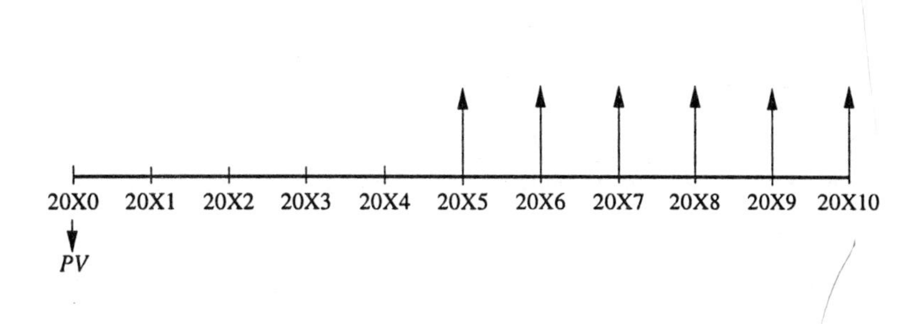

FIGURE 4.1
Représentation d'une annuité différée : le cas du billet de loterie

En considérant l'annuité comme une annuité de fin de période

L'emplacement du premier flux monétaire de la série de flux monétaires caractérise l'ensemble de la série de flux monétaires. Si le premier flux monétaire de la série est de fin de période, tous les autres le seront également puisque la série est périodique. Nous sommes donc, dans un tel cas, en présence d'une série de flux monétaires périodiques constants dont le premier flux monétaire survient à la fin de la cinquième période. Nous pouvons alors faire appel à la formule d'actualisation d'une annuité de fin de période telle que vue dans le chapitre 3 (voir l'équation 3.5).

$$PV = PMT\left[\frac{1-(1+i)^{-n}}{i}\right] \qquad \text{Éq. 3.5}$$

Cette formule d'actualisation d'une annuité de fin de période nous permet d'obtenir la valeur actuelle d'une série de flux monétaires, une période avant le début du premier flux monétaire de la série, soit, dans ce cas-ci, à la fin de la quatrième période. Par la suite, ce montant unique doit être actualisé une seconde fois afin de le ramener au temps zéro. La figure 4.2 illustre ce processus d'actualisation en deux étapes.

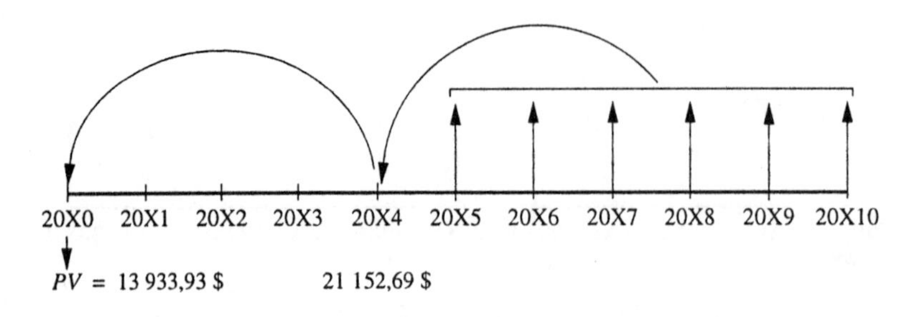

FIGURE 4.2
L'actualisation d'une annuité différée de fin de période

Étape 1 : il faut d'abord actualiser la série de flux périodiques constants de fin de période pour nous retrouver, à la fin de la quatrième période, avec un montant unique.

PV = à déterminer
PMT = 5 000 $
i = 11 %
n = 6

$$PV = PMT\left[\frac{1-(1+i)^{-n}}{i}\right]$$

$$PV = 5\,000\left[\frac{1-(1+0{,}11)^{-6}}{0{,}11}\right]$$

$$PV = 21\,152{,}69\ \$$$

Étape 2 : il faut enfin ramener ce montant unique à l'instant zéro en l'actualisant pour les quatre périodes restantes à l'aide de l'équation 2.10 du chapitre 2.

PV = à déterminer
FV_n = 21 152,69 $
i = 11 %
n = 4

$$PV = FV_n(1 + i)^{-n}$$
$$PV = 21\,152{,}69(1 + 0{,}11)^{-4}$$
$$PV = 13\,933{,}93\ \$$$

En considérant l'annuité comme une annuité de début de période

Comme nous l'avons vu, l'emplacement du premier flux monétaire de la série de flux monétaires caractérise l'ensemble de la série de flux monétaires. Si le premier flux monétaire de la série est de début de période, tous les autres le seront également puisque la série est périodique. Nous sommes donc, dans un tel cas, en présence d'une série de flux monétaires périodiques constants dont le premier flux monétaire a lieu au début de la sixième période.

Nous pouvons donc faire appel à la formule d'actualisation d'une annuité de début de période telle que vue dans le chapitre 3 (voir équation 3.7).

$$PV = PMT\left[\frac{1-(1+i)^{-n}}{i}\right](1+i) \qquad \text{Éq. 3.7}$$

La figure 4.3 illustre l'actualisation d'une annuité différée de début de période en décomposant encore une fois le processus en deux étapes.

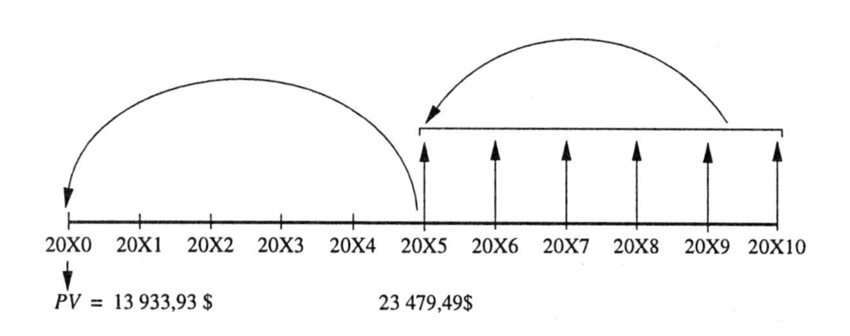

FIGURE 4.3
L'actualisation d'une annuité différée de début de période

Étape 1 : il faut d'abord actualiser la série de flux monétaires périodiques de début de période pour nous retrouver avec un montant unique au début de la cinquième période.

PV = à déterminer
PMT = 5 000 $
i = 11 %
n = 6

$$PV = PMT\left[\frac{1-(1+i)^{-n}}{i}\right](1+i)$$

$$PV = 5\,000\left[\frac{1-(1+0{,}11)^{-6}}{0{,}11}\right](1+0{,}11)$$

PV = 23 479,49 $

Étape 2 : il faut maintenant réactualiser ce montant jusqu'à l'instant présent, soit l'instant zéro.

PV = à déterminer
FV = 23 479,49 $
i = 11 %
n = 5

$$PV = FV(1+i)^{-n}$$
$$PV = 23\,479{,}49(1+0{,}11)^{-5}$$

PV = 13 933,93 $

En considérant l'annuité comme une annuité complète non différée

On suppose, selon cette approche, qu'il n'y a pas de période de latence, c'est-à-dire que les flux monétaires interviennent dès la première période, tout comme dans le cas des annuités simples développé dans le chapitre 3. Vous noterez que nous avons retenu des flux monétaires périodiques constants de fin de période. Néanmoins, la même analyse peut se faire avec des flux monétaires périodiques constants de début de période en utilisant les formules appropriées à ce cas. La figure 4.4 illustre le processus d'actualisation d'une telle annuité complète. Ce processus comporte trois étapes.

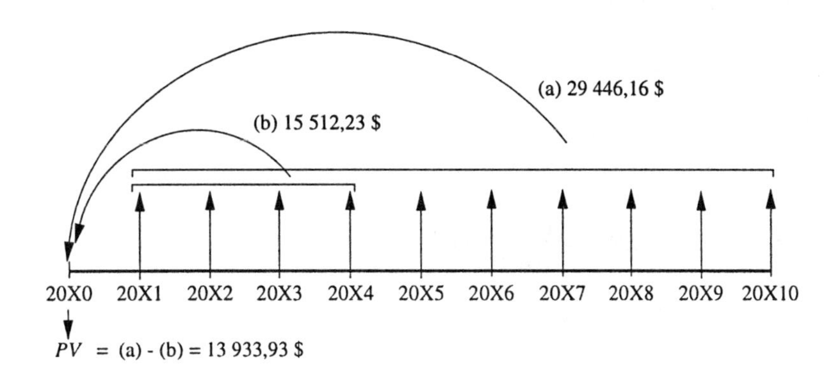

FIGURE 4.4
L'annuité complète

Étape 1 : il s'agit d'abord d'actualiser l'annuité *modifiée* sur tout l'horizon. On entend par annuité modifiée la série de flux monétaires de l'instant zéro jusqu'à l'instant 10.

PV_1 = à déterminer

PMT = 5 000 $

i = 11 %

n = 10

$$PV_1 = PMT\left[\frac{1-(1+i)^{-n}}{i}\right]$$

$$PV_1 = 5\,000\left[\frac{1-(1+0{,}11)^{-10}}{0{,}11}\right]$$

$$PV_1 = 29\,446{,}16\ \$$$

Étape 2 : il faut ensuite actualiser vers l'instant zéro les flux monétaires que nous avons rajoutés pour fins de simplification et qui n'existent pas en réalité.

PV_2 = à déterminer

PMT = 5 000 $

i = 11 %

n = 4

$$PV_2 = PMT\left[\frac{1-(1+i)^{-n}}{i}\right]$$

$$PV_2 = 5\,000\left[\frac{1-(1+0{,}11)^{-4}}{0{,}11}\right]$$

$$PV_2 = 15\,512{,}23\ \$$$

Étape 3 : il faut enfin soustraire la somme obtenue à l'étape 2 de celle qui a été obtenue à l'étape 1, soit $PV_1 - PV_2$, et nous avons le résultat recherché.

$$PV_1 - PV_2 = 29\,446{,}16 - 15\,512{,}23 = 13\,933{,}93\ \$$$

1.2 La valeur future

Le calcul de la valeur future d'annuités différées obéit aux mêmes principes que ceux des annuités simples. Par conséquent, tout comme pour la valeur future des annuités simples, différentes informations sont nécessaires, à savoir :

- le taux couvrant la période d'analyse;
- le montant du flux monétaire;
- le nombre de flux monétaires;
- la fréquence du flux monétaire;
- la date de détermination de la valeur accumulée.

Pour déterminer la valeur future d'annuités différées, nous reprenons la mise en situation où vous détenez un billet de loterie gagnant. Nous estimerons la valeur future des versements auxquels vous donne droit ce billet gagnant, en supposant que :

- les annuités sont de fin de période et différées de cinq périodes;
- les annuités sont de fin de période et différées de dix périodes.

Ces deux mises en situation nous permettront de comprendre les particularités de la valeur future dans le cas des annuités différées.

L'annuité est de fin de période et différée de cinq périodes

Comme nous l'avons vu dans le chapitre 3, l'utilisation de l'équation 3.1 nous permet d'obtenir, à la date du dernier flux monétaire de la série, la valeur future de tous les flux monétaires présents dans l'annuité. Or, il s'agit là de l'objectif que l'on cherche à atteindre (voir figure 4.5).

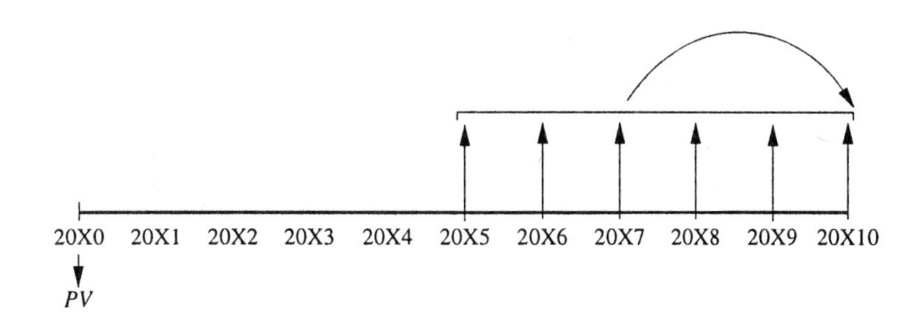

FIGURE 4.5
La valeur future d'une annuité de fin de période différée de cinq périodes

Ainsi :

FV	=	à déterminer
PMT	=	5 000 $
i	=	11 %
n	=	6

$$FV = PMT\left[\frac{(1+i)^n - 1}{i}\right]$$

$$FV = 5\,000\left[\frac{(1+0,11)^6 - 1}{0,11}\right]$$

$$FV = 39\,564,30\ \$$$

L'annuité est de fin de période et différée de dix périodes

Une fois de plus, l'utilisation de l'équation 3.1 du chapitre 3 nous permet d'atteindre l'objectif recherché, soit la détermination de la valeur future d'une annuité. On se situe donc à l'instant du premier versement, qui aura lieu à la fin de la dixième période, et on capitalise jusqu'à la fin de l'horizon, soit jusqu'à la période 15, comme l'illustre la figure 4.6.

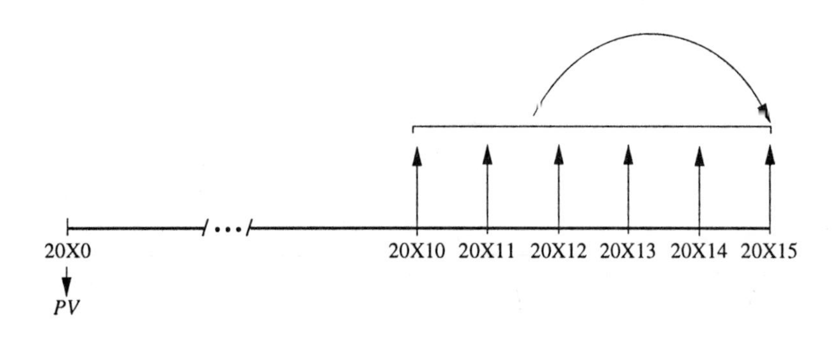

FIGURE 4.6
La valeur future d'une annuité de fin de période différée de dix périodes

Dans ce cas :

FV	=	à déterminer
PMT	=	5 000 $
i	=	11 %
n	=	6

$$FV = PMT\left[\frac{(1+i)^n - 1}{i}\right]$$

$$FV = 5\,000\left[\frac{(1+0{,}11)^6 - 1}{0{,}11}\right]$$

$$FV = 39\,564{,}30\ \$$$

Ainsi, qu'elle soit différée de cinq ou de dix périodes, la même série de flux monétaires périodiques constants donne la même valeur future. Ceci est dû au fait que, *pour la valeur future, seul le nombre (6) de flux monétaires de la série est pertinent.* La longueur de l'horizon (10 ou 15 périodes) n'entre pas en considération.

Cependant, *dans le cas de la valeur actuelle, l'horizon devient important*. En effet, si nous actualisons le montant de 39 564,30 $ sur 10 ou 15 périodes, nous obtenons une valeur actuelle correspondante différente, selon la longueur de l'horizon considéré, comme le démontre le calcul suivant.

Pour un horizon de 10 périodes :

PV = à déterminer
FV = 39 564,30 $
n = 10
i = 0,11

on a :

$$PV = FV(1+i)^{-n}$$

$$PV = 39\,564{,}30 \times (1{,}11)^{-10} = 13\,933{,}93\ \$$$

Pour un horizon de 15 périodes :

PV = à déterminer
FV = 39 564,30 $
n = 15
i = 0,11

on a :

$$PV = FV(1+i)^{-n}$$

$$PV = 39\,564{,}30 \times (1{,}11)^{-15} = 8\,269{,}11 \text{ \$}$$

Donc, il faut bien retenir qu'une même série de flux monétaires donne une valeur future identique, quel que soit le moment où on se situe pour la déterminer, alors que la valeur actuelle *dépend* de ce montant.

En outre, vous remarquerez que, dans le calcul de la valeur future, nous avons omis de mettre n en indice (c.-à-d. FV au lieu de FV_n). En effet, pour les annuités simples, n représente à la fois la période de détermination de la valeur future et le nombre de flux monétaires considérés. Dans le cas des annuités différées, n ne représente que le nombre de flux monétaires. Ainsi, pour les annuités différées de 10 et de 15 périodes, les 6 flux monétaires, qui donnent une valeur future de 39 564,30 $, auraient pu être exprimés par FV_6, sachant toutefois que ses valeurs futures se situent à des moments différents dans le temps et qu'il ne s'agit pas nécessairement de la sixième période.

2. Les annuités générales (le prêt hypothécaire)

Les annuités générales constituent un cas particulier des annuités et sont caractérisées par le fait que la fréquence de capitalisation du taux est différente de la périodicité des flux monétaires périodiques constants. Lorsque la période de capitalisation ne correspond pas à la période de versements, nous parlons d'une *annuité générale* au lieu d'une annuité simple. Cette disparité entre la fréquence de versements et celle de la capitalisation nécessite un ajustement du taux d'intérêt. Au Canada, les prêts hypothécaires représentent une excellente illustration de ce cas particulier d'annuités, puisque *les versements sont habituellement bimensuels, mensuels ou hebdomadaires* alors que la période de *capitalisation du taux est semestrielle*.

Le *prêt hypothécaire* est un titre financier qui couvre habituellement une très longue période de temps. Initialement, il peut avoir une durée de vie de 20, 25 ou 30 ans. Le taux se rapportant au prêt hypothécaire varie cependant durant cette période. En effet, on ne peut, sauf exception, fixer un taux d'intérêt sur une aussi longue période. Le *terme* du taux d'intérêt, soit la période durant laquelle le taux demeure fixe, est différent de la durée de vie du prêt hypothécaire. Les termes de taux les plus fréquemment utilisés sont de un, deux, trois, quatre et cinq ans. À la fin du terme, on redéfinit les remboursements du prêt selon les nouveaux taux en vigueur, le solde du prêt et le nombre d'années de vie restantes. À titre d'exemple, un prêt hypothécaire de 20 ans, toujours renégocié selon des termes de taux de cinq ans, aura quatre séries différentes de remboursements de 60 mois. Si les taux retenus avaient des termes d'un an, 20 séries de flux monétaires de 12 mois auraient été nécessaires pour rembourser complètement le prêt.

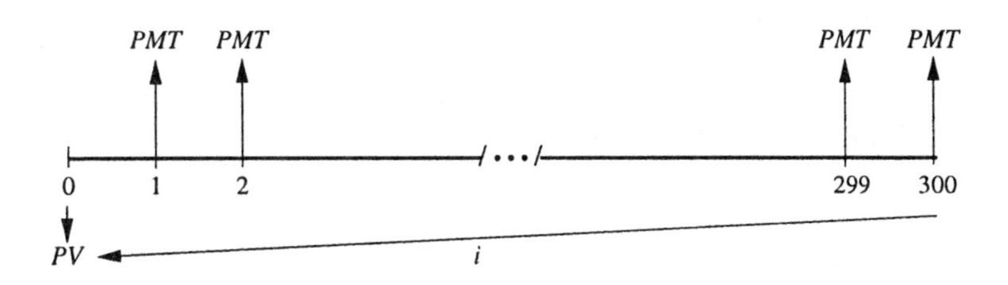

FIGURE 4.7
Représentation graphique du prêt hypothécaire.
L'horizon s'étend sur 300 périodes auxquelles correspondent 300 versements.

2.1 La périodicité et la fréquence de capitalisation

La plupart des prêts hypothécaires exigent un remboursement par versements périodiques constants. La figure 4.7 illustre cette situation dans le cas d'un prêt hypothécaire ayant un horizon qui s'étend sur 300 périodes auxquelles correspondent 300 versements. Notons que chacun de ces versements comporte une portion de capital et d'intérêts.

À partir d'un cas particulier, soit un prêt hypothécaire de 75 000 $, remboursable sur 25 ans, à raison de 300 versements mensuels ayant un taux nominal de 12 % capitalisé semestriellement, nous développerons trois applications :

- application 1 : déterminer le montant initial des versements nécessaires au remboursement d'un prêt hypothécaire;
- application 2 : déterminer la portion capital et intérêts d'un versement hypothécaire en particulier;
- application 3 : déterminer le montant du versement nécessaire au remboursement d'un prêt hypothécaire lors de son refinancement.

APPLICATION 1
Déterminer le montant initial des versements nécessaires au remboursement d'un prêt hypothécaire.

Afin d'établir le montant initial des versements nécessaires au remboursement d'une hypothèque, il faut procéder en deux étapes.

Étape 1 : il faut d'abord calculer un taux d'intérêt dont la périodicité est identique à la fréquence du versement.

Dans l'exemple mentionné précédemment, il s'agit d'un prêt hypothécaire dont les versements sont effectués mensuellement, d'où la nécessité de déterminer un taux périodique mensuel.

On a :

$$(1 + I_1/m_1)^{m1} = (1 + I_2/m_2)^{m2}$$
$$(1 + 0{,}12\,/2)^2 = (1 + I_2/12)^{12}$$
$$(1{,}06)^2 = (1 + i)^{12}$$
$$(1{,}06)^{2/12} = (1 + i)$$

$$1{,}00975879418 = 1 + i$$
$$1{,}00975879418 - 1 = i$$
$$0{,}00975879418 = i$$

Le taux périodique mensuel est donc de 0,00975879418 ou 0,975879418 %[1].

Étape 2 : il faut enfin déterminer le montant initial des versements nécessaires au remboursement du prêt.

Pour ce faire, nous pouvons maintenant recourir à la formule d'actualisation d'un flux monétaire périodique constant de fin de période, car nous sommes en présence d'une annuité dont la fréquence correspond au *taux périodique mensuel* déterminé à l'étape précédente, soit 0,00975879418.

PMT = à déterminer
PV = 75 000 $
i = 0,00975879418
n = 300

$$PV = PMT\left[\frac{1-(1+i)^{-n}}{i}\right]$$

$$75\,000 = PMT\left[\frac{1-(1+0,009758794183)^{-300}}{0,00975879418}\right]$$

$$PMT = 773,92\ \$$$

Ayant évalué le montant des mensualités nécessaires au remboursement du prêt hypothécaire, nous déterminerons maintenant la part de capital et la part d'intérêts qui composent ce remboursement. Le détail de ce calcul est donné dans le tableau 4.1.

Nous constatons à la lecture de ce tableau que, le premier mois, le prêteur avance un montant de 75 000 $. Ce montant constitue le solde initial du premier mois. Cette dette est remboursée par un versement mensuel de 773,92 $. Cependant, en effectuant ce versement de 773,92 $, la dette ne diminue pas d'autant. Le prêteur exigera à la fin du mois que les intérêts dus sur la dette lui soient versés durant le premier mois. Précisons que, durant le premier mois, la dette s'élève à 75 000 $ et que le taux périodique de cette période est de 0,00975879418.

1. Un arrondissement à 0,98 % ou 0,976 % est des plus acceptable.

TABLEAU 4.1
Tableau d'amortissement pour un prêt hypothécaire de 75 000 $, remboursable sur 25 ans à un taux périodique mensuel de 0,00975879418, selon des remboursements de 773,92 $

	Solde initial	Versement	Intérêts	Capital	Solde final
Mois	1	2	$3 = 1 \times i$	4 = 2 – 3	5 = 1 – 4
1	75 000,00 $	773,92 $	731,91 $	42,02 $	74 957,98 $
2	74 957,98	773,92	731,50	42,43	74 915,56
3	74 915,56	773,92	731,09	42,84	74 872,72
4	74 872,72	773,92	730,67	43,26	74 829,46
5	74 829,46	773,92	730,25	43,68	74 785,78
6	74 785,78	773,92	729,82	44,11	74 741,68
7	74 741,68	773,92	729,39	44,54	74 697,14
8	74 697,14	773,92	728,95	44,97	74 652,17
...	...	...	...	...	...
23	73 974,50	773,92	721,90	52,02	73 922,47
24	73 922,47	773,92	721,39	52,53	73 869,94
25	73 869,94	773,92	720,88	53,04	73 816,90
26	73 816,90	773,92	720,36	53,56	73 763,34
...	...	...	...	...	...
59	71 743,43	773,92	700,13	73,80	71 669,63
60	71 669,63	773,92	699,41	74,52	71 595,12
61	71 595,12	773,92	698,68	75,24	71 519,87
...	...	...	...	...	...
298	2 277,18	774,92	22,22	751,70	1 525,48
299	1 525,48	773,92	14,89	759,04	766,45
300	766,45	773,92	7,48	766,45	0,00
Total		232 177,40 $	157 177,40 $	75 000,00 $	

Étant donné que l'intérêt se calcule sur le montant du capital emprunté au début du mois, nous pouvons déterminer la portion d'intérêts de la façon suivante :

$$\begin{aligned} \textit{portion d'intérêts} &= \textit{capital emprunté au début du mois} \times \textit{taux d'intérêt périodique} \\ &= 75\,000 \times 0{,}975879418\ \% \\ &= 731{,}91\ \$ \end{aligned}$$

Ainsi, le versement de 773,92 $ comprend une part d'intérêts de 731,91 $ pour le premier mois. Par conséquent, la différence entre le montant du versement et la portion d'intérêts ne peut correspondre qu'à la portion en capital, soit :

$$\begin{aligned} \textit{portion en capital} &= \textit{versement} - \textit{portion en intérêts} \\ &= 773{,}92 - 731{,}91 \\ &= 42{,}02\ \$ \end{aligned}$$

Ainsi, non seulement le versement nous a permis de rembourser les intérêts, mais, de plus, nous avons pu rembourser une part en capital. Il en résulte que le solde en capital impayé du prêt hypothécaire qu'il nous reste à rembourser à la fin du premier mois est égal au montant initial de l'emprunt net de la portion en capital remboursée, soit :

$$\begin{aligned} \textit{solde en capital impayé} &= \textit{solde initial} - \textit{portion en capital} \\ &= 75\,000 - 42{,}02 \\ &= 74\,957{,}98\ \$ \end{aligned}$$

Ce montant correspond à la dette qui reste à payer au début du deuxième mois. Le versement de 773,92 $, payé à la fin du deuxième mois, permet de rembourser une portion en intérêts et une portion en capital. Puisque le taux périodique est toujours le même, égal à 0,00975879418, et en suivant les étapes décrites pour le premier mois, nous pouvons calculer la portion d'intérêts comme suit :

$$\begin{aligned} \textit{portion d'intérêts} &= \textit{capital emprunté au début du mois} \times \textit{taux d'intérêt périodique} \\ &= 74\,957{,}58 \times 0{,}975879418\ \% \\ &= 731{,}50\ \$ \end{aligned}$$

La portion en capital est déterminée de la façon suivante :

$$\begin{aligned} \textit{portion en capital} &= \textit{versement} - \textit{portion en intérêts} \\ &= 773{,}92 - 731{,}50 \\ &= 42{,}43\ \$ \end{aligned}$$

Par conséquent, le solde en capital impayé du prêt hypothécaire à la fin du deuxième mois est égal à :

solde en capital impayé = *solde initial – portion en capital*
= 74 957,58 – 42,43
= 74 915,56 $

Cette façon de procéder manuellement, de période en période, devient vite lourde. Nous verrons dans l'application suivante une alternative plus conviviale.

APPLICATION 2
Déterminer la portion capital et intérêts d'un versement hypothécaire en particulier.

Supposons que nous nous intéressons à un versement en particulier, le 25e par exemple. Selon l'approche que nous venons de voir et afin d'estimer la portion d'intérêts et de capital composant ce versement, il faut d'abord calculer les portions d'intérêts et de capital pour les 24 versements précédents. Imaginez l'ampleur de la tâche pour calculer la portion d'intérêts et de capital du 289e versement! La procédure devient d'autant plus lourde que l'horizon est long. Au lieu de procéder manuellement, période par période, nous pouvons mettre à profit les connaissances développées jusqu'à maintenant et procéder algébriquement. En guise d'illustration, nous tenterons d'établir combien nous avons payé d'intérêts et combien nous avons remboursé de capital au 25e versement.

Il y a deux façons de procéder algébriquement pour ventiler un versement particulier en capital et intérêts.

La *première* façon consiste à évaluer le solde final de la période qui précède le versement qu'on cherche à ventiler pour ensuite déterminer la portion d'intérêts et, finalement, la portion de capital qui le constituent. La *deuxième* façon consiste à évaluer le solde final de la période qui précède le versement qu'on cherche à ventiler et le solde final à la fin de la période de versement pour ensuite déterminer la part de capital remboursée. Celle-ci, une fois soustraite du versement, nous permet de déterminer la portion en intérêts. Voyons maintenant ces deux façons de plus près.

a) La première façon de déterminer la portion de capital et la portion d'intérêts

Cette première façon comporte trois étapes.

Étape 1 : il faut d'abord calculer le solde en capital impayé à la fin de la période qui précède le versement qu'on cherche à ventiler.

Comme nous nous intéressons au 25e versement, il faut donc commencer par calculer le solde en capital impayé à la fin de la période qui précède le versement qu'on cherche à ventiler, c'est-à-dire le 24e mois. À la fin du 24e mois, il reste encore à faire 300 versements – 24 versements, soit 276 versements. Le solde impayé après le 24e mois correspond à la valeur actualisée des 276 versements qui restent à faire, et il s'obtient à partir de la formule d'actualisation des flux monétaires périodiques constants.

PV = à déterminer
PMT = 773,92 $
i = 0,00975879418
n = 276

$$PV = 773,92\left[\frac{1-(1+0{,}00975879418)^{-276}}{0{,}00975879418}\right]$$

PV = 73 869,94 $

Étape 2 : il faut ensuite déterminer la portion en intérêts du versement.

On peut déterminer la portion en intérêts en multipliant le solde de début de période obtenu à l'étape précédente (73 869,94 $) par le taux d'intérêt périodique mensuel (0,00975879418).

portion d'intérêts du versement = *solde en capital du début de période × taux périodique*
= 73 869,94 × 0,00975879418
= 720,88 $

Étape 3 : il faut évaluer, en dernier lieu, la portion en capital du versement hypothécaire.

Ayant déterminé la portion en intérêts du versement hypothécaire, il ne reste plus qu'à évaluer la portion en capital. On sait que la portion en capital est la portion du versement qui n'est pas versée en intérêts. Par conséquent, pour trouver la portion en capital, on soustrait les intérêts obtenus précédemment du versement mensuel.

Autrement dit :

portion en capital du versement = *versement – portion d'intérêts*

= 773,92 – 720,88

= 53,04 $

Notons en outre que, sur la base des données obtenues, nous sommes en mesure de déterminer le solde en capital impayé à la fin du 25e mois :

solde en capital impayé à la fin du 25e mois = *solde du début du mois – portion en capital payée*

= 73 869,94 – 53,04

= 73 816,90 $

b) La deuxième façon de déterminer la portion de capital et la portion d'intérêts

Cette deuxième façon comporte quatre étapes.

Étape 1 : il faut d'abord calculer le solde en capital impayé à la fin de la période qui précède le versement qu'on cherche à ventiler.

Comme nous l'avons fait dans la première approche, nous nous intéressons au 25e versement. Il faut donc commencer par calculer le solde en capital impayé à la fin de la période qui précède le versement qu'on cherche à ventiler, c'est-à-dire le 24e mois. À la fin du 24e mois, il reste encore à faire 300 versements – 24 versements, soit 276 versements. Le solde impayé après le 24e mois correspond à la valeur actualisée des 276 versements qui restent à faire, et il s'obtient à partir de la formule d'actualisation des flux monétaires périodiques constants :

PV = à déterminer

PMT = 773,92 $

i = 0,00975879418

n = 276

$$PV = 773,92\left[\frac{1-(1+0,00975879418)^{-276}}{0,00975879418}\right]$$

PV = 73 864,94 $

Étape 2 : il faut maintenant déterminer le solde en capital impayé à la fin de la période du versement qu'on cherche à ventiler.

En ce qui concerne toujours le 25e versement, il faut donc déterminer le solde en capital impayé à la fin de la 25e période. À la fin du 25e mois, il reste encore à faire 300 versements – 25 versements, soit 275 versements. Le solde impayé à la fin du 25e mois correspond à la valeur actualisée des 275 versements qui restent à faire, et s'obtient à partir de la formule d'actualisation des flux monétaires périodiques constants :

PV = à déterminer

PMT = 773,92 $

i = 0,00975879418

n = 275

$$PV = 773,92\left[\frac{1-(1+0,00975879418)^{-275}}{0,00975879418}\right]$$

PV = 73 816,90 $

Étape 3 : il faut ensuite évaluer la portion en capital remboursée lors du 25e versement.

Nous savons que la portion en capital qui est remboursée lors du 25e versement est la différence entre le solde impayé en capital à la fin du 24e versement et le solde impayé en capital à la fin du 25e versement. Par conséquent, on obtient la portion en capital de la façon suivante :

portion en capital = *solde impayé en capital à la fin du 24e versement – solde impayé en capital à la fin du 25e versement*

= 73 869,94 – 73 816,90

= 53,04 $

Étape 4 : il faut enfin estimer la portion d'intérêts du versement.

On sait que la portion en intérêts est la portion du versement qui n'est pas versée en capital. Par conséquent, pour trouver la part en intérêts, il faut soustraire la portion en capital remboursée, obtenue à l'étape 3, du versement mensuel, soit :

portion d'intérêts = *versement – portion en capital*

= 773,92 – 53,04

= 720,88 $

Nous constatons finalement que les deux procédures algébriques sont équivalentes et nous donnent les mêmes résultats.

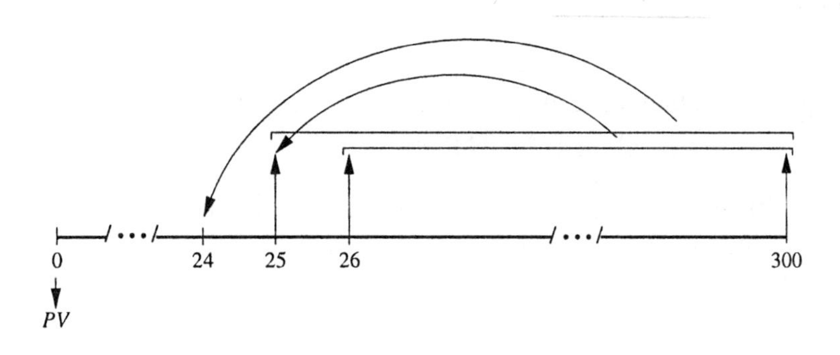

FIGURE 4.8
Le calcul de la portion du capital et des intérêts d'un versement hypothécaire (méthode algébrique)

APPLICATION 3
Déterminer le montant du versement nécessaire au remboursement d'un prêt hypothécaire lors de son refinancement.

La détermination du montant du versement nécessaire au remboursement d'un prêt hypothécaire lors de son refinancement obéit sensiblement aux mêmes procédures développées précédemment pour l'établissement du versement initial. Cependant, il faut maintenant tenir compte des *nouveaux taux en vigueur*, du *nouveau solde à rembourser* et de la *nouvelle durée du prêt* qui correspond au nombre d'années de vie restantes. Toutes ces nouvelles données doivent être prises en compte pour évaluer le montant du versement nécessaire au remboursement du prêt hypothécaire après son refinancement.

À titre d'illustration, supposons que le taux nominal capitalisé semestriellement passe de 12 % à 14 %, lors du refinancement du prêt hypothécaire. Le taux de 12 % avait initialement un terme de cinq ans. Le refinancement a donc lieu après le 60e versement.

Pour déterminer le montant du versement nécessaire au remboursement d'un prêt hypothécaire lors de son refinancement, nous procédons en trois étapes.

Étape 1 : il faut d'abord calculer le solde en capital encore impayé au moment du refinancement du prêt.

Ayant fait 60 versements sur les 300 versements totaux, il reste donc 240 versements à établir. La valeur actuelle de ces versements est donc de :

PV = à déterminer
PMT = 773,92 \$
i = 0,00975879418
n = 300 – 60 = 240

$$PV = PMT\left[\frac{1-(1+i)^{-n}}{i}\right]$$

$$PV = 773,95\left[\frac{1-(1+0,00975879418)^{-240}}{0,00975879418}\right]$$

PV = 71 595,12 \$

Étape 2 : il faut ensuite déterminer un taux d'intérêt dont la périodicité est identique à la fréquence du versement.

On a :

$$(1 + I_1/m_1)^{m1} = (1 + I_2/m_2)^{m2}$$
$$(1 + 0,14/2)^2 = (1 + I_2/12)^{12}$$
$$(1,07)^2 = (1 + i)^{12}$$
$$(1,07)^{2/12} = (1 + i)$$
$$1,01134026 = 1 + i$$
$$1,01134026 - 1 = i$$
$$0,01134026 = i$$

Le *taux périodique mensuel* est donc de 0,01134026 ou 1,134026 %.

Étape 3 : il faut enfin estimer le montant des nouveaux versements nécessaires au remboursement du prêt. Pour ce faire, nous pouvons encore une fois faire appel à la formule d'actualisation d'un flux monétaire périodique constant de fin de période.

PMT = à déterminer

PV = 71 595,12 $

i = 0,01134026

n = 240

$$PV = PMT\left[\frac{1-(1+i)^{-n}}{i}\right]$$

$$71\,595{,}12 = PMT\left[\frac{1-(1+0{,}01134026)^{-240}}{0{,}01134026}\right]$$

$$PMT = 870{,}01\ \$$$

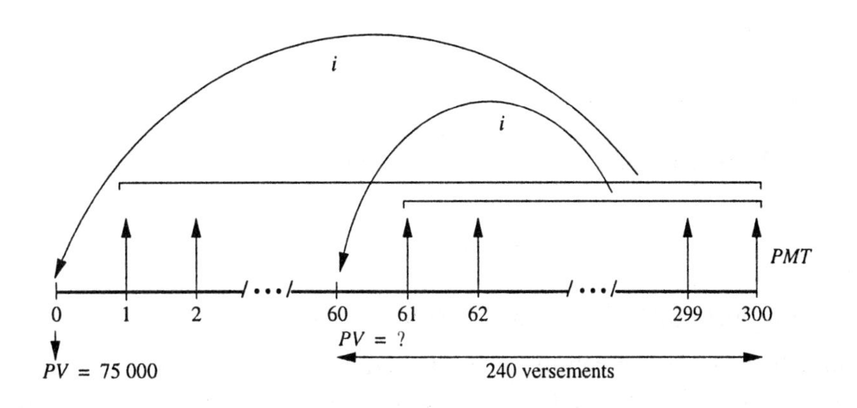

FIGURE 4.9
Le refinancement du prêt hypothécaire

3. Les perpétuités

Les annuités étudiées jusqu'ici étaient limitées dans le temps. En effet, nous étions en présence de flux monétaires périodiques constants d'une durée bien définie. Cependant, un flux monétaire peut être d'une durée illimitée. On parle alors d'une perpétuité. *Une annuité est dite perpétuelle* si elle est étalée sur une infinité de périodes (n => α). Une bourse permanente accordée par un organisme aux meilleurs étudiants d'une université donnée en est un exemple. Cette perpétuité peut être de début ou de fin de période.

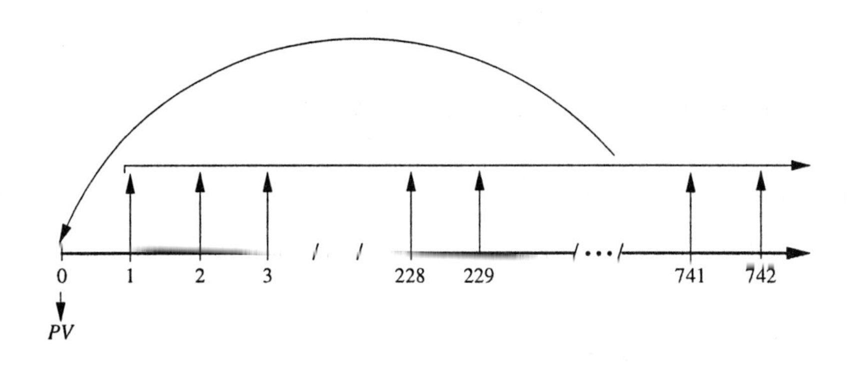

FIGURE 4.10
Représentation de l'actualisation d'une perpétuité de fin de période

3.1 La perpétuité de fin de période

Pour actualiser une perpétuité de fin de période, il faut se placer à l'instant zéro et actualiser toute la série de flux monétaires, selon la formule d'actualisation d'une perpétuité :

$$PV = \frac{PMT}{i} \qquad \textbf{Éq. 4.1}$$

où :

PV = la valeur actuelle de la perpétuité
PMT = le montant de la perpétuité
i = le taux d'intérêt périodique

Voyons quelques exemples.

Exemple 1

Quelle est la valeur actualisée d'une perpétuité annuelle de 100 $ étant donné un taux d'intérêt annuel de 12 %?

PV = à déterminer
PMT = 100 $
i = 0,12

$$PV = \frac{PMT}{i}$$

PV = 100/0,12
PV = 833,33 $

Exemple 2

Quelle est la valeur actuelle d'une perpétuité semestrielle de fin de période de 245 $, si le taux nominal de 14 % est capitalisé semestriellement?

PV = à déterminer
PMT = 245 $
i = 0,14/2 = 0,07

$$PV = \frac{PMT}{i}$$

PV = 245/0,07
PV = 3 500 $

Exemple 3

Si on veut recevoir 500 $ par an indéfiniment, de quel montant faudrait-il disposer aujourd'hui pour couvrir ces revenus sachant que le taux périodique annuel est de 12 %?

PV = à déterminer
PMT = 500 $
i = 0,12

$$PV = \frac{PMT}{i}$$

$$PV = 500/0{,}12$$

$$PV = 4\ 166{,}66\ \$$$

3.2 La perpétuité de début de période

Pour actualiser une perpétuité de début de période, il suffit de prendre la formule des perpétuités de fin de période et de la multiplier par le facteur d'accumulation d'un montant unique sur une période. En effet, le premier flux monétaire étant de début de période, toute la série de flux monétaires est de début de période. L'actualisation porte donc sur une période supplémentaire dont il est important de tenir compte. Pour ce faire, on ajuste l'équation précédente en multipliant par un facteur d'accumulation sur une période.

D'où :

$$PV = \frac{PMT}{i}(1 + i) \qquad \textbf{Éq. 4.2}$$

ou encore :

$$PV = \frac{PMT}{i} + PMT \qquad \textbf{Éq. 4.3}$$

Les deux expressions données par les équations 4.2 et 4.3 sont équivalentes, puisqu'elles tiennent compte, toutes les deux, du fait que le premier flux monétaire intervient au *début de l'instant zéro.* Dans l'équation 4.2, on rajoute un facteur d'accumulation d'une période, alors que dans l'équation 4.3, on rajoute une mensualité supplémentaire à la valeur actualisée des perpétuités. La dynamique de l'équation 4.10 est illustrée à la figure 4.11.

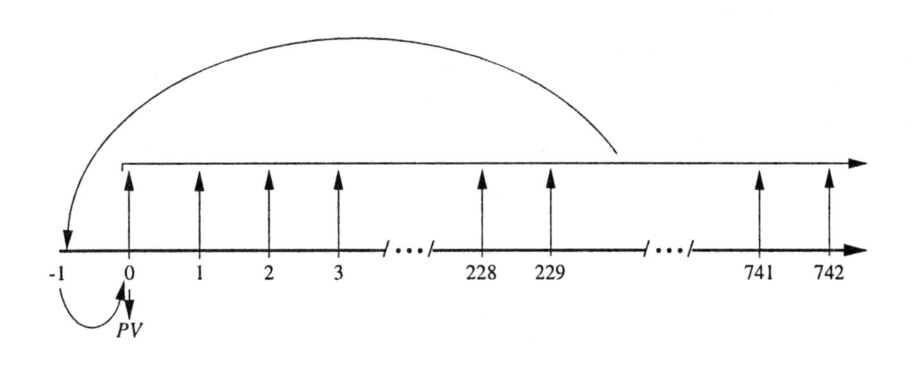

FIGURE 4.11
Représentation de l'actualisation d'une perpétuité de début de période avec un facteur d'accumulation

Dans le tableau 4.2, nous illustrons le calcul de la valeur actuelle d'une annuité de 1 000 $ à différents taux d'intérêt : 5 %, 7 %, 9 %, 11 % et 13 %, et pour différents horizons. En examinant ce tableau, vous remarquerez que, sur un très long horizon, l'augmentation du nombre d'annuités a peu d'impact sur la valeur actuelle. En effet, plus l'horizon devient long, et moins la valeur actuelle des flux monétaires change. Par exemple, on voit que sur un horizon de 50 à 73 années, le changement dans les flux monétaires actualisés devient marginal. Ceci est valable pour les différents taux d'actualisation et est d'autant plus vrai que le taux est élevé.

TABLEAU 4.2
La valeur actuelle d'une annuité de 1 000 $ à différents taux annuels et pour différents horizons

	Taux				
Horizon	5 %	7 %	9 %	11 %	13 %
1 année	952	934	917	900	884
2 années	1 859	1 808	1 759	1 712	1 668
10 années	7 721	7 023	6 417	5 889	5 426
20 années	12 462	10 594	9 128	7 963	7 024
30 années	15 372	12 409	10 273	8 693	7 495
50 années	18 255	13 800	10 961	9 041	7 675
70 années	19 342	14 160	11 084	9 084	7 690
71 années	19 373	14 168	11 086	9 085	7 690
72 années	19 403	14 176	11 088	9 085	7 691
73 années	19 432	14 183	11 090	9 086	7 691

Conclusion

Ce chapitre a regroupé, sans être exhaustif, les cas particuliers d'annuités tels que les annuités différées, les annuités générales et les perpétuités. Toutefois, dans toutes les formules d'actualisation et de capitalisation des annuités que nous avons vues jusqu'à présent, le taux d'intérêt est considéré comme donné. Dans les chapitres suivants, et compte tenu de l'importance du taux d'intérêt pour la valeur future et la valeur actuelle, nous étudierons plus en profondeur les fondements du taux utilisé dans les opérations d'actualisation et de capitalisation.

Les activités d'apprentissage

Questions

1. Distinguez les annuités différées des annuités générales et des perpétuités.

2. Quels sont les facteurs dont il faut tenir compte pour déterminer la valeur actuelle et la valeur future d'une annuité différée?

Problèmes

1. Combien paieriez-vous aujourd'hui un commerce qui générerait des recettes annuelles nettes de 70 000 $, si le taux d'intérêt exigé (soit le rendement) est de 20 % annuellement et :

a) si la première recette était reçue aujourd'hui jusqu'à perpétuité?

b) si la première recette était reçue à la fin de la présente année jusqu'à perpétuité?

c) si la première recette était reçue dans exactement trois ans jusqu'à perpétuité?

2. Monsieur Tremblay vient de débuter sur le marché du travail et il désire économiser afin de réaliser les deux principaux objectifs qu'il s'est fixés. Le premier, c'est de prendre sa retraite à 55 ans, soit dans 30 ans exactement. Monsieur Tremblay espère vivre au moins 20 ans comme retraité et retirer 40 000 $ par année (fin d'année). Son deuxième objectif, plus immédiat celui-là, est d'acquérir une nouvelle voiture dans quatre ans exactement, dont le coût d'alors est estimé à 25 000 $.

Selon ses calculs, il compte économiser 10 000 $ par année pour les premières 10 années de travail et rien par la suite. Les spécialistes prévoient un taux de rendement effectif annuel moyen de 10 % sur les dépôts bancaires pour les 50 prochaines années. Les épargnes annuelles de monsieur Tremblay lui suffiront-elles pour réaliser ses objectifs?

3. Imaginons qu'on vienne tout juste de refaire l'autoroute Jean-Lesage. Nous sommes le 1er juillet 20X8 et on ne prévoit aucune réparation de la chaussée avant le 30 juin 20X13. À partir de cette dernière date, on devra consacrer annuellement, chaque 30 juin, un montant global de 3 000 000 $ à la réfection partielle de la chaussée. Selon les spécialistes, on devra agir ainsi pendant 20 ans, après quoi l'autoroute sera à refaire totalement.

Quel montant le gouvernement du Québec doit-il déposer le 1er juillet 20X8 dans un établissement financier afin d'assurer les réfections de cette route pour les 20 prochaines années, en prenant comme hypothèse qu'il pourra obtenir un taux effectif moyen de 9 % pour les 40 prochaines années?

4. Vous avez acheté récemment un billet d'une loterie spéciale. Le gagnant ou la gagnante aura le choix d'un des lots suivants :

- 1er lot : 2 000 000 $ comptant;
- 2e lot : 25 000 $ à la fin de chaque mois pendant 20 ans;
- 3e lot : 1 000 000 $ tous les quatre ans à perpétuité, le premier lot étant reçu dans quatre ans seulement.

Si vous êtes l'heureux élu de cette loterie, quel lot choisiriez-vous sachant que vous pouvez obtenir un taux de 11 % capitalisé mensuellement sur vos épargnes?

5. Au début de l'année 20X1, la Ville de Chicoutimi et l'entreprise ABC inc. ont conclu une entente concernant une compensation pour une taxe relative à la machinerie de cette entreprise. Selon cette entente, les montants suivants doivent être versés à la municipalité au début de chaque année :

Année	*Montant*
01-01-20X2	5 500 $
01-01-20X3	5 500 $
01-01-20X4	5 500 $
01-01-20X5	6 500 $
01-01-20X6	6 500 $
01-01-20X7	6 500 $
01-01-20X8	3 750 $
01-01-20X9	3 750 $
01-01-20X10	3 750 $

Quelques mois avant le premier versement, les dirigeants de l'entreprise demandent à la Ville de Chicoutimi de s'acquitter de leur obligation selon d'autres modalités de versements qui se détaillent comme suit : un paiement de 10 000 $ au début de l'année 20X2 et, par la suite, un paiement égal au début de chacune des années 20X3, 20X4, 20X5 et 20X6.

Année	*Montant*
01-01-20X2	10 000 $
01-01-20X3	x
01-01-20X4	x
01-01-20X5	x
01-01-20X6	x

On vous demande d'établir le montant du versement x qui sera effectué au cours des années 20X3 à 20X6 inclusivement en sachant que la Ville de Chicoutimi demande un taux d'intérêt de 12 % capitalisé annuellement et que la valeur de la nouvelle entente devra correspondre à celle de la première entente.

6. Vous venez d'acquérir une maison individuelle au coût de 100 000 $. En conformité avec les exigences de la SCHL, vous déboursez 5 % du coût au comptant et empruntez le solde aux conditions suivantes :

- prêt hypothécaire de 20 ans, renégociable dans trois ans au taux alors en vigueur sur le marché;
- paiements hebdomadaires (fin de la semaine);
- taux d'emprunt actuel : 14,25 % composé semestriellement.

a) Quels seront vos paiements hebdomadaires pour les trois premières années?

b) Quelle est la partie intérêts et la partie capital du sixième versement?

c) Imaginons qu'après trois ans vous renouvelez votre prêt au taux de 11 % composé mensuellement, quels seront les nouveaux versements hebdomadaires?

d) Après six ans exactement (donc trois ans exactement après le renouvellement), vous décidez de rembourser le solde du prêt. Combien devrez-vous débourser si la banque vous impose une indemnité de remboursement par anticipation de 3 500 $?

e) Si vos paiements hebdomadaires des trois premières années avaient été de 280,14 $, au lieu du paiement déterminé en a), quel aurait été le taux nominal approximatif du prêt, sachant que la capitalisation est semestrielle?

ANNEXE 4.1
Les équations

L'intérêt simple

Montant total d'intérêts accumulés

$$TOT\,i = PV \times I \times N$$ **Éq. 2.1**

FV d'un montant placé à intérêt simple

$$FV_N = PV + TOT\,i$$ **Éq. 2.2**

$$FV_N = PV(1 + I \times N)$$ **Éq. 2.3**

L'intérêt composé

FV d'un montant placé à intérêt composé

$$FV_N = PV(1 + I)^N$$ **Éq. 2.4**

Taux périodique (i)

$$i = I/m$$ **Éq. 2.5**

Transposition du taux périodique au taux effectif

$$(1 + i_r) = (1 + i)^m$$ **Éq. 2.6**

$$(1 + i_r) = (1 + I/m)^m$$

Taux effectif quand la fréquence de capitalisation est infinie

$$i_r = e^I - 1$$ **Éq. 2.7**

Équivalence entre des taux nominaux

$$(1 + I_1 / m_1)^{m1} = (1 + I_2 / m_2)^{m2} \qquad \text{Éq. 2.8}$$

Valeur future d'un montant unique

$$FV_n = PV(1 + i)^n \qquad \text{Éq. 2.9}$$

$$FV_{N \times m} = PV(1 + I/m)^{N \times m}$$

Valeur actuelle d'un montant unique

$$PV = FV_n (1 + i)^{-n} \qquad \text{Éq. 2.10}$$

$$PV = FV_{N \times m} (1 + I/m)^{-N \times m}$$

Valeur future d'une annuité de fin de période

$$FV_n = PMT\left[\frac{(1 + i)^n - 1}{i}\right] \qquad \text{Éq. 3.1}$$

$$FV_n = PMT\left[\frac{(1 + I/m)^{N \times m} - 1}{I/m}\right]$$

$$FV_n = PMT \times S_{i,n} \qquad \text{Éq. 3.2}$$

Valeur future d'une annuité de début de période

$$FV_n = PMT\left[\frac{(1 + i)^n - 1}{i}\right](1 + i) \qquad \text{Éq. 3.3}$$

$$FV_n = PMT\left[\frac{(1 + I/m)^{N \times m} - 1}{I/m}\right](1 + I/m)$$

$$FV_n = PMT(S^1_{i,n}) \qquad \text{Éq. 3.4}$$

Valeur actuelle d'une annuité de fin de période

$$PV = PMT\left[\frac{1-(1+i)^{-n}}{i}\right] \quad \textbf{Éq. 3.5}$$

$$PV = PMT\left[\frac{1-(1+I/m)^{-N\times m}}{I/m}\right]$$

$$PV = PMT \times A_{i,n} \quad \textbf{Éq. 3.6}$$

Valeur actuelle d'une annuité de début de période

$$PV = PMT\left[\frac{1-(1+i)^{-n}}{i}\right](1+i) \quad \textbf{Éq. 3.7}$$

$$PV = PMT\left[\frac{1-(1+I/m)^{-N\times m}}{I/m}\right](1+I/m)$$

$$PV = PMT \times A^{1}{}_{i,n} \quad \textbf{Éq. 3.8}$$

Valeur actuelle d'une série de flux monétaires variables

$$PV = \sum_{t=1}^{n} FM_t(1+i)^{-t} \quad \textbf{Éq. 3.9}$$

Valeur future d'une série de flux monétaires variables

$$FV = \sum_{t=1}^{n} FM_t(1+i)^{n-t} \quad \textbf{Éq. 3.10}$$

Valeur actuelle d'une perpétuité de fin de période

$$PV = \frac{PMT}{i} \quad \textbf{Éq. 4.1}$$

Valeur actuelle d'une perpétuité de début de période

$$PV = \frac{PMT}{i}(1+i) \quad \textbf{Éq. 4.2}$$

$$PV = \frac{PMT}{i} + PMT \quad \textbf{Éq. 4.3}$$

Chapitre 5

La détermination du taux de rendement d'un actif : fondements

---

Schéma d'intégration des contenus

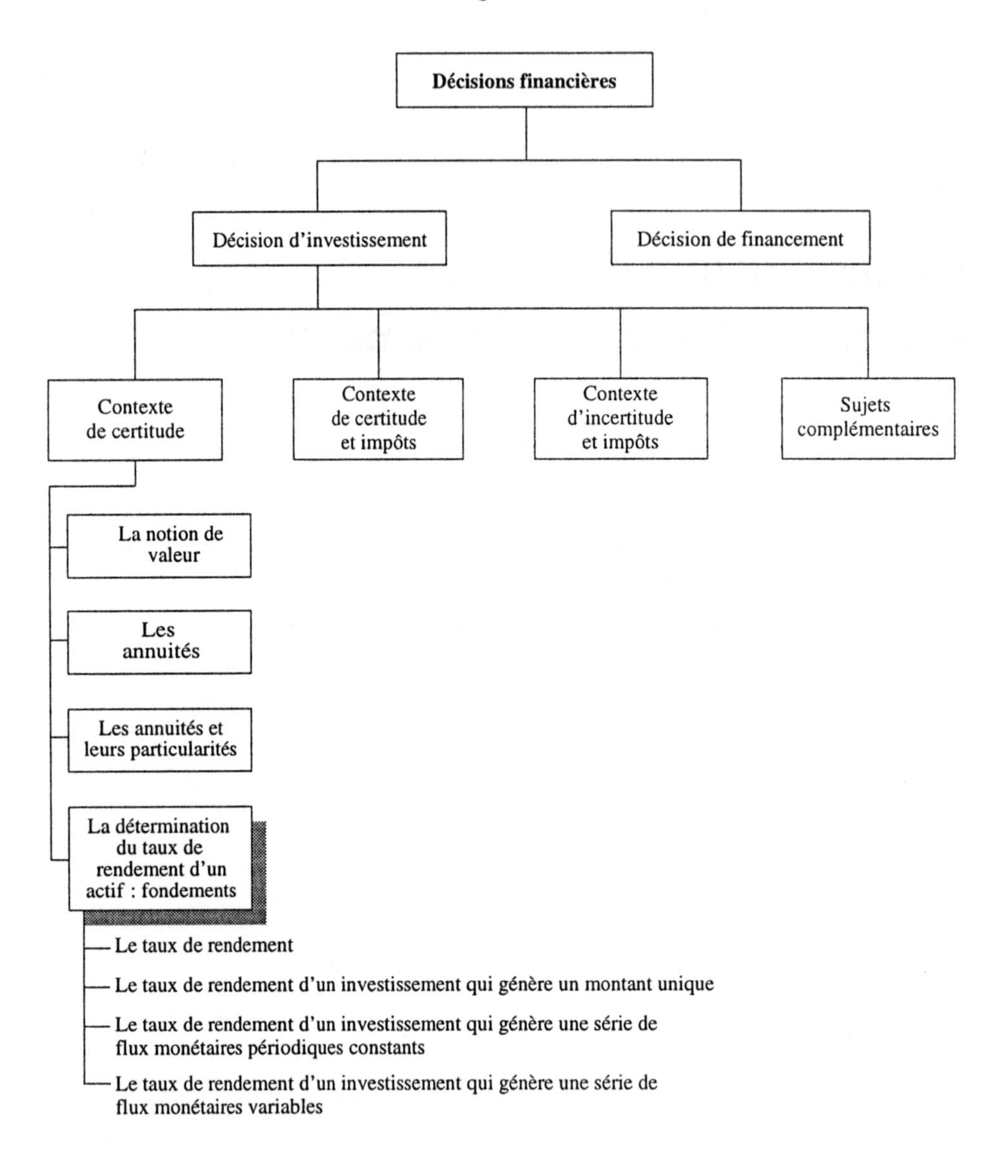

Ce chapitre présente les règles qui régissent le calcul du rendement. Les objectifs à atteindre sont les suivants :

- comprendre le concept de taux de rendement;
- déterminer le taux de rendement d'un montant unique ou d'une annuité;
- déterminer le taux de rendement d'un investissement par interpolation linéaire.

Introduction

Le concept de taux de rendement est indissociable des notions d'actualisation que nous avons vues dans les chapitres précédents. Jusqu'à présent, le taux utilisé dans les opérations d'actualisation était acquis, que ce soit pour les annuités simples ou pour les annuités particulières.

En utilisant les connaissances acquises jusqu'à maintenant, nous verrons comment déterminer le taux de rendement d'un actif. Pour ce faire, nous considérerons trois situations particulières dans lesquelles nous sommes amenés à déterminer le taux de rendement :

- lorsque nous sommes en présence d'un investissement qui génère un montant unique;
- lorsque nous sommes en présence d'un investissement qui génère une série de flux monétaires périodiques constants;
- lorsque nous sommes en présence d'un investissement qui génère une série de flux monétaires variables.

1. Le taux de rendement

Le taux de rendement est d'une importance capitale pour un investisseur qui veut s'engager dans un projet. En effet, habituellement, l'investisseur débourse initialement une somme d'argent pour que celle-ci génère des flux monétaires. Il a donc intérêt à établir le taux de rendement de son placement afin de prendre une décision judicieuse quant à la pertinence du placement en question.

Pour déterminer le *taux de rendement*, il faut établir le taux pour lequel la valeur actuelle des entrées de fonds (c.-à-d. les flux monétaires générés par le placement) est égale à la valeur actuelle des sorties de fonds, dans la majorité des cas, représentée par le placement initial.

Le taux de rendement obéit à deux règles générales :

- *il est exprimé sur une base annuelle* : nous avons vu antérieurement que le seul taux significatif à cet égard est le taux effectif. Exprimer le taux de rendement sur une base annuelle s'avère utile pour comparer différents projets d'investissement;
- *il est un taux composé* : il est calculé comme une moyenne géométrique et non arithmétique.

Considérons le cas suivant, soit celui d'un investissement qui nécessite une mise de fonds initiale de 100 $. La valeur de cet investissement est de 200 $ au bout d'un an et de 100 $ au bout de deux ans. En d'autres termes, si P_i représente la valeur de cet investissement à la période i , nous pouvons écrire :

$$P_0 = 100\ \$$$

$$P_1 = 200\ \$$$

$$P_2 = 100\ \$$$

Le rendement R_1 réalisé par cet investissement entre l'année 0 et l'année 1 est :

$$R_1 = \frac{P_1 - P_0}{P_0}$$

$$R_1 = \frac{200 - 100}{100}$$

$$R_1 = 100\ \%$$

Le rendement R_2 réalisé par cet investissement entre l'année 1 et l'année 2 est :

$$R_2 = \frac{P_2 - P_1}{P_1}$$

$$R_2 = \frac{100 - 200}{200}$$

$$R_2 = -50\ \%$$

Le *rendement moyen* réalisé par l'investissement au cours de ces deux ans est obtenu en prenant la moyenne arithmétique des rendements annuels, c'est-à-dire leur somme divisée par le nombre d'années (ici $n = 2$) :

$$R = \frac{R_1 - R_2}{n}$$

$$R = \frac{100 - 50}{2}$$

$$R = 25\ \%$$

Ce taux de rendement moyen calculé comme moyenne arithmétique ne correspond pas au taux de rendement de l'investissement sur sa durée de vie totale, soit deux ans. Pour obtenir le taux de rendement en question, il faut considérer un taux de rendement *composé* déterminé par *la moyenne géométrique* des taux de la façon suivante :

$$PV = FV(1 + i)^{-n} \qquad \text{Éq. 2.10}$$

$$i = \text{à déterminer}$$

$$n = 2$$

$$PV = 100\ \$$$

$$FV = 100\ \$$$

D'où :

$$PV = FV(1 + i)^{-n}$$

$$100 = 100\,(1 + i)^{-2}$$

$$i = 0$$

Ainsi, le taux de rendement moyen, calculé comme une moyenne arithmétique des taux de rendement annuels, suggère que le placement initial de 100 $ a généré, *en moyenne*, un rendement de 25 % au cours des deux ans, alors que le taux de rendement calculé comme une moyenne géométrique nous indique qu'en fait cet investissement a réalisé un rendement nul à la fin de l'horizon de l'investissement, soit à la fin des deux ans. En effet, l'investisseur récupère au bout de deux ans exactement le placement initial qu'il a réalisé.

Outre ces règles générales qui caractérisent le taux de rendement, il existe trois principes fondamentaux qui régissent son calcul :

- le taux de rendement d'un investissement est le taux pour lequel la valeur actualisée des entrées de fonds est égale à la valeur actualisée des sorties de fonds;
- pour un investissement donné, plus le montant des entrées de fonds à recevoir est élevé et plus le taux de rendement est élevé;
- pour une série donnée d'entrées de fonds, plus le taux de rendement est élevé et moins l'investissement est élevé.

Le taux de rendement ainsi défini est déterminé à partir des formules d'actualisation développées jusqu'ici. Il correspond à la variable i dans les formules en question et devient l'inconnue à déterminer. Il faut bien retenir ici que le taux i présent dans les équations est un taux périodique dont la périodicité est fonction de la situation analysée. Il faut donc s'assurer que les deux règles établies précédemment pour le taux de rendement soient toujours vérifiées : il doit être exprimé sur une base annuelle et il doit être un taux composé.

Nous verrons dans les sections suivantes les fondements du calcul du taux de rendement selon la nature et selon la durée de la série de flux monétaires générés par un investissement. Nous ne retiendrons pour le moment que les projets dont l'investissement s'effectue au début du projet. Les cas particuliers seront traités dans les chapitres suivants.

2. Le taux de rendement d'un investissement qui génère un montant unique

Il existe plusieurs situations où une mise de fonds initiale génère une seule entrée d'argent sous forme d'un montant unique. Dans cette situation, ce qui varie entre un investissement et un autre est le temps qui s'écoule entre la sortie initiale d'argent et le moment où l'on bénéficie de l'entrée d'argent. Ainsi, on peut aujourd'hui effectuer un investissement qui générera un flux monétaire dans un an, ou dans 18 mois, ou encore dans 173 semaines.

Pour calculer le taux de rendement d'un investissement qui génère un montant unique, nous ferons appel à la formule d'actualisation d'un montant unique, que nous avons étudiée dans le chapitre 2 :

$$PV = FV(1+i)^{-n} \qquad \text{Éq. 2.10}$$

Dans cette formule, le taux de rendement se matérialise dans la variable i à déterminer. *Vous devez garder à l'esprit que, si la périodicité de* i *n'est pas annuelle, il faudra nécessairement, dans un deuxième temps, ajuster le taux de manière à ce qu'il soit exprimé sur une base annuelle.*

On peut procéder de deux façons pour résoudre les formules d'actualisation, soit algébriquement, soit à l'aide des tables financières. Les exemples suivants illustrent les trois principes qui régissent le calcul du taux de rendement.

Exemple 1

Considérons un projet dont le coût initial est de 100 $ et qui rapportera 110 $ dans un an. Quel sera le taux de rendement de cet investissement?

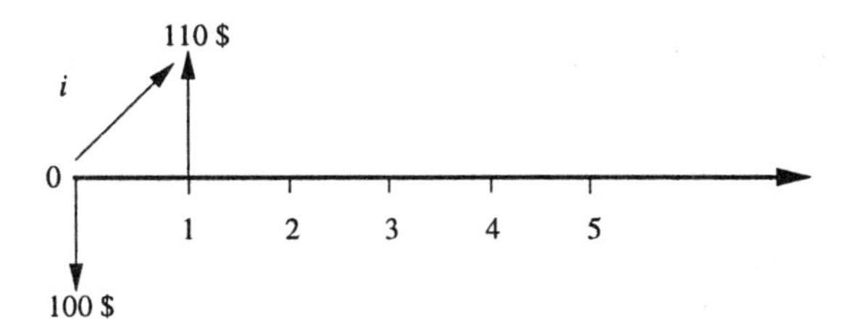

FIGURE 5.1
La détermination du taux de rendement d'un projet particulier : exemple 1

Nous pouvons résoudre ce problème algébriquement ou en faisant appel aux tables financières.

Algébriquement

Nous avons recours à la formule d'actualisation d'un montant unique vue au chapitre 2 :

$$PV = FV(1+i)^{-n} \qquad \text{Éq. 2.10}$$

où :

i = à déterminer
FV = 110 $
PV = 100 $
n = 1

$$PV = FV(1+i)^{-n}$$
$$100 = 110(1+i)^{-1}$$
$$i = 10\ \%$$

Le taux de rendement est donc égal à 10 %, ce qui veut dire que chaque dollar placé aujourd'hui nous rapporte 1,10 $ après un an.

Avec les tables financières

L'utilisation des tables financières requiert l'utilisation de la formule suivante :

$$PV = FV \times A_{i,n}$$

Dans notre exemple :

PV = 100 $
FV = 110 $
$A_{i,1}$ = 0,909

Pour cette valeur du facteur d'actualisation $A_{i,1}$ et pour $n = 1$, les tables financières nous donnent un taux $i = 10\ \%$ par année.

Nous venons d'illustrer, avec cet exemple, le premier principe qui régit le calcul du taux de rendement, à savoir que *le taux de rendement d'un investissement est le taux pour lequel la valeur actualisée des entrées de fonds est égale à la valeur actualisée des sorties de fonds.*

Exemple 2

Sachant qu'un placement de 10 000 $ aujourd'hui rapportera 25 000 $ dans cinq ans, quel sera le rendement réalisé par ce placement?

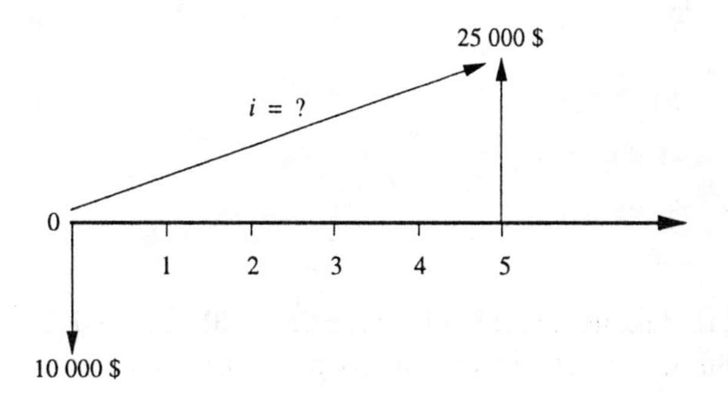

FIGURE 5.2
La détermination du taux de rendement d'un projet particulier : exemple 2

Algébriquement

On a :

i = à déterminer
FV = 25 000 $
PV = 10 000 $
n = 5

$$PV = FV(1+i)^{-n}$$
$$10\,000 = 25\,000\,(1+i)^{-5}$$
$$i = 20{,}11\ \%$$

Supposons maintenant que le même investissement de 10 000 $ nous rapporte un flux monétaire de 40 000 $ au lieu de 25 000 $ après cinq ans. Quel est le nouveau taux de rendement?

i = à déterminer

FV = 40 000 $

PV = 10 000 $

n = 5

$$PV = FV(1+i)^{-n}$$
$$10\,000 = 40\,000\,(1+i)^{-5}$$
$$i = 31{,}95\ \%$$

Ainsi, quand le flux monétaire attendu passe de 25 000 $ à 40 000 $, pour un même placement initial, le taux de rendement passe de 20,11 % par année à 31,95 % par année.

Nous venons maintenant d'illustrer le deuxième principe qui régit le calcul du taux de rendement, à savoir que, *pour un investissement donné, plus le montant des entrées de fonds à recevoir est élevé et plus le taux de rendement est élevé.*

Exemple 3

Vous avez investi 100 000 $ dans une compagnie il y a quatre ans. Ce placement vaut aujourd'hui 200 000 $. On vous dit que vous avez réalisé un rendement de 100 %. Est-ce exact?

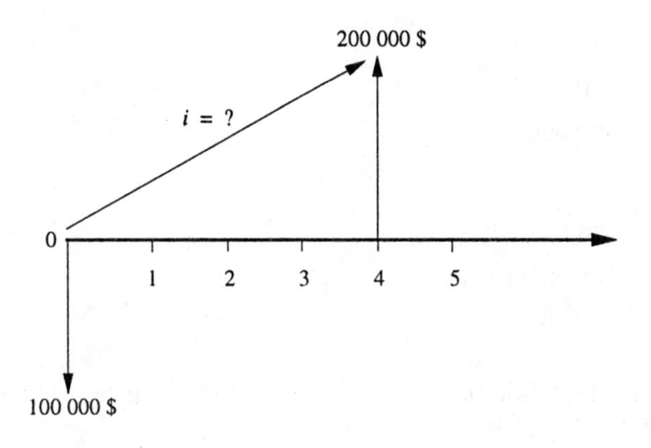

FIGURE 5.3
La détermination du taux de rendement d'un projet particulier : exemple 3

Algébriquement

On a :

i = à déterminer
FV = 200 000 $
PV = 100 000 $
n = 4

$$PV = FV(1+i)^{-n}$$
$$100\,000 = 200\,000(1+i)^{-4}$$
$$i = 18{,}92\ \%$$

Ainsi, même si on reçoit après quatre ans le double de ce qu'on a investi au départ, le taux de rendement de cet investissement n'est pas de 100 % mais de 18,92 % par an. Pour réaliser un rendement de 100% par année, il aurait fallu faire un investissement initial dont la valeur est déterminée de la façon suivante.

On a :

PV = à déterminer
i = 100 %
FV = 200 000 $
n = 4

$PV = FV(1 + i)^{-n}$
$PV = 200\,000(1 + 1)^{-4}$
$PV = 12\,500$ $

Ainsi, pour réaliser un rendement de 100 % par année, il aurait fallu faire un investissement initial de 12 500 $.

Cet exemple illustre bien le troisième principe qui régit le calcul du taux de rendement, à savoir que, *pour une série donnée d'entrées de fonds, plus le taux de rendement est élevé et moins l'investissement est élevé.*

3. Le taux de rendement d'un investissement qui génère une série de flux monétaires périodiques constants

Il existe plusieurs situations où une mise de fonds initiale génère non pas une entrée de fonds unique, mais une série de flux monétaires périodiques constants. Pour calculer le taux de rendement d'un investissement qui génère une série de flux monétaires périodiques constants, nous ferons appel à la formule d'actualisation d'une série de flux monétaires périodiques constants, que nous avons étudiée au chapitre 3.

$$PV = PMT\left[\frac{1 - (1 + i)^{-n}}{i}\right] \qquad \text{Éq. 3.5}$$

Dans cette formule, le taux de rendement se matérialise dans la variable *i* à déterminer. *Vous devez garder à l'esprit que, si la périodicité de* i *n'est pas annuelle, il faudra nécessairement, dans un deuxième temps, ajuster le taux de manière à ce qu'il soit exprimé sur une base annuelle.*

Voici un exemple pour illustrer la détermination d'un taux de rendement d'un investissement qui génère une série de flux monétaires périodiques constants.

Exemple 4

Quel taux aurait-on obtenu pour un investissement qui rapporterait un flux monétaire annuel de 5 000 $ pendant quatre ans, sachant que le montant investi est de 12 945 $?

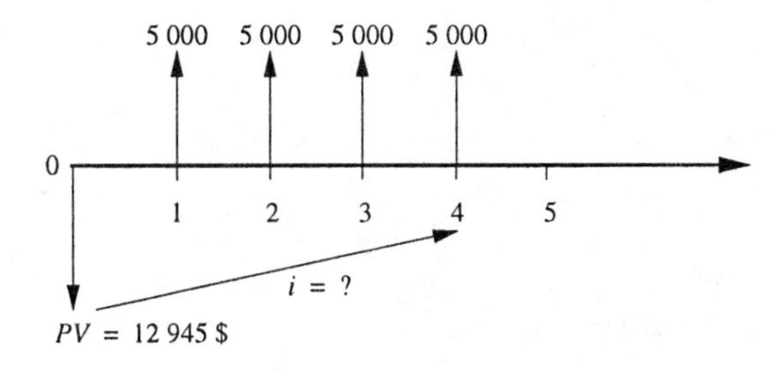

FIGURE 5.4
La détermination du taux de rendement d'un projet particulier : exemple 4

On a :

$$PV = 12\,945\ \$$$

$$PMT = 5\,000\ \$$$

$$i = \text{à déterminer}$$

$$n = 4$$

$$PV = PMT\left[\frac{1-(1+i)^{-n}}{i}\right]$$

$$12\,945 = 5\,000\left[\frac{1-(1+i)^{-4}}{i}\right]$$

$$i = 20\ \%$$

Ce taux de rendement a été déterminé par interpolation linéaire à l'aide de la calculatrice financière. L'interpolation linéaire sera vue plus en détail dans la section suivante, la section 3 étant un cas particulier de la section 4.

Supposons maintenant que, pour cette même série de flux monétaires, le rendement soit de 35 % au lieu de 20 %. Qu'arrive-t-il au prix à payer pour cet investissement?

On a :

PV = à déterminer

PMT = 5 000 $

i = 35 %

n = 4

$$PV = PMT\left[\frac{1-(1+i)^{-n}}{i}\right]$$

$$PV = 5\,000\left[\frac{1-(1+i)^{-4}}{i}\right]$$

$$PV = 9\,984{,}74\ \$$$

Ainsi, le montant à payer pour un rendement de 35 % par an est *inférieur* au prix à payer pour un rendement de 20 % par an, ce qui nous ramène au troisième principe qui régit le calcul du taux de rendement, à savoir que, *pour une série donnée d'entrées de fonds, plus le taux de rendement est élevé et moins l'investissement est élevé.*

4. Le taux de rendement d'un investissement qui génère une série de flux monétaires variables

Dans certaines situations, une mise de fonds initiale peut générer non pas une série de flux monétaires périodiques constants, mais une série de flux monétaires variables. Pour calculer le taux de rendement d'un investissement qui génère une série de flux monétaires variables, nous ferons appel à la formule d'actualisation d'une série de flux monétaires variables, que nous avons étudiée au chapitre 3.

$$PV = \sum_{t=1}^{n} FM_t(1+i)^{-t} \qquad \text{Éq. 3.9}$$

Le taux de rendement dans cette formule est représenté par la variable i à déterminer. *Vous devez garder à l'esprit que, si la périodicité de i n'est pas annuelle, il faudra nécessairement, dans un deuxième temps, ajuster le taux de manière à ce qu'il soit exprimé sur une base annuelle.*

L'interpolation linéaire est une procédure par tâtonnement qui met directement en application le premier principe qui régit le calcul du taux de rendement, à savoir que le taux de rendement est le taux pour lequel la valeur actuelle des entrées de fonds est égale à la valeur actuelle des sorties de fonds, dans la majorité des cas, représentée par le placement initial. Cette procédure est illustrée dans l'exemple suivant.

Exemple 5

Soit un investissemment de 76 000 $ qui engendre les flux monétaires variables suivants : 50 000 $ la première année, 30 000 $ la deuxième année et 20 000 $ la troisième année. Déterminons le taux de rendement de cet investissement.

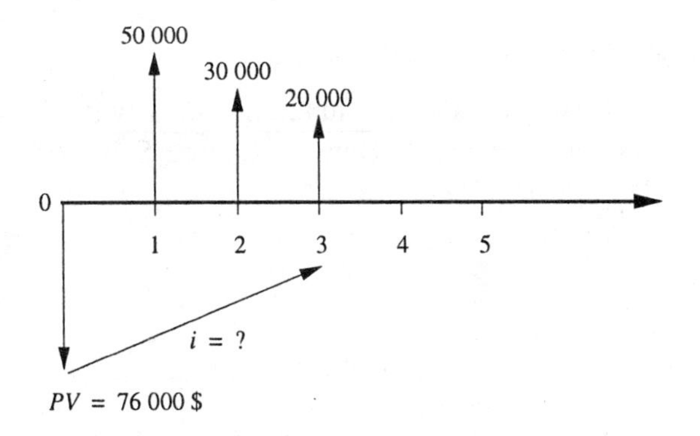

FIGURE 5.5
La détermination du taux de rendement d'un projet particulier : exemple 5

On a :

i = à déterminer
PV = 76 000 $
n = 3

FM_1 = 50 000 $
FM_2 = 30 000 $
FM_3 = 20 000 $

$$PV = \sum_{t=1}^{n} FM_t(1+i)^{-t}$$

$$76\,000 = 50\,000(1+i)^{-1} + 30\,000(1+i)^{-2} + 20\,000(1+i)^{-3}$$

Deux phases s'avèrent nécessaires afin de déterminer i en utilisant l'interpolation linéaire.

PREMIÈRE PHASE
Il faut trouver deux bornes, l'une *supérieure* et l'autre *inférieure* à l'investissement initial. Pour ce faire, nous devons procéder en deux étapes.

Étape 1 : il faut déterminer la borne 1.

Pour cela, il faut actualiser la série de flux monétaires avec un taux choisi au hasard afin d'obtenir une valeur actuelle. Dans l'exemple 5, nous débuterons par la détermination de la borne supérieure.

Ainsi :

pour i = 2 %

on a :

$$PV = 50\,000(1{,}02)^{-1} + 30\,000(1{,}02)^{-2} + 20\,000(1{,}02)^{-3}$$
$$PV = 96\,701{,}11\ \$$$

pour i = 17 %

on a :

$$PV = 50\,000(1{,}17)^{-1} + 30\,000(1{,}17)^{-2} + 20\,000(1{,}17)^{-3}$$

$$PV = 77\,137{,}86\ \$$$

et pour i = 40 %

on a :

$$PV = 50\,000(1{,}40)^{-1} + 30\,000(1{,}40)^{-2} + 20\,000(1{,}40)^{-3}$$

$$PV = 58\,309{,}03\ \$$$

Les deux valeurs actuelles obtenues avec un taux de rendement égal à 2 % et 17 % (c.-à-d. 96 701,11 $ et 77 137,86 $) sont supérieures à l'investissement initial de 76 000 $. Par contre, pour i = 40 %, la valeur actualisée des flux monétaires est égale à 58 309,03 $, montant inférieur à l'investissement initial.

Les taux choisis au hasard permettent de se rapprocher de la valeur actuelle de l'investissement. La valeur la plus rapprochée de l'investissement initial de 76 000 $ est celle de 77 137,86 $, qui correspond au taux de 17 %. Cette valeur actuelle des flux monétaires est *supérieure* à la valeur de l'investissement initial. Elle constitue notre première borne.

Il nous reste donc à trouver une valeur *inférieure* au montant initial de l'investissement pour le cerner entre deux bornes. Il faut faire en sorte que les bornes supérieure et inférieure soient déterminées à l'intérieur d'une fourchette de 5 % ou, si vous préférez, 0,05. En d'autres termes, la différence entre les bornes doit être d'au plus égale à 0,05 ou 5 %, car un écart plus grand pourrait amener des distorsions dans les calculs.

Étape 2 : il faut déterminer la borne 2.

Comme nous avons déjà obtenu une borne supérieure pour un taux de rendement de 17 %, nous chercherons une borne inférieure à la valeur de l'investissement initial. Pour cela, il nous faut actualiser la série de flux monétaires avec un taux qui tienne compte de la valeur actuelle obtenue à l'étape 1.

Comme nous l'avons vu précédemment, la dynamique du taux de rendement suit la logique suivante : une augmentation du taux entraîne une diminution de la valeur actuelle des entrées de fonds, et une diminution du taux entraîne une augmentation de la valeur actuelle des entrées de fonds. Cette manière de procéder est une application directe du troisième principe relatif au calcul du taux de rendement, que nous avons abordé au début de ce chapitre. En effet, étant donné que, pour $i = 17\ \%$, la valeur actuelle des entrées de fonds est supérieure au montant de l'investissement initial, nous allons *augmenter* le taux de rendement de 17 % à 19 % , par exemple, de manière à *diminuer* la valeur actuelle des entrées de fonds, respectant par là même la fourchette de 5 %.

À ce nouveau taux de 19 %, nous obtenons :

$$PV = 50\,000(1{,}19)^{-1} + 30\,000(1{,}19)^{-2} + 20\,000(1{,}19)^{-3}$$

$$PV = 75\,070{,}07\ \$$$

Nous avons donc réussi à déterminer une valeur actualisée *inférieure* à l'investissement initial de 76 000 $.

Ceci constitue donc la première phase. Nous disposons d'une valeur actuelle des entrées de fonds qui est *inférieure* à la valeur initiale de l'investissement (pour $i = 19\ \%$) et une valeur actuelle des entrées de fonds qui est *supérieure* à la valeur initiale de l'investissement (pour $i = 17\ \%$). Autrement dit, si l'investissement initial est compris entre ces deux valeurs actuelles obtenues, alors le taux recherché est nécessairement compris entre 17 % et 19 % .

SECONDE PHASE
Il faut déterminer le taux de rendement de l'investissement par interpolation.

Compte tenu des deux bornes obtenues, il s'agit de procéder par interpolation linéaire de la façon suivante (voir figure 5.6).

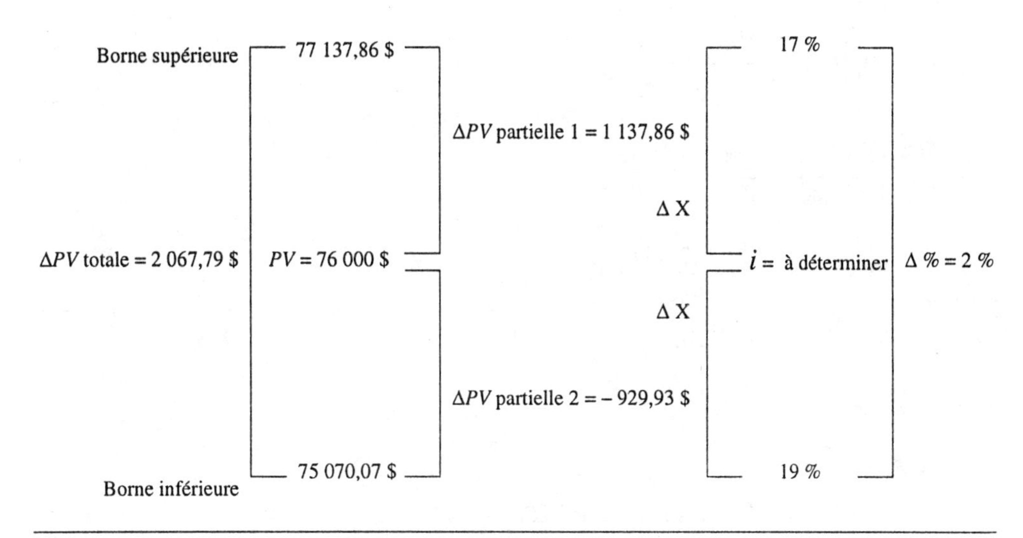

FIGURE 5.6
L'interpolation linéaire : une application

Pour $i = 17\ \%$, la différence entre la valeur actuelle des entrées de fonds et l'investissement initial est égale à : 77 137,86 – 76 000 = 1 137,86 \$ (ΔPV partielle 1)

Pour $i = 19\ \%$, la différence entre la valeur actuelle des entrées de fonds et l'investissement initial est égale à :75 070,07 – 76 000 = – 929,93 \$ (ΔPV partielle 2)

Pour le taux de rendement recherché i, et d'après le premier principe relatif au calcul du taux de rendement, la valeur actuelle des entrées de fonds devrait être égale à l'investissement initial. Par conséquent, la différence entre la valeur actuelle des entrées de fonds et l'investissement initial devrait être égale à 0.

À partir de ces données, et comme l'illustre la figure 5.6, une simple règle de trois nous donne le taux recherché. Notons que :

- une différence (Δ) de 2 % (19 % – 17 %) entraîne une différence totale (ΔPV totale) de PV de 2 067,79 \$ (77 137,86 – 75 070,07);
- une différence (Δ) de X % (17 % – X %) entraîne une différence partielle (ΔPV partielle 1) de PV de 1 137,86 \$ (77 137,88 – 76 000).

Donc,

$$\frac{\Delta PV_{totale}}{\Delta PV_{partielle}} = \frac{\Delta\%}{\Delta X}$$

$$\frac{2\ 067{,}79}{1\ 137{,}86} = \frac{2\%}{\Delta X}$$

$$\Delta X = \left[\frac{1\ 137{,}86}{2\ 067{,}79}\right]0{,}02$$

$$\Delta X = 0{,}01101$$

$$\Delta X = 1{,}101\ \%$$

Alors,

$$i = \textit{borne supérieure} + \Delta X$$

$$i = 17\ \% + 1{,}101\ \%$$

$$i = 18{,}10\ \%$$

En définitive, l'interpolation linéaire consiste à travailler sur des intervalles centrés sur l'investissement initial et sur le taux de rendement recherché. Une fois que l'investissement initial est cerné entre deux bornes de valeurs actuelles de la série d'entrées de fonds (l'une supérieure et l'autre inférieure), nous pouvons déduire un intervalle de taux qui cerne le taux recherché. Ce taux est celui pour lequel la valeur actuelle des entrées de fonds est égale à l'investissement initial.

Nous aurions pu également établir ΔX à partir de la borne inférieure, ce qui nous aurait donné exactement le même résultat, à savoir :

$$\frac{\Delta PV_{totale}}{\Delta PV_{partielle}} = \frac{\Delta\%}{\Delta X}$$

$$\frac{2\ 067{,}79}{929{,}93} = \frac{2\%}{\Delta X}$$

$$\Delta X = \left[\frac{929{,}93}{2\,067{,}79}\right](0,02)$$

$$\Delta X = 0{,}00899$$

$$\Delta X = 0{,}899\ \%$$

Alors,

$$i = \textit{borne inférieure} - \Delta X$$

$$i = 19\ \% - 0{,}879\ \%$$

$$i = 18{,}10\ \%$$

Rappelons que l'écart entre la borne supérieure et la borne inférieure ne doit pas dépasser 5 %, car un écart plus grand pourrait amener des distorsions dans les calculs. En effet, si nous reprenons le calcul précédent en nous basant non pas sur 17 % et 19 %, mais sur 2 % et 40 %, qu'on a considérés au début de l'exercice :

on a vu que :

pour i = 2 %, PV = 96 701,11 $

pour i = 40 %, PV = 58 309,03 $

donc :

$$\Delta PV\ totale = 38\,392{,}08$$

$$\Delta PV\ partielle = 20\,701{,}11 \text{ ou } 17\,690{,}97$$

$$\Delta\% = 38\ \%$$

Par conséquent, le taux recherché est :

$$\frac{\Delta PV_{totale}}{\Delta PV_{partielle}} = \frac{\Delta\%}{\Delta X}$$

$$\frac{38\,392{,}08}{20\,701{,}11} = \frac{38\%}{\Delta X}$$

$$\Delta X = \left[\frac{20\,701{,}11}{38\,392{,}08}\right](0{,}38)$$

$$\Delta X = 0{,}2048$$

$$\Delta X = 20{,}48\ \%$$

Alors,

$$i = \textit{borne supérieure} + \Delta X$$

$$i = 2\ \% + 20{,}48\ \%$$

$$i = 22{,}48\ \%$$

Nous constatons que le taux ici ne correspond plus à ce que nous avons trouvé en utilisant des bornes plus proches. L'écart est de 38 % alors que dans la résolution antérieure l'écart était de seulement 2 %, d'où un résultat plus précis.

Bien qu'un peu lourde, l'interpolation linéaire est une procédure qui permet de résoudre la situation la plus souvent observée en réalité, à savoir celle des investissements qui génèrent une série de flux monétaires variables. Nous verrons dans les chapitres suivants l'avantage d'utiliser les outils mis à notre disposition afin de simplifier la résolution de tels problèmes.

Conclusion

Nous avons développé dans ce chapitre les règles qui régissent le calcul du taux de rendement dans différentes situations telles que celle d'un investissement qui génère un montant unique, celle d'un investissement qui génère une série de flux monétaires périodiques constants et celle d'un investissement qui génère une série de flux monétaires variables. Nous maîtrisons maintenant les fondements de la détermination du taux de rendement d'un actif. Nous mettrons en application ces fondements dans le prochain chapitre, dans le cadre plus spécifique de certains types d'instruments financiers, notamment les obligations et les actions.

Les activités d'apprentissage

Questions

1. Comment détermine-t-on le taux de rendement?

2. Nommez les deux règles qui s'appliquent au taux de rendement.

3. Identifiez les trois principes fondamentaux qui régissent le calcul du taux de rendement.

Problèmes

1. Votre frère a investi un montant de 50 000 $ il y a cinq ans. Le solde de son compte se situe actuellement à 105 000 $. Quel taux nominal a-t-il obtenu, sachant que la capitalisation était annuelle?

a) Trouvez la réponse à l'aide des tables financières.

b) Trouvez la réponse à l'aide de la formulation algébrique.

c) Trouvez la réponse à l'aide de la calculatrice.

2. Combien paieriez-vous aujourd'hui un immeuble résidentiel qui générera les flux monétaires nets suivants, si vous exigez un taux effectif de 18 %? Considérez que ces flux ont lieu en fin de période.

a)

An 1	An 2	An 3	An 4	An 5	Ans 6 à ∞
0	-10 000	20 000	30 000	50 000	75 000

b) Si vous le payez 227 874,23 $, quel est le taux de rendement implicite de la transaction?

c) Si deux investissements rapportent les mêmes flux monétaires, pourquoi paie-t-on moins cher lorsque le taux de rendement est plus élevé?

3. L'extérieur de votre chalet n'est plus acceptable. Vous avez le choix entre deux possibilités :

a) peindre la maison tout de suite et tous les cinq ans par la suite, chaque peinture coûtant 800 $;

b) installer un recouvrement d'aluminium dont la durée estimée est de 20 ans, au coût de 1 750 $.

Si vous désirez conserver votre chalet 20 ans et que vous pouvez obtenir un taux de 12 % effectif, quelle solution retiendrez-vous? Supposez que vous n'aurez pas à emprunter pour ni l'une ni l'autre des solutions.

4. Marcel, l'heureux homme, vient de gagner à la loterie un montant de 2 205 000 $. Il décide donc de prendre une retraite anticipée (de 20 ans) immédiatement. Marcel est sage et décide de placer son argent en totalité afin de s'assurer, à lui et à tous ses descendants, une rente annuelle perpétuelle de 205 000 $ payable au début de chaque année à compter de maintenant. À quel taux nominal, capitalisé semestriellement, doit-il placer son argent?

5. Un jeune et talentueux joueur de hockey, fort convoité par plusieurs équipes de la LNH, donne le mandat à son gérant de négocier afin d'obtenir les clauses minimales qui suivent :

À compter de la signature de mon contrat et pour une période de dix ans, qu'il me soit versé :

a) un salaire annuel de 2 400 000 $, payable en 12 versements égaux de 200 000 $; plus

b) un versement périodique constant et mensuel, déposé dans un compte spécial, suffisamment élevé pour m'assurer qu'il me soit versé dans exactement dix ans à compter de la signature du présent contrat :

b1 un montant global de 2 500 000 $; et

b2 45 000 $ à la fin de chaque mois à compter du jour de la réception du montant établi en b1, pour une durée de 30 ans.

On demande :

Si vous étiez le gérant d'une équipe de la LNH et que le taux d'intérêt que l'équipe pouvait obtenir était de 12 % capitalisé mensuellement, quel serait le montant mensuel total qu'il vous faudrait verser au cours des dix prochaines années pour respecter le contrat?

ANNEXE 5.1
Les équations

L'intérêt simple

Montant total d'intérêts accumulés

$$TOT\,i = PV \times I \times N \quad \textbf{Éq. 2.1}$$

FV d'un montant placé à intérêt simple

$$FV_N = PV + TOT\,i \quad \textbf{Éq. 2.2}$$

$$FV_N = PV\,(1 + I \times N) \quad \textbf{Éq. 2.3}$$

L'intérêt composé

FV d'un montant placé à intérêt composé

$$FV_N = PV\,(1 + I\,)^N \quad \textbf{Éq. 2.4}$$

Taux périodique (*i*)

$$i = I/m \quad \textbf{Éq. 2.5}$$

Transposition du taux périodique au taux effectif

$$(1 + i_r) = (1 + i)^m \quad \textbf{Éq. 2.6}$$

$$(1 + i_r) = (1 + I\,/m)^m$$

Taux effectif quand la fréquence de capitalisation est infinie

$$i_r = e^I - 1 \quad \textbf{Éq. 2.7}$$

Équivalence entre des taux nominaux

$$(1 + I_1 / m_1)^{m1} = (1 + I_2 / m_2)^{m2} \quad \text{Éq. 2.8}$$

Valeur future d'un montant unique

$$FV_n = PV(1 + i)^n \quad \text{Éq. 2.9}$$

$$FV_{N \times m} = PV(1 + I/m)^{N \times m}$$

Valeur actuelle d'un montant unique

$$PV = FV_n (1 + i)^{-n} \quad \text{Éq. 2.10}$$

$$PV = FV_{N \times m} (1 + I/m)^{-N \times m}$$

Valeur future d'une annuité de fin de période

$$FV_n = PMT\left[\frac{(1 + i)^n - 1}{i}\right] \quad \text{Éq. 3.1}$$

$$FV_n = PMT\left[\frac{(1 + I/m)^{N \times m} - 1}{I/m}\right]$$

$$FV_n = PMT \times S_{i,n} \quad \text{Éq. 3.2}$$

Valeur future d'une annuité de début de période

$$FV_n = PMT\left[\frac{(1 + i)^n - 1}{i}\right](1 + i) \quad \text{Éq. 3.3}$$

$$FV_n = PMT\left[\frac{(1 + I/m)^{N \times m} - 1}{I/m}\right](1 + I/m)$$

$$FV_n = PMT(S^1_{i,n}) \quad \text{Éq. 3.4}$$

Valeur actuelle d'une annuité de fin de période

$$PV = PMT\left[\frac{1-(1+i)^{-n}}{i}\right] \qquad \text{Éq. 3.5}$$

$$PV = PMT\left[\frac{1-(1+I/m)^{-N\times m}}{I/m}\right]$$

$$PV = PMT \times A_{i,n} \qquad \text{Éq. 3.6}$$

Valeur actuelle d'une annuité de début de période

$$PV = PMT\left[\frac{1-(1+i)^{-n}}{i}\right](1+i) \qquad \text{Éq. 3.7}$$

$$PV = PMT\left[\frac{1-(1+I/m)^{-N\times m}}{I/m}\right](1+I/m)$$

$$PV = PMT \times A^{1}_{i,n} \qquad \text{Éq. 3.8}$$

Valeur actuelle d'une série de flux monétaires variables

$$PV = \sum_{t=1}^{n} FM_t(1+i)^{-t} \qquad \text{Éq. 3.9}$$

Valeur future d'une série de flux monétaires variables

$$FV = \sum_{t=1}^{n} FM_t(1+i)^{n-t} \qquad \text{Éq. 3.10}$$

Valeur actuelle d'une perpétuité de fin de période

$$PV = \frac{PMT}{i} \qquad \text{Éq. 4.1}$$

Valeur actuelle d'une perpétuité de début de période

$$PV = \frac{PMT}{i}(1+i) \qquad \text{Éq. 4.2}$$

$$PV = \frac{PMT}{i} + PMT \qquad \text{Éq. 4.3}$$

Chapitre 6

La détermination du taux de rendement d'un actif : applications

Schéma d'intégration des contenus

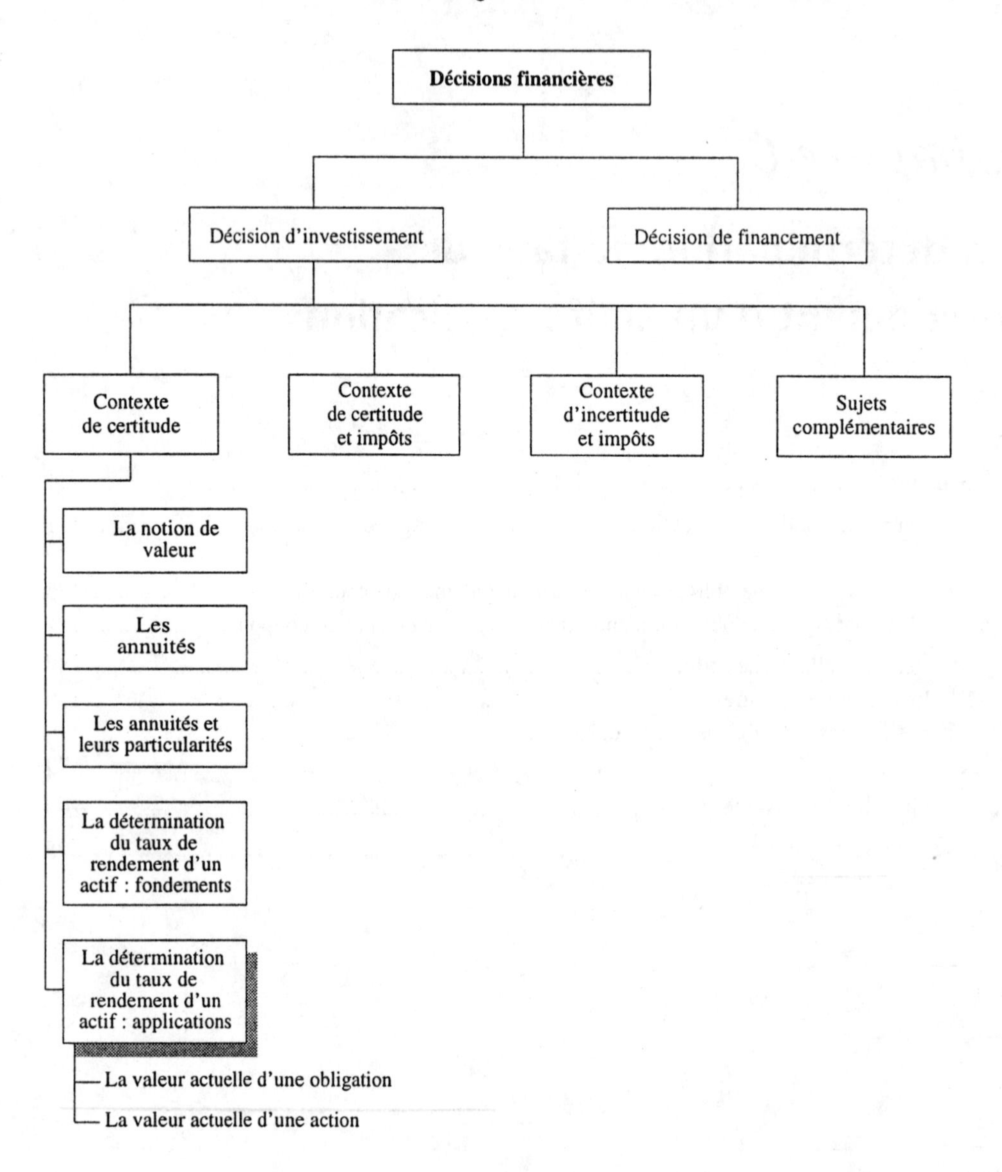

Le chapitre 6 permet d'appliquer la notion de taux de rendement à l'évaluation d'un actif. Après la lecture de ce chapitre, vous devriez être en mesure :

- d'évaluer une obligation;
- de déterminer le taux de rendement d'une obligation;
- d'évaluer une action ordinaire;
- de différencier les types d'actions;
- de déterminer la valeur d'une action selon le type de dividende qu'elle verse.

Introduction

Ce chapitre a pour objet de mettre en application la notion de taux de rendement à l'évaluation d'un actif. Le taux de rendement est primordial pour l'investisseur, car il lui permet d'évaluer la pertinence de l'investissement dans lequel il s'apprête à s'engager. Parmi les possibilités d'investissement qui peuvent se présenter à lui figurent les actifs financiers tels que les obligations et les actions. *Les actifs financiers* sont des titres financiers qui rapportent à l'investisseur un rendement en fonction des flux monétaires qu'ils génèrent, lesquels sont constitués, entre autres, de revenus d'intérêt ou de dividende. Afin de mettre en application la notion de taux de rendement, nous considérerons ces deux types d'investissement, les obligations et les actions.

1. La valeur actuelle d'une obligation

Une obligation est un contrat de dette entre l'émetteur de l'obligation (ou emprunteur) et son détenteur (ou obligataire). Par ce contrat, le détenteur de l'obligation devient le créancier de l'émetteur qui s'engage à lui payer des revenus fixes périodiques tant que l'obligation est en sa possession, et ce, pour un nombre prédéterminé d'années. Ce contrat prend naissance au moment de l'émission de l'obligation qui se fait soit par les entreprises, soit par les gouvernements. L'obligation donne droit à des revenus fixes pendant toute sa durée de vie, en général sur une période de 15 à 25 ans. À la fin de cette période, c'est-à-dire à l'échéance, l'émetteur doit rembourser le montant de la dette à l'obligataire, mettant ainsi fin au contrat et, par conséquent, à l'obligation.

Dans les sections qui suivent nous décrirons les caractéristiques d'une obligation et développerons les instruments nécessaires pour évaluer sa valeur.

1.1 Les caractéristiques d'une obligation

Pour déterminer la valeur actuelle d'une obligation, nous appliquons les concepts relatifs au processus d'actualisation qui ont été développés dans les chapitres 2, 3, 4 et 5. Pour ce faire, nous avons besoin d'un certain nombre de données qui font référence aux caractéristiques propres des obligations :

I_c	=	le taux de coupon
VN	=	la valeur nominale de l'obligation ou principal
C	=	le montant du coupon versé sur l'obligation
P_0	=	le prix de l'obligation au temps zéro
i	=	le taux de rendement exigé par les investisseurs sur l'obligation
n	=	le nombre de périodes (de coupons) qui reste avant l'échéance de l'obligation

L'obligation est un titre financier caractérisé par deux types de flux monétaires, soit :

- une série de flux monétaires périodiques constants appelés *coupons*;
- un montant unique final appelé *valeur nominale de l'obligation* ou *principal*.

Les *coupons* (C) peuvent être assimilés à des intérêts dans la mesure où ils constituent une rémunération pour l'acheteur de l'obligation. Ils sont versés périodiquement (en général, chaque semestre) et leur valeur est déterminée de la façon suivante :

$$\text{coupon} = \text{valeur nominale de l'obligation} \times \text{taux de coupon} \qquad \textbf{Éq. 6.1}$$

$$C = VN \times I_c$$

Le taux de coupon (I_c) représente le taux inscrit sur l'obligation et sert à déterminer le montant du coupon semestriel versé, tel qu'indiqué dans l'équation 6.1. Sauf exception, le *taux de coupon* est *toujours* exprimé sur une base nominale et ce taux nominal est *toujours semestriel*. Cette fréquence semestrielle des coupons constitue une caractéristique propre aux obligations.

Quant à la *valeur nominale de l'obligation* (*VN*), elle correspond au montant qui est versé lorsque l'obligation atteint son échéance. On appelle *échéance* la date de remise de la dette ou encore la date de remboursement du principal. L'échéance marque en fait la fin du contrat de dette. Une des caractéristiques de l'obligation, sur laquelle nous aurons l'occasion de revenir, est que l'obligation n'est presque jamais vendue à sa valeur nominale. De plus, l'obligation est généralement vendue *plus d'une fois* avant son échéance.

La *durée de vie* d'une obligation correspond à la période durant laquelle l'émetteur s'engage à payer des coupons. La durée de vie totale de l'obligation correspond au laps de temps entre l'émission de l'obligation et son échéance. À la fin de la durée de vie de l'obligation, soit à l'échéance, l'investisseur reçoit le dernier (ou nième) coupon ainsi que la valeur nominale de l'obligation. Le nombre n correspond par le fait même au nombre de coupons qui reste à encaisser avant l'échéance.

Le *prix* de l'obligation (P_0) est celui auquel l'obligation se négocie (c.-à-d. est offerte) sur le marché. Il correspond à la valeur actuelle des promesses de paiement de l'obligation, soit les flux monétaires auxquels elle donne lieu : les coupons et la valeur nominale.

L'obligation, en tant qu'actif financier, est caractérisée par *un taux de rendement* (i). Celui-ci correspond au taux exigé par, ou promis à l'obligataire pour détenir l'obligation jusqu'à son échéance. Ce taux de rendement est fonction du prix payé par l'investisseur pour la série de flux monétaires se rapportant à l'obligation. En effet, nous avons précédemment mis en évidence, dans le chapitre 2, que ce taux est déterminé par la dynamique de l'offre et de la demande sur le marché.

À ce titre, nous pouvons dire que les principes suivants sont vérifiés :

- si les taux sur le marché sont à la hausse, le prix de l'obligation chute;
- si les taux sur le marché sont à la baisse, le prix de l'obligation augmente.

En effet, nous avons vu dans le chapitre 5 que, pour une même série de flux monétaires, si le taux de rendement exigé augmente, alors le prix de cet investissement diminue et vice versa.

Par ailleurs, le taux de rendement des obligations leur est spécifique dans la mesure où il s'agit toujours d'un taux *capitalisé semestriellement*. Cela résulte de la spécificité du marché obligataire qui est semestrielle. Par exemple, un taux de rendement de 15 % procuré par une obligation correspond à *un taux nominal capitalisé semestriellement*. Autrement dit, c'est un taux de rendement *semestriel* de 7,5 % ou, si vous préférez, un taux effectif de 15,56 %.

Voici un exemple d'obligation et des flux monétaires qui la caractérisent.

Exemple 1

Soit une obligation dont la valeur nominale est de 1 000 $ et le taux de coupon est de 15 %. La durée de vie de cette obligation est de cinq ans. Vous vous rappelez que le taux de coupon est un taux nominal capitalisé semestriellement. Par conséquent, pendant cinq ans, à une fréquence de deux fois par an, le détenteur de l'obligation reçoit un coupon dont le montant est de :

$$C = VN \times I_c$$

$$C = 1\,000 \times 0{,}15/2$$

$$C = 75\ \$$$

Ce coupon lui sera versé tous les six mois pendant cinq ans. Le nombre total de coupons est donc de 2 × 5 = 10. De plus, à la fin de la cinquième année, le détenteur de l'obligation recevra la valeur nominale de 1 000 $.

La figure 6.1 illustre cette obligation. Notons qu'à la date d'échéance, l'investisseur reçoit *deux* flux monétaires, le dernier coupon et la valeur nominale.

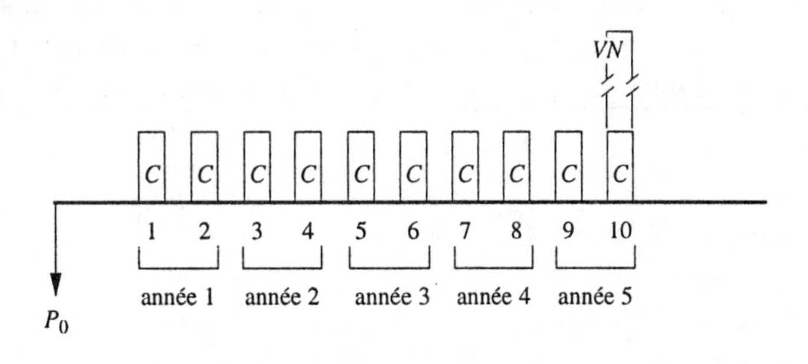

FIGURE 6.1
Représentation graphique des flux monétaires d'une obligation de cinq ans avec coupons versés semestriellement

La première composante de l'obligation représente la série de dix coupons versés au détenteur de l'obligation, pendant cinq ans, au rythme de deux coupons par an. Sa deuxième composante représente la valeur nominale de l'obligation versée à l'échéance.

La valeur d'une obligation correspond à la valeur actuelle des flux monétaires auxquels elle donne droit. Deux situations possibles peuvent se présenter lors de l'évaluation d'une obligation : on peut l'évaluer à *chaque date de paiement de coupons* (ce qui constitue le cas le plus simple) ou encore *entre deux dates de paiement de coupons*.

1.2 L'évaluation d'une obligation à une date de paiement de coupons

Étant donné que l'obligation fait intervenir à la fois une série de flux monétaires périodiques constants et un montant unique, déterminer sa valeur actuelle revient donc à faire la somme de deux types de flux, soit :

- la valeur actuelle de la série de flux monétaires périodiques constants que sont les coupons;

plus

- la valeur actuelle du montant unique qui est la valeur nominale.

En utilisant les outils dont nous disposons pour faire de tels calculs, à savoir les formules d'actualisation des flux monétaires périodiques constants et des montants uniques, nous pouvons établir la valeur actuelle d'une obligation de la manière suivante :

$$P_0 = C\left[\frac{1-(1+i)^{-n}}{i}\right] + VN(1+i)^{-n} \qquad \textbf{Éq. 6.2}$$

où :

P_0	=	la valeur actuelle ou le prix de l'obligation
i	=	le taux de rendement exigé par les investisseurs sur l'obligation
VN	=	la valeur nominale de l'obligation
C	=	le montant du coupon versé à la fin de chaque période
n	=	le nombre de périodes qui reste jusqu'à l'échéance de l'obligation

On voit donc, d'après l'équation 6.2, que la valeur actuelle d'une obligation est composée de deux termes : le premier terme,

$$C\left[\frac{1-(1+i)^{-n}}{i}\right]$$

représente la valeur actualisée des n coupons à recevoir, et le deuxième terme, $VN(1+i)^{-n}$, correspond à la valeur actualisée de la valeur nominale à encaisser à l'échéance de l'obligation.

Prenez bien note que le nombre de périodes n à considérer dans l'équation 6.2 dépend de la fréquence des coupons et de la durée de vie *qui reste à* l'obligation. En effet, lorsque l'évaluation de l'obligation intervient *pendant* la durée de vie de l'obligation, cela implique que certains coupons ont déjà été versés dans le passé. Dans ce cas, il ne faut tenir compte *que de ceux qu'il reste à encaisser sur la durée de vie qui reste à l'obligation.*

Exemple 2

Supposons que l'entreprise XYZ émet une obligation dont la valeur nominale est de 5 000 $, avec un taux de coupon de 8 %. Sachant que le taux de rendement exigé par les investisseurs est de 8 % et que la durée de vie de cette obligation est de 10 ans, quel est le prix de cette obligation?

$I_c = 0{,}08/2 = 0{,}04$

$P_0 =$ à déterminer

$i = 0{,}08/2 = 0{,}04$

$VN = 5\,000\ \$$

$n = 2 \text{ coupons} \times 10 \text{ ans} = 20$

$C = VN \times I_c$

$C = 5\,000\ \$ \times 0{,}04 = 200\ \$$

donc :

$$P_0 = C\left[\frac{1-(1+i)^{-n}}{i}\right] + VN(1+i)^{-n}$$

$$P_0 = 200\left[\frac{1-(1+0{,}04)^{-20}}{0{,}04}\right] + 5\,000(1+0{,}04)^{-20}$$

$$P_0 = 2\,718{,}07 + 2\,281{,}93$$

$$P_0 = 5\,000\ \$$$

Dans cet exemple, P_0 représente le prix de l'obligation *avant qu'aucun coupon n'ait encore été encaissé.*

De plus, vous remarquerez que le prix déterminé est exactement égal à la valeur nominale (5 000 $). Cela est dû au fait que le taux de rendement exigé par les investisseurs (soit 8 %) est égal au taux de coupon (soit 8 %). Lorsque le prix de l'obligation est égal à sa valeur nominale, on dit que l'obligation est vendue *au pair.*

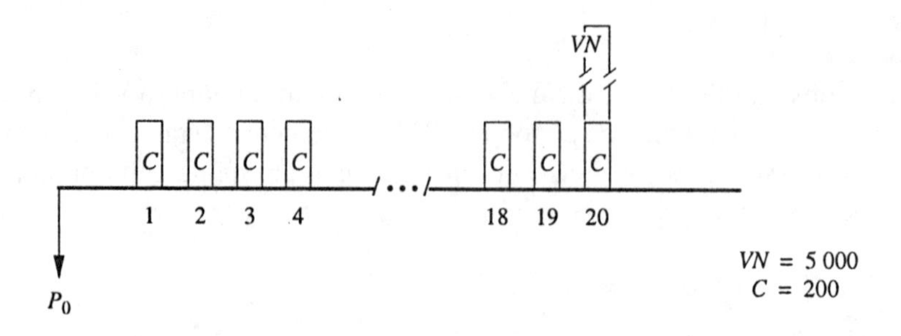

FIGURE 6.2
L'obligation de l'entreprise XYZ

Supposons que l'obligation soit vendue six mois après son émission. À ce moment-là, un coupon aura été versé. L'obligation aura encore la même valeur nominale à l'échéance mais donnera droit à un coupon de moins à encaisser. Par conséquent, son prix correspondra à la valeur actuelle des coupons qui *seront versés dans le futur* (soit 19 coupons au lieu de 20) en plus de la valeur nominale.

Étant donné que l'obligation n'est presque jamais vendue à sa valeur nominale, son prix peut être supérieur ou inférieur à la valeur nominale en question, ce qui donne lieu aux définitions suivantes :

- lorsque l'obligation est vendue à un prix supérieur à sa valeur nominale, on dit qu'elle est vendue *à prime;*
- lorsque l'obligation est vendue à un prix inférieur à sa valeur nominale, on dit qu'elle est vendue *à escompte;*
- lorsque l'obligation est vendue à un prix qui est égal à sa valeur nominale, on dit qu'elle est vendue *au pair.*

Comme les taux sur le marché tendent à fluctuer, le prix des obligations tend à fluctuer également. Par conséquent, ces fluctuations des *prix* s'accompagnent également de fluctuations des *rendements.* Ainsi :

- si le taux de rendement exigé sur une obligation est supérieur au taux de coupon de cette obligation, alors elle est vendue *à escompte*;

- si le taux de rendement exigé sur une obligation est inférieur au taux de coupon de cette obligation, alors elle est vendue *à prime*;
- si le taux de rendement exigé sur une obligation est égal au taux de coupon de cette obligation, elle est vendue *au pair*.

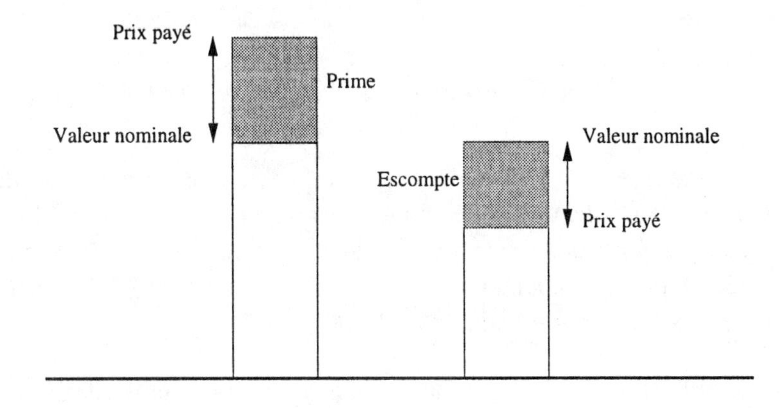

FIGURE 6.3
L'obligation à prime et à escompte

Prenons par exemple deux obligations : une ancienne obligation déjà présente sur le marché et une obligation nouvellement émise. L'ancienne obligation a été émise il y a cinq ans et il reste encore quinze ans avant son échéance. Quant à la nouvelle obligation, elle a une durée de vie de quinze ans. Quelle obligation un investisseur devrait-il choisir?

Pour comparer deux obligations, il faut comparer la valeur actuelle des flux monétaires qu'elles produisent respectivement.

Pour ce faire, nous disposons des données suivantes :

I_c	=	15 % pour la nouvelle obligation et 10 % pour l'ancienne obligation
VN	=	1 000 $ pour chaque obligation
i	=	15 %/2 = 0,075 exigé par le marché
n	=	15 × 2 = 30 pour chaque obligation
C	=	1 000 × 15 %/2 = 75 $ pour la nouvelle obligation

et

C	=	1 000 × 10 %/2 = 50 $ pour l'ancienne obligation

Étant donné que le taux de rendement exigé sur la nouvelle obligation est de 15 %, et que ce taux est exactement égal à son taux de coupon, nous pouvons d'ores et déjà déduire que cette obligation se vendra à sa valeur nominale, soit 1 000 $, comme nous l'avons spécifié précédemment. Cette obligation donne droit à 30 flux monétaires de 75 $ chacun et sa valeur nominale est de 1 000 $.

L'ancienne obligation par contre donne droit à 30 flux monétaires de 50 $ chacun, sa valeur nominale étant aussi de 1 000 $. Pour elle, également, le taux de rendement exigé est de 15 %.

En d'autres mots, il faut comparer le taux de rendement que procure chacune des obligations. Or, ce taux est fonction du prix payé pour l'obligation, montant qui correspond à la valeur actuelle de chaque obligation.

Pour la nouvelle obligation, on a :

$$P_0 = C\left[\frac{1-(1+i)^{-n}}{i}\right] + VN(1+i)^{-n}$$

$$P_0 = 75\left[\frac{1-(1+0{,}075)^{-30}}{0{,}075}\right] + 1\,000(1+0{,}075)^{-30}$$

$$P_0 = 1\,000\ \$$$

Pour l'ancienne obligation, on a :

$$P_0 = C\left[\frac{1-(1+i)^{-n}}{i}\right] + VN(1+i)^{-n}$$

$$P_0 = 50\left[\frac{1-(1+0{,}075)^{-30}}{0{,}075}\right] + 1\ 000(1+0{,}075)^{-30}$$

$$P_0 = 704{,}73\ \$$$

Nous constatons donc qu'à un prix de 1 000 $ pour la nouvelle obligation et de 704,73 $ pour l'ancienne obligation, l'investisseur est indifférent, puisque chacune des options procure un rendement de 15 %.

Pour que l'investisseur opte pour la nouvelle obligation, il faudrait de deux choses l'une : soit que *le prix de la nouvelle obligation baisse*, ce qui en augmenterait le rendement (voir le troisième principe du chapitre 5), soit que *le prix de l'ancienne obligation augmente*, ce qui en diminuerait le rendement.

Dans le même ordre d'idées, afin que l'investisseur opte pour l'ancienne obligation, il faudrait que cette dernière se négocie à un prix inférieur à 704,73 $, ce qui lui procurerait un rendement *supérieur* à 15 %, rendement qu'il obtiendrait en achetant la nouvelle obligation à 1 000 $. En outre, et selon le même principe, si la nouvelle obligation se négocie à un prix supérieur à 1 000 $, cela procurerait à l'investisseur un rendement *inférieur* à 15 %, rendement qu'il obtiendrait en achetant l'ancienne obligation à 704,73 $.

Ayant évalué le cas simple d'une obligation à une date de paiement de coupons, nous examinerons dans la section suivante le cas d'une obligation entre deux dates de paiement de coupons.

1.3 L'évaluation d'une obligation entre deux dates de paiement de coupons

Comme nous l'avons vu précédemment, il est extrêmement rare qu'une obligation soit vendue précisément à la date de paiement de coupons et au pair. Le cas le plus fréquent est l'achat entre deux dates de paiement de coupons et à un prix différent de la valeur nominale. Lorsqu'une obligation est achetée entre deux dates de paiement de coupons, il s'agit d'une *obligation à intérêts courus*.

Supposons, par exemple, que monsieur Thibault vend à madame Talbot une obligation quatre mois après le versement du dernier coupon reçu, soit le 25e d'une obligation en ayant 60. Comme les versements sont semestriels, il reste encore deux mois avant que madame Talbot reçoive le prochain coupon. Or, le coupon est supposé récompenser le détenteur de l'obligation pour les six mois écoulés en sa possession entre chaque date de paiement de coupons. Par conséquent, quand madame Talbot recevra le prochain coupon, elle n'aura été propriétaire de l'obligation que depuis deux mois, alors que monsieur Thibault a gardé l'obligation pendant quatre mois avant de la lui revendre et devra être récompensé pour cela. Dans ce cas, et en supposant que le montant du coupon est de 60 $, madame Talbot recevra dans deux mois un coupon de 60 $ qui contient une part de 40 $ qui devrait aller à monsieur Thibault pour le récompenser de la période de quatre mois pendant laquelle il était le propriétaire de l'obligation. Ces intérêts courus devront donc être considérés dans le prix d'achat de l'obligation payé par madame Thibault. Cette obligation est représentée à la figure 6.4.

Pour évaluer les intérêts courus de l'obligation achetée par madame Thibault, nous divisons le coupon par six pour obtenir le coupon versé par mois et multiplions par le nombre de mois écoulés pour déterminer le montant des intérêts courus, soit :

$$\textit{intérêts courus} = (\textit{coupon}/6) \times \textit{nombre de mois écoulés depuis le dernier coupon} \qquad \textbf{Éq. 6.3}$$

$$= (60\ \$/6) \times 4$$

$$= 10 \times 4$$

$$= 40\ \$$$

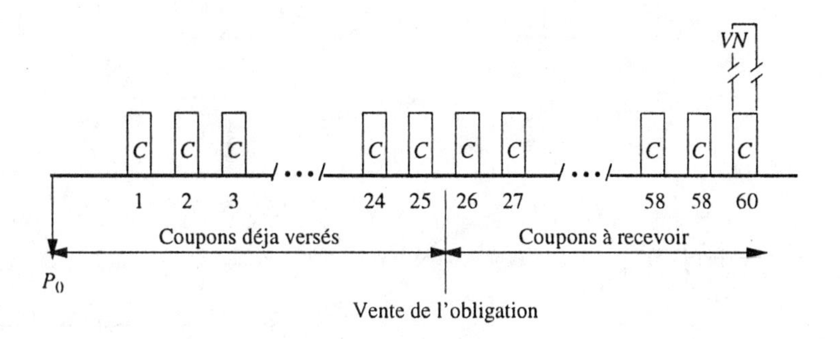

FIGURE 6.4
Représentation d'une obligation à intérêts courus

Il est important de retenir que *le prix d'une obligation à intérêts courus* comprend deux composantes :

– la valeur actuelle des coupons *qui n'ont pas encore été versés,*

en plus de

– la valeur actuelle de la valeur nominale.

Nous aborderons maintenant l'évaluation d'une obligation à intérêts courus de deux façons.

PREMIÈRE FAÇON
Nous pouvons d'abord calculer le prix de l'obligation à la date du dernier coupon versé et, ensuite, en tenant compte des intérêts courus, capitaliser ce montant jusqu'à la date d'achat de l'obligation. Cette première façon est illustrée à la figure 6.5.

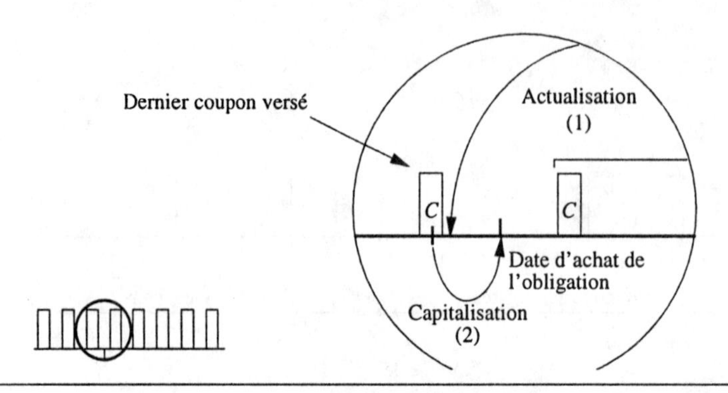

FIGURE 6.5
L'évaluation d'une obligation entre deux dates de paiement de coupons à partir du dernier coupon versé

DEUXIÈME FAÇON

Nous pouvons également établir le prix de l'obligation à partir de la date de versement *du prochain coupon*. Il s'agit d'abord de calculer le prix de l'obligation à la date du prochain coupon, d'additionner le montant de ce coupon et d'actualiser la somme sur le nombre de mois nécessaires afin de nous placer à la date d'achat de l'obligation. Cette situation est illustrée à la figure 6.6.

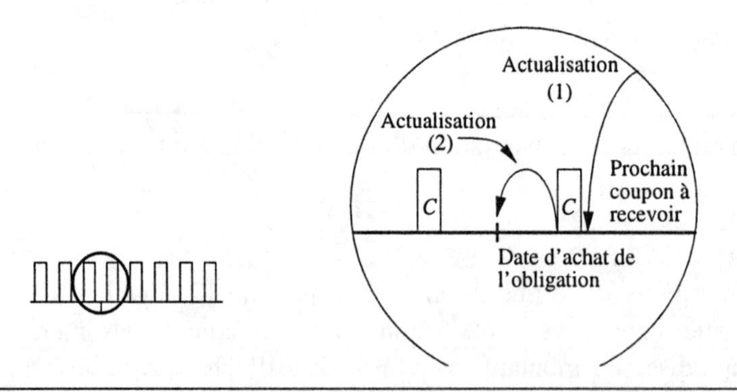

FIGURE 6.6
L'évaluation d'une obligation entre deux dates de paiement de coupons à partir du prochain coupon à recevoir

L'exemple suivant illustre ces deux façons d'évaluer une obligation entre deux dates de paiement de coupons.

Exemple 3

Soit une obligation dont le taux de coupon est de 9 %. Cette obligation a une durée de vie de 10 ans (20 semestres) et une valeur nominale de 5 000 $. Elle a été émise le 1er février 1995 et vient à échéance le 1er février 2005.

Si vous achetez cette obligation le 1er juin 1996, sachant que le taux de rendement exigé pour une telle obligation est de 10 %, quel prix payerez-vous?

PREMIÈRE FAÇON

Pour déterminer la valeur actuelle de cette obligation, il faut procéder en deux étapes.

Étape 1 : il faut d'abord calculer le prix de l'obligation au 1er février 1996, soit à *la date du dernier coupon versé.*

Il y a eu des coupons versés chaque semestre à partir du 1er août 1995, et ce, jusqu'au 1er juin 1996, soit un total de deux coupons. Le montant de chaque coupon est calculé comme suit :

$$\textit{taux de coupon} = 9\ \%/2$$
$$= 0{,}045 \text{ ou, si vous préférez, } 4{,}5\ \%$$

$$\textit{montant du coupon} = I_c \times VN$$
$$= 0{,}045 \times 5\ 000\ \$$$
$$= 225\ \$$$

Le montant des intérêts courus entre le 1er février 1996 et le 1er juin 1996, c'est-à-dire entre la date du dernier coupon versé et la date d'achat de l'obligation, est de :

$$\textit{intérêts courus} = (\textit{montant du coupon}/6) \times \textit{nombre de mois écoulés depuis le dernier coupon})$$
$$= (225/6) \times 4$$
$$= 150\ \$$$

Ceci nous permet de déterminer le prix de l'obligation au 1er février 1996 comme suit.

On a :

$P_{1^{er}\text{ févr. }96}$ = à déterminer

$i = 0{,}10/2 = 0{,}05$

$VN = 5\,000\ \$$

$C = 225\ \$$

$n = 2\ coupons \times 9\ ans = 18$

Donc :

$$P_{1^{er}\text{ févr. }96} = C\left[\frac{1-(1+i)^{-n}}{i}\right] + VN(1+i)^{-n}$$

$$P_{1^{er}\text{ févr. }96} = 225\left[\frac{1-(1+0{,}05)^{-18}}{0{,}05}\right] + 5\,000(1+0{,}05)^{-18}$$

$$P_{1^{er}\text{ févr. }96} = 4\,707{,}76\ \$$$

Étape 2 : il faut finalement calculer le prix de l'obligation au 1er juin 1996 en capitalisant le montant unique obtenu à l'étape précédente.

En achetant l'obligation le 1er juin 1996, l'acheteur qui s'apprête à recevoir un coupon le 1er août 1996 devra en remettre une partie au vendeur, soit les quatre sixièmes du coupon, qui correspondent à quatre mois sur les six mois qui séparent chaque versement de coupon durant lesquels l'obligation était encore en sa possession.

On a :

$$P_{1^{er}\text{ juin }96} = P_{1^{er}\text{ févr. }96}(1+i)^{4/6}$$

$$P_{1^{er}\text{ juin }96} = 4\,707{,}76(1{,}05)^{4/6}$$

$$P_{1^{er}\text{ juin }96} = 4\,863{,}40\ \$$$

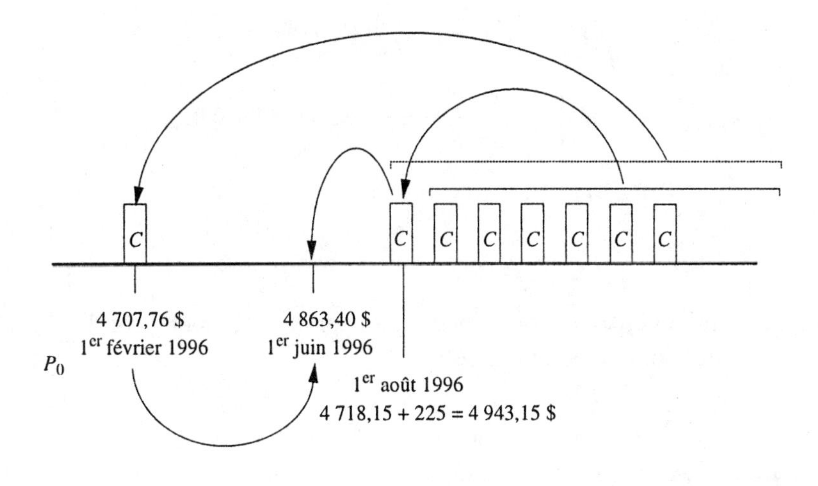

FIGURE 6.7
L'obligation entre deux dates de paiement de coupons

DEUXIÈME FAÇON

Pour déterminer la valeur actuelle d'une obligation à intérêts courus selon cette seconde méthode, il faut procéder en trois étapes.

Étape 1 : il faut d'abord calculer le prix de l'obligation à la date *du prochain versement*, soit le 1er août 1996 : à cette date, il y a encore 17 coupons à recevoir.

On a :

$P_{1^{er}\text{ août } 1996}$ = à déterminer
i = 0,10/2 = 0,05
VN = 5 000 $
C = 225 $
n = 17

donc :

$$P_{1^{er}\text{ août }1996} = C\left[\frac{1-(1+i)^{-n}}{i}\right] + VN(1+i)^{-n}$$

$$P_{1^{er}\text{ août }1996} = 225\left[\frac{1-(1+0{,}05)^{-17}}{0{,}05}\right] + 5\,000(1+0{,}05)^{-17}$$

$$P_{1^{er}\text{ août }1996} = 4718{,}15\ \$$$

Étape 2 : il faut ensuite ajouter le coupon versé à cette date, soit le 1er août 1996, au montant obtenu à l'étape 1.

On a :

$$P_{1^{er}\text{ août }1996} = 4\,718{,}15 + 225$$

$$P_{1^{er}\text{ août }1996} = 4\,943{,}15\ \$$$

Étape 3 : il faut enfin actualiser le montant ainsi obtenu jusqu'à la date de l'achat, c'est-à-dire sur deux mois.

Pour ce faire, nous faisons appel à la formule d'actualisation d'un montant unique telle que :

$$P_{1^{er}\text{ juin }1996} = 4\,943{,}15(1+0{,}05)^{-2/6}$$

$$P_{1^{er}\text{ juin }1996} = 4\,863{,}40\ \$$$

Nous constatons que les deux façons donnent les mêmes résultats.

Les obligations constituent une grande partie des possibilités de placement dans les actifs financiers. Nous allons voir, dans ce qui suit, une autre source de placement fortement répandue, à savoir les actions.

2. La valeur actuelle d'une action

Une *action* est un actif financier et, à ce titre, elle rapporte à l'investisseur un rendement en fonction des flux monétaires qu'elle génère. Les actions se différencient des obligations à plusieurs égards, notamment en ce qui concerne :

- les caractéristiques des flux monétaires afférents;
- la nature de l'actif.

Les flux monétaires afférents

On se souviendra que, pour les obligations, les flux monétaires (c'est-à-dire les coupons) sont des flux monétaires *périodiques et constants*. En outre, pour l'obligation, il y a toujours une valeur nominale à encaisser à l'échéance. Les flux monétaires des actions, pour leur part, sont des flux monétaires *perpétuels et variables* (en fréquence et en montant). L'action n'a pas de date d'échéance comme c'est le cas pour l'obligation. L'action est donc assimilée à *une perpétuité*.

La nature de l'actif

L'obligation constitue un contrat de dette par lequel l'émetteur s'engage à payer au détenteur de l'obligation des revenus fixes. L'action constitue, quant à elle, un avoir et un droit de propriété pour l'acheteur. L'actionnaire partage la propriété de l'entreprise et vote sur le montant et la fréquence des dividendes (flux monétaires) qui lui seront versés. L'action rapporte à l'investisseur un rendement en fonction des flux monétaires qu'elle génère :

$$P_0 = \sum_{t=1}^{\alpha} \frac{D_t}{(1+k)^t} \qquad \text{Éq. 6.4}$$

où :

P_0 = le prix de l'action au temps zéro
D_t = le dividende de la période t
k = le taux de rendement de l'action

Nous verrons que ces différences entre les obligations et les actions se reflètent dans la façon d'évaluer les unes et les autres.

2.1 Les actions ordinaires

Il existe deux différentes catégories d'actions, soit les *actions ordinaires*, que nous aborderons dans cette section, et les *actions privilégiées*, qui feront l'objet de la section suivante.

L'action ordinaire est un droit de propriété qui permet à l'actionnaire d'encaisser des versements conditionnels appelés *dividendes*. Les actionnaires ordinaires sont considérés comme les propriétaires de l'entreprise, et la plupart des actions donnent à leurs détenteurs un droit de vote à l'occasion des assemblées générales. Advenant la liquidation de l'entreprise, l'actionnaire ordinaire doit attendre que les obligataires et les actionnaires privilégiés soient payés pour être rémunéré à son tour. Les dividendes qu'il reçoit sont donc résiduels. Ainsi, le fait de détenir les actions d'une entreprise donne droit à des dividendes *seulement si* l'entreprise est en mesure d'en verser. C'est pour cette raison qu'on dit que les dividendes sont *conditionnels*.

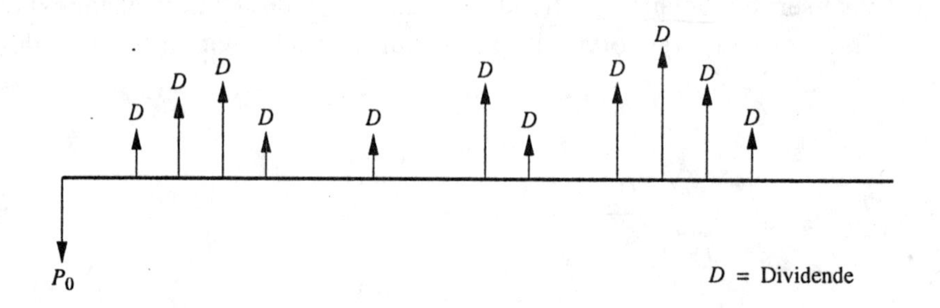

FIGURE 6.8
Une action ordinaire

Les actions ordinaires ont certaines caractéristiques relatives au dividende et au droit de vote. Ces caractéristiques font qu'il existe différentes classes d'actions ordinaires. Par exemple, une action ordinaire d'Alcan de classe A donne droit à dix droits de vote, alors qu'une action ordinaire de classe B de la même entreprise donne seulement un droit de vote.

Les variables qui caractérisent une action ordinaire sont : le prix auquel elle se négocie sur le marché, le taux de rendement requis pour cette action et les dividendes qu'elle verse. Ces dividendes correspondent à des flux monétaires perpétuels, que nous avons classés en trois catégories :

- les dividendes ayant *une croissance nulle* (auquel cas les dividendes sont constants);
- les dividendes ayant *une croissance stable* (auquel cas le taux de croissance des dividendes est stable);
- les dividendes ayant *une croissance en paliers* (auquel cas le taux de croissance peut varier d'une période à une autre).

Le taux de croissance mesure la rapidité avec laquelle les dividendes augmentent de période en période. La figure 6.9 illustre les différents types de croissance retenus pour les fins de ce chapitre.

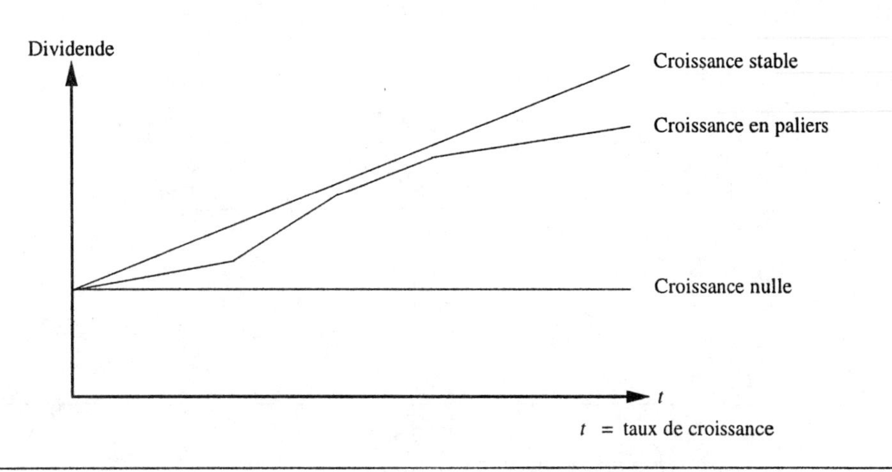

FIGURE 6.9
Les différents types de croissance des dividendes

Nous examinerons maintenant la valeur actuelle d'une action ordinaire selon chacune de ces catégories dans différentes situations.

2.1.1 Le cas des actions avec dividende à croissance nulle

Supposons que le dividende versé par l'action soit constant dans le temps. Dans ce cas, et tant qu'on la détient, l'action va toujours verser le même montant de dividende. Elle peut donc être considérée comme une perpétuité.

La valeur de l'action est alors donnée par :

$$P_0 = \frac{D_0}{k} \qquad \text{Éq. 6.5}$$

où :

D_0 = le dividende versé par l'action
k = le taux de rendement de l'action
P_0 = le prix de l'action

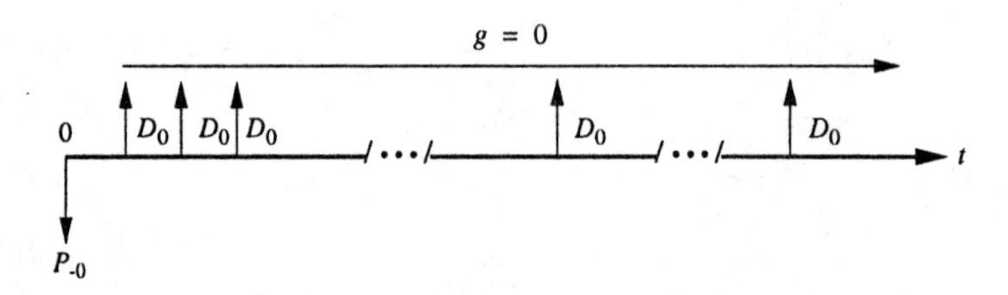

FIGURE 6.10
Une action avec dividende à croissance nulle

Exemple 4

Soit une action ordinaire qui verse un dividende annuel de 10 $ indéfiniment. Sachant que le taux de rendement exigé pour cette action est de 12 %, quel est son prix?

On a :

$$P_0 = \text{à déterminer}$$
$$D_0 = 10\ \$$$
$$k = 0{,}12$$

d'où :

$$P_0 = \frac{D_0}{k}$$

$$P_0 = \frac{10}{0{,}12}$$

$$P_0 = 83{,}33\ \$$$

2.1.2 Le cas des actions avec dividende à croissance stable

L'action peut aussi verser un dividende qui croît dans le temps à un taux g mais de façon stable. Cette action peut être considérée comme une perpétuité croissante, et sa valeur est donnée par :

$$P_0 = \frac{D_1}{k-g}$$ **Éq. 6.6**[1]

où :

P_0 = le prix de l'action

D_1 = le dividende versé par l'action au temps 1

k = le taux de rendement de l'action

g = le taux de croissance du dividende

1. Cette équation est associée au modèle dit de Gordon.

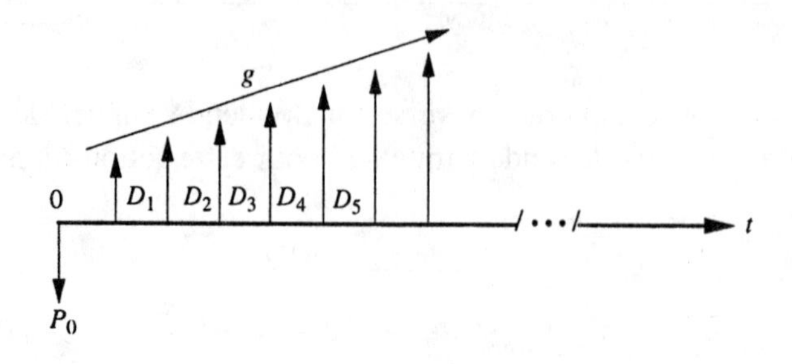

FIGURE 6.11
Une action avec dividende à croissance stable

Exemple 5

Soit une action ordinaire qui verse un dividende annuel de 2 $ qui croît de manière stable à un taux de 12 % par année. Sachant que le taux de rendement de l'action est de 15 %, quel est son prix?

On a :

$$D_0 = 2\ \$$$
$$g = 0{,}12$$
$$k = 0{,}15$$

$$D_1 = D_0(1+g)$$
$$= 2\,(1{,}12)$$
$$= 2{,}24\ \$$$

d'où :

$$P_0 = \frac{D_1}{k-g}$$

$$P_0 = \frac{2{,}24}{0{,}15-(0{,}12)}$$

$$P_0 = 74{,}67\ \$$$

2.1.3 Le cas des actions avec dividende à croissance en paliers

Contrairement à la situation précédente, il est beaucoup plus fréquent d'avoir des actions dont le dividende croît selon un taux variable, et non de façon constante. Nous avons ici, pour des fins de simplification, retenu seulement le cas des actions ayant un dividende dont la croissance g_1 est variable, mais selon un nombre donné de *paliers*. Dans ce cas, les dividendes sont caractérisés par un taux g_2 de croissance qui évolue par étapes, ou en paliers. Par exemple, les dividendes peuvent augmenter à un taux de croissance pendant trois périodes, puis à un autre taux pendant quatre périodes et enfin à un taux g_3 jusqu'à perpétuité. Dans ce cas, la valeur de l'action est donnée par la somme des dividendes actualisés, comme nous l'illustrons dans l'exemple 8.

Exemple 6

Supposons qu'une entreprise XYZ possède sur le marché une action ordinaire dont le dernier dividende annuel versé s'élevait à 10 $. Selon les actionnaires, ce dividende va croître de la façon suivante :

- à un taux g_1 de 3 % pendant les deux premières années;
- à un taux g_2 de 3,75 % pendant les deux années suivantes;
- à un taux g_3 de 4 % jusqu'à perpétuité.

En sachant que le taux de rendement annuel exigé est $k = 12$ %, quelle est la valeur de cette action?

Puisque la valeur d'un placement est égale à la valeur actualisée des flux monétaires qu'il procure, la procédure à suivre consiste à évaluer les dividendes à recevoir pour chaque palier de taux de croissance et à les actualiser à l'instant présent.

Dans cet exemple, nous avons trois paliers et nous procédons en quatre étapes.

Étape 1 : il faut évaluer les dividendes à recevoir pendant les deux premières années et les actualiser.

$$palier\ 1 = D_1(1 + k)^{-1} + D_2(1 + k)^{-2}$$

Or :

$$D_1 = D_0(1 + g_1)$$
$$D_1 = 10(1{,}03)$$
$$D_1 = 10{,}30\ \$$$
$$D_2 = D_1(1 + g_1)$$
$$D_2 = D_0(1 + g_1)(1 + g_1)$$
$$D_2 = 10\,(1{,}03)\,(1{,}03) = 10{,}61\ \$$$

d'où :

$$\begin{aligned} palier\ 1 &= D_0(1 + g_1)(1 + k)^{-1} + D_0(1 + g_1)^2(1 + k)^{-2} \\ &= 10\,(1{,}03)\,(1{,}12)^{-1} + 10\,(1{,}03)^2(1{,}12)^{-2} \\ &= 9{,}19 + 8{,}46 \\ &= 17{,}65\ \$ \end{aligned}$$

Étape 2 : il faut évaluer les dividendes à recevoir pendant les deux années suivantes et les actualiser.

$$palier\ 2 = D_3(1 + k)^{-3} + D_4(1 + k)^{-4}$$

Or :

$$D_3 = D_2(1 + g_2)$$
$$D_3 = 10{,}61\,(1 + 0{,}0375) = 11\ \$$$
$$D_4 = D_3(1 + g_2)$$
$$D_4 = D_2(1 + g_2)(1 + g_2)$$
$$D_4 = 10{,}61\,(1{,}0375)\,(1{,}0375)$$
$$D_4 = 11{,}42\ \$$$

d'où :

$$\begin{aligned} palier\ 2 &= D_2(1 + g_2)(1 + k)^{-3} + D_2(1 + g_2)^2(1 + k)^{-4} \\ &= 10{,}61(1{,}0375)\,(1{,}12)^{-3} + 10{,}61(1{,}0375)^2(1{,}12)^{-4} \\ &= 7{,}83 + 7{,}26 \\ &= 15{,}09\ \$ \end{aligned}$$

Étape 3 : il faut évaluer les dividendes à recevoir à partir de la cinquième année jusqu'à l'infini et les actualiser.

$$palier\ 3 = \frac{D_5}{(k - g_3)}(1 + k)^{-4}$$

Or :

$$D_5 = D_4(1 + g_3)$$
$$D_5 = 11{,}42\ (1{,}04)$$
$$D_5 = 11{,}88\ \$$$

d'où :

$$palier\ 3 = \frac{11{,}88}{(0{,}12 - 0{,}04)}(1{,}12)^{-4}$$
$$= 94{,}37\ \$$$

Étape 4 : il faut additionner *tous* les dividendes actualisés pour obtenir le prix de l'action.

$$P_0 = 17{,}65 + 15{,}09 + 94{,}37$$
$$P_0 = 127{,}11\ \$$$

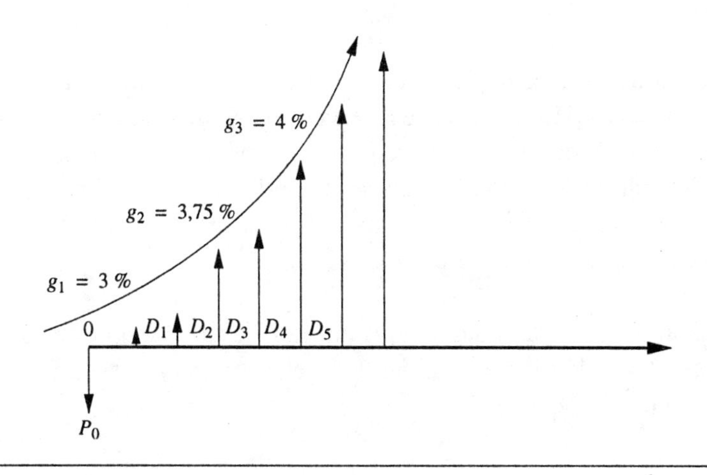

FIGURE 6.12
Une action avec dividende à croissance en paliers

2.2 Les actions privilégiées

Les *actions privilégiées* constituent une catégorie intermédiaire entre les obligations et les actions ordinaires. Les actionnaires privilégiés reçoivent des dividendes normalement fixes, d'où la similitude avec les obligations, mais à condition que le conseil d'administration décide de distribuer des dividendes, ce qui peut ne pas être le cas si l'entreprise est en mauvaise situation financière. Les dividendes privilégiés sont toujours *prioritaires* par rapport aux dividendes ordinaires : ils sont donc distribués *avant* les dividendes ordinaires. De plus, les actions privilégiées, contrairement aux actions ordinaires, ne donnent pas de droit de vote et ne portent donc pas atteinte au contrôle de l'entreprise.

Les actions privilégiées ont une valeur nominale et sont souvent classées en différentes catégories selon les privilèges ou les restrictions qui s'y rattachent.

Par exemple, on parle d'actions privilégiées à *dividende cumulatif ou non cumulatif*. Les premières sont telles que les dividendes non payés durant un certain nombre d'années vont s'accumuler et devront être payés avant que les actionnaires ordinaires reçoivent les leurs. Par contre, si le dividende est suspendu et que l'actionnaire n'y a plus droit une fois l'année de déclaration des dividendes passée, on parle d'action à dividende non cumulatif.

On parle aussi d'actions *rachetables ou non rachetables*. Les entreprises qui émettent des actions privilégiées peuvent se réserver le droit de les racheter pour en émettre de nouvelles avec un dividende inférieur le cas échéant. Dans ce cas, le taux de rendement exigé par les actionnaires sur ce genre d'actions est plus élevé. Si les actions sont non rachetables, elles sont plus avantageuses pour l'investisseur qui s'assure, en les gardant, d'un rendement à perpétuité.

Finalement, il existe aussi des actions privilégiées *convertibles* en actions ordinaires à un prix et à une date déterminés à l'avance. Cette catégorisation des actions privilégiées est loin d'être exhaustive.

L'évaluation des actions privilégiées se fait de la même façon que celle des actions ordinaires, selon l'analyse développée dans ce chapitre avec la particularité que nous sommes en présence d'un flux monétaire qui a la caractéristique d'être *constant et perpétuel.*

Exemple 7

Soit une action privilégiée qui verse un dividende annuel de 18 $. Cette action vaut 120 $. Quel est son taux de rendement?

On a :

$$P_0 = \frac{D_0}{k}$$

$$120 = 18/k$$

$$k = 18/120$$

$$k = 0{,}15 \text{ ou } 15\ \%$$

Vous remarquerez ici, comme nous l'avons mentionné dans le chapitre 5, que le taux de rendement est toujours exprimé en rendement *annuel.*

Conclusion

Ce chapitre nous a permis de voir quelques applications de la notion de rendement pour des fins d'évaluation d'un actif. Le taux de rendement est un élément essentiel à considérer lors de la décision d'investissement. Il permettra entre autres à l'investisseur de choisir parmi plusieurs possibilités d'investissement. Nous allons, dans le chapitre suivant, développer d'autres façons d'aider l'investisseur à prendre les bonnes décisions lorsqu'il est en présence de plusieurs possibilités d'investissement, soit, entre autres, l'approche de la valeur actuelle nette, l'indice de rentabilité et le délai de récupération.

Les activités d'apprentissage

Questions

1. Qu'est-ce qu'une obligation?

2. Quels sont les deux types de flux monétaires qui caractérisent une obligation?

3. Qu'est-ce qu'un coupon?

4. À quoi correspond la valeur nominale de l'obligation?

5. Qu'est-ce qu'une action?

6. Définissez les deux catégories d'actions.

Problèmes

1. Monsieur Gagnon vient de s'acheter 20 obligations de la Ville de Chicoutimi. Ces obligations, 20 tranches de 1 000 $, rapportent un taux de coupon de 12,75 % et viennent à échéance dans dix ans. Monsieur Gagnon voudrait connaître l'influence sur le prix de son obligation d'une variation de 1 %, à la hausse et à la baisse, du taux de rendement d'une obligation ayant les mêmes caractéristiques dans un an.

2. Au début des années 1950, le gouvernement canadien a émis des obligations sans date d'échéance. Ces obligations qui existent encore rapportent un taux de coupon de 6 %. Trouvez leur valeur marchande, 40 ans après leur émission, si le taux pour de telles obligations est passé à 11,5 %. Les versements du coupon sont faits deux fois l'an, les intérêts capitalisés deux fois l'an et la valeur nominale est de 1 000 $ par obligation.

3. Votre courtier vous offre une obligation d'Hydro-Québec dont la valeur nominale et de rachat est de 1 000 $, à un prix de 990 $. Cette obligation arrive à échéance dans 20 ans et rapporte un taux d'intérêt sur les coupons de 12 %. Les versements sont faits deux fois par année. Sachant que vous désirez un rendement d'au moins 12,5 % sur de tels titres, achèterez-vous cette obligation? Dites pourquoi.

4. Madame Turcotte a acquis le jour de leur émission, soit le 1er janvier 20X0, 15 obligations de la compagnie General Motors. Ces obligations, d'une valeur au pair de 1 000 $, ont un taux d'intérêt sur les coupons de 12 %. Elles avaient à l'origine une échéance de 20 ans. Les intérêts sont versés le 30 juin et le 31 décembre de chaque année. Le 31 mai 20X5, madame Turcotte désire s'acheter une maison. Elle voudrait donc vendre ses obligations au prix du marché à cette date. Compte tenu que les taux exigés pour une obligation comparable du point de vue du risque et de l'échéance, le 1er janvier 20X5 et le 31 mai 20X5, sont tous les deux de 9 %, à quel prix madame Turcotte pourra-t-elle vendre ses obligations?

5. Vous désirez investir sur le marché obligataire. Vous contactez votre courtier pour connaître les possibilités qui s'offrent à vous. Ce dernier vous recommande d'acheter une obligation donnant un taux d'intérêt sur les coupons de 20 % annuellement. Le coupon est semestriel. La valeur nominale de l'obligation est de 1 000 $. Le courtier qui vous vend ces obligations vous offre de placer vos coupons à un taux de 10 % capitalisé trimestriellement. L'obligation sera remboursable dans neuf ans et demi.

a) Combien êtes-vous prêt à payer pour cette obligation si vous exigez un rendement annuel moyen de 18,74 % pour la durée de ce projet?

b) Achèterez-vous cette obligation à prime ou à escompte?

c) Combien pourriez-vous vendre votre placement dans quatre ans et demi à quelqu'un qui exige un taux de 15,50 %, capitalisé trimestriellement?

d) Quel aura été votre rendement sur la période de quatre ans et demi si vous vendez au prix déterminé en c) et avez acheté au taux en a)?

6. La compagnie ABC inc. a en circulation 5 000 actions ordinaires. Ces actions sont rachetables en tout temps par la compagnie. L'entreprise a réalisé au cours de l'année 20X0 un bénéfice de 3,25 $ par action. ABC inc. versera l'an prochain 15 % de ce bénéfice par action en dividende. L'entreprise croit pouvoir maintenir une croissance de 10 % sur ce dividende pour les deux années subséquentes et, ensuite, envisage une croissance stable de 8 % de son dividende. L'entreprise voudrait racheter cette année 100 de ces actions à un prix fixe de 3,75 $ ou sur le marché à sa valeur marchande. Sachant que le taux de rendement exigé sur le marché est de 17 %, quelle solution est la plus avantageuse pour ABC inc.?

7. Les actions ordinaires de XYZ inc. ont rapporté en 20X0 un dividende de 0,60 $. La compagnie s'attend à une croissance nulle du dividende pour une période de quatre ans, et elle espère par la suite que son dividende aura une croissance stable de 8 % par année. Si vous désirez un rendement de 13 % sur de telles actions, quel prix seriez-vous prêt à payer?

8. À la suite d'une mauvaise conjoncture économique, la compagnie CDT inc. a réalisé au cours du dernier exercice une énorme perte d'exploitation. À cet effet, la compagnie vient de décider de ne pas verser de dividende pour les quatre prochaines années. L'année dernière, les actionnaires avaient reçu un dividende de 0,75 $, comparativement à 0,45 $ il y a cinq ans. La compagnie croit pouvoir verser un dividende de 0,85 $ dans cinq ans et maintenir la même croissance du dividende, pour les années subséquentes, que celle qui a été réalisée avant le déficit. Le taux de rendement exigé par le marché financier est de 16,5 %. Compte tenu de ces informations, quel prix le marché financier serait-il prêt à payer pour une action de la compagnie CDT inc.?

9. Vous avez 11 500 $ à investir. Nous sommes le 31 décembre 20X0, et ce montant qui repose dans votre compte de banque vous rapporte un intérêt nominal de 11 % capitalisé mensuellement. Deux projets mutuellement exclusifs s'offrent à vous. Il vous faudra choisir celui des deux qui vous permettra de maximiser votre richesse finale. Votre horizon d'investissement est de quinze ans.

Projet A : Vous pouvez acheter aujourd'hui au prix de 4 100 $ une obligation dont la valeur nominale est de 5 000 $ et qui offre un rendement à échéance de 14,5 % capitalisé semestriellement. Cette obligation arrivera à échéance le 30 juin 20X15; le premier coupon est encaissable le 30 janvier 20X1.

Projet B : Vous pourriez prêter aujourd'hui la somme de 7 500 $ sur hypothèque pour une période de quinze ans au taux effectif annuel de 17 %. Les remboursements seraient effectués à la fin de chaque mois. Les 4 000 $ restants seraient prêtés pour leur part en échange d'un billet d'une valeur de 6 250 $ venant à échéance dans cinq ans.

On vous demande :

a) En tenant compte du fait que toutes les entrées de fonds seront réinvesties dans votre compte de banque, quel est celui des deux projets qui vous permettra de maximiser votre richesse au bout de quinze ans?

b) Quel rendement annuel réaliseriez-vous avec le projet A et avec le projet B?

10. Une compagnie a émis il y a dix ans des obligations perpétuelles comportant un intérêt annuel de 5 % (versé une fois l'an) et ayant une valeur nominale de 1 000 $.

a) Si les taux d'intérêt sur le marché sont à 10 % actuellement, à quel prix achèteriez-vous ces obligations aujourd'hui?

b) Si les obligations émises il y a dix ans avaient eu une échéance de 20 ans, combien les auriez-vous payées aujourd'hui?

c) Si les obligations émises il y a dix ans avaient comporté une échéance de 11 ans, combien les auriez-vous payées aujourd'hui?

d) En supposant que les obligations en a), b) et c) comportent le même niveau de risque, laquelle serait-il préférable d'acquérir?

11. La compagnie Capital inc. vient d'émettre des actions ordinaires comportant un dividende semestriel non croissant de 2,50 $. Acceptant l'hypothèse qu'une compagnie ne fera jamais faillite et vivra éternellement, les dirigeants de Capital inc., de même que les investisseurs, s'attendent donc à un dividende perpétuel.

a) Si le marché actuel commande un rendement de 16 % capitalisé semestriellement, combien paieriez-vous une action de Capital inc.?

b) Combien paieriez-vous la même action si le rendement exigé était de 16,25 % capitalisé trimestriellement?

c) Et si le taux exigé était de 18,33 % capitalisé annuellement?

ANNEXE 6.1
Les équations

L'intérêt simple

Montant total d'intérêts accumulés

$$TOT\,i = PV \times I \times N$$ **Éq. 2.1**

FV d'un montant placé à intérêt simple

$$FV_N = PV + TOT\,i$$ **Éq. 2.2**

$$FV_N = PV(1 + I \times N)$$ **Éq. 2.3**

L'intérêt composé

FV d'un montant placé à intérêt composé

$$FV_N = PV(1 + I)^N$$ **Éq. 2.4**

Taux périodique (i)

$$i = I/m$$ **Éq. 2.5**

Transposition du taux périodique au taux effectif

$$(1 + i_r) = (1 + i)^m$$ **Éq. 2.6**

$$(1 + i_r) = (1 + I/m)^m$$

Taux effectif quand la fréquence de capitalisation est infinie

$$i_r = e^I - 1$$ **Éq. 2.7**

Équivalence entre des taux nominaux

$$(1 + I_1 / m_1)^{m1} = (1 + I_2 / m_2)^{m2} \quad \text{Éq. 2.8}$$

Valeur future d'un montant unique

$$FV_n = PV (1 + i)^n \quad \text{Éq. 2.9}$$

$$FV_{N \times m} = PV (1 + I/m)^{N \times m}$$

Valeur actuelle d'un montant unique

$$PV = FV_n (1 + i)^{-n} \quad \text{Éq. 2.10}$$

$$PV = FV_{N \times m} (1 + I/m)^{-N \times m}$$

Valeur future d'une annuité de fin de période

$$FV_n = PMT\left[\frac{(1 + i)^n - 1}{i}\right] \quad \text{Éq. 3.1}$$

$$FV_n = PMT\left[\frac{(1 + I/m)^{N \times m} - 1}{I/m}\right]$$

$$FV_n = PMT \times S_{i,n} \quad \text{Éq. 3.2}$$

Valeur future d'une annuité de début de période

$$FV_n = PMT \left[\frac{(1 + i)^n - 1}{i}\right](1 + i) \quad \text{Éq. 3.3}$$

$$FV_n = PMT \left[\frac{(1 + I/m)^{N \times m} - 1}{I/m}\right](1 + I/m)$$

$$FV_n = PMT(S^1_{i,n}) \quad \text{Éq. 3.4}$$

Valeur actuelle d'une annuité de fin de période

$$PV = PMT\left[\frac{1-(1+i)^{-n}}{i}\right] \quad \text{Éq. 3.5}$$

$$PV = PMT\left[\frac{1-(1+I/m)^{-N\times m}}{I/m}\right]$$

$$PV = PMT \times A_{i,n} \quad \text{Éq. 3.6}$$

Valeur actuelle d'une annuité de début de période

$$PV = PMT\left[\frac{1-(1+i)^{-n}}{i}\right](1+i) \quad \text{Éq. 3.7}$$

$$PV = PMT\left[\frac{1-(1+I/m)^{-N\times m}}{I/m}\right](1+I/m)$$

$$PV = PMT \times A^{1}_{i,n} \quad \text{Éq. 3.8}$$

Valeur actuelle d'une série de flux monétaires variables

$$PV = \sum_{t=1}^{n} FM_t(1+i)^{-t} \quad \text{Éq. 3.9}$$

Valeur future d'une série de flux monétaires variables

$$FV = \sum_{t=1}^{n} FM_t(1+i)^{n-t} \quad \text{Éq. 3.10}$$

Valeur actuelle d'une perpétuité de fin de période

$$PV = \frac{PMT}{i} \quad \text{Éq. 4.1}$$

Valeur actuelle d'une perpétuité de début de période

$$PV = \frac{PMT}{i}(1+i) \quad \text{Éq. 4.2}$$

$$PV = \frac{PMT}{i} + PMT \quad \text{Éq. 4.3}$$

La valeur des coupons

$$C = VN \times I_c$$ Éq. 6.1

Le prix d'une obligation

$$P_0 = C\left[\frac{1-(1+i)^{-n}}{i}\right] + VN(1+i)^{-n}$$ Éq. 6.2

Les intérêts courus

intérêts courus = (*coupon*/6) × *nombre de mois écoulés depuis le dernier coupon* Éq. 6.3

Le prix d'une action ordinaire

$$P_0 = \sum_{t=1}^{\alpha} \frac{D_t}{(1+k)^t}$$ Éq. 6.4

Le prix d'une action avec dividende à croissance nulle

$$P_0 = \frac{D_0}{k}$$ Éq. 6.5

Le prix d'une action avec dividende à croissance stable

$$P_0 = \frac{D_1}{k-g}$$ Éq. 6.6

Chapitre 7

Les critères de choix des investissements

Schéma d'intégration des contenus

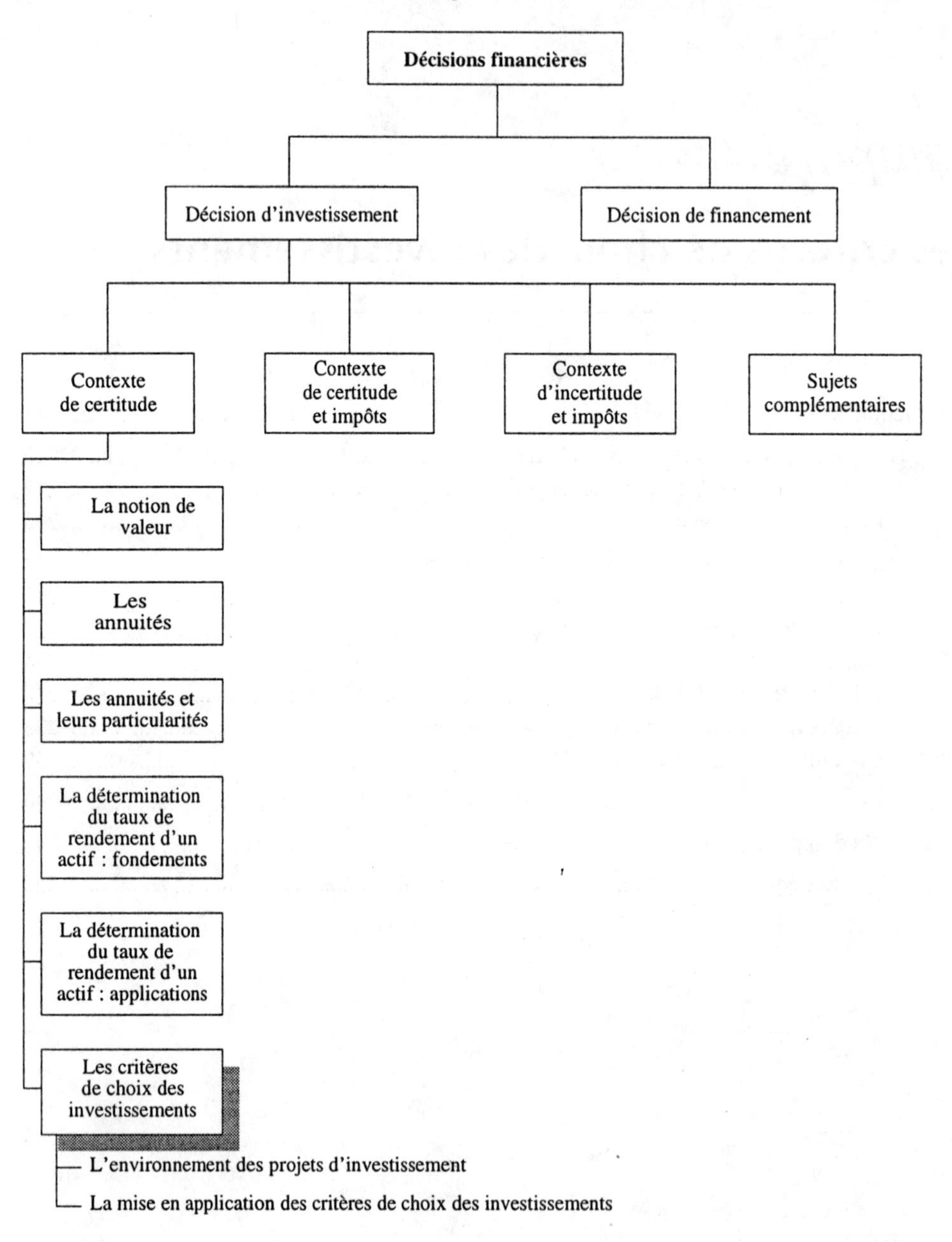

La lecture de ce chapitre devrait vous permettre de bien maîtriser :

- l'utilisation des différents critères de choix des investissements;
- les points forts et les faiblesses de chacun de ces critères;
- les situations où s'opposent les critères actualisés et la manière d'y remédier.

Introduction

Tout agent économique se trouve un jour ou l'autre devant une décision à prendre concernant l'utilisation du capital dont il dispose. Ce capital peut être alloué à différentes fins et, parmi les choix possibles, l'investissement constitue une option. On définit l'*investissement* comme l'achat de biens corporels ou incorporels en vue d'en retirer des revenus à plus ou moins long terme.

L'objectif premier d'un investisseur est de maximiser sa richesse (c'est-à-dire de s'enrichir). Par conséquent, le meilleur investissement est celui qui lui permet de s'enrichir le plus. Pour faire un choix éclairé et déterminer si les retombées du ou des projets analysés maximisent sa richesse, l'investisseur doit réunir plusieurs informations afin de pouvoir apprécier la qualité de chacun de ces projets. Ces informations, une fois recueillies, seront traitées à l'aide de différents critères qui devraient permettre à l'investisseur de discriminer parmi une multitude de projets, celui ou ceux qui répondent à ses objectifs.

Afin de nous éclairer face à ces critères de choix des investissements, nous présentons dans un premier temps les principales caractéristiques qui touchent l'environnement des projets d'investissement. Ensuite, tout au long du chapitre, nous traiterons, un à un, les cinq principaux critères de sélection de projets les plus souvent utilisés par les gestionnaires.

1. L'environnement des projets d'investissement

Habituellement, un investisseur se trouve contraint à faire un choix parmi plusieurs possibilités d'investissement. Il est donc primordial d'identifier les caractéristiques de chaque possibilité d'investissement et de réunir les outils nécessaires pour faire un choix éclairé. Entre autres, deux facteurs peuvent avoir un impact sur le choix des investissements, soit la nature des projets d'investissement (projets indépendants ou mutuellement exclusifs) et la contrainte budgétaire ou la limite des ressources disponibles de l'investisseur.

1.1 Projets indépendants ou mutuellement exclusifs

La nature des projets d'investissement peut avoir un impact sur le choix effectué par les gestionnaires. En effet, on distingue généralement deux grands types de projets, soit les projets indépendants et les projets mutuellement exclusifs.

Des projets d'investissement sont dits *indépendants* quand le choix de l'un (ou de certains) n'entraîne pas automatiquement le rejet des autres. Des projets indépendants peuvent être réalisés simultanément. Par exemple, l'entreprise Donohue spécialisée dans la fabrication de pâte à papier envisage de réaliser deux projets : le premier consiste à installer un système de filtration dans les conduits de l'usine afin d'en diminuer les émanations toxiques; le deuxième projet vise l'achat d'une imprimerie dans la région de Québec. Ces deux projets sont indépendants et il n'y a aucun lien entre eux. Le choix de la réalisation de l'un n'empêchant pas le choix de la réalisation de l'autre, l'entreprise peut fort bien les réaliser tous les deux simultanément. Le choix de l'un est donc indépendant du choix de l'autre.

Des projets sont dits *mutuellement exclusifs* lorsque le choix de l'un entraîne *nécessairement* le rejet de tous les autres. Dans ce cas, on ne peut réaliser *qu'un seul projet* à la fois. Par exemple, un fabricant canadien de chaussures envisage de s'implanter au Brésil. Pour ce faire, il a le choix entre deux projets : acquérir l'usine d'un producteur local ou bâtir une nouvelle usine. Ces deux projets ne peuvent être réalisés simultanément, car ils deviennent redondants : si le producteur construit une usine au Brésil lui permettant de vendre ses produits sur le marché local, il n'a pas besoin d'acheter l'usine du producteur local, son objectif ayant été réalisé. Ces deux projets sont donc mutuellement exclusifs et le producteur devra en choisir un seul pour atteindre son objectif. Le choix de l'un entraîne donc automatiquement le rejet de tous les autres projets qui visent le même objectif.

Il est rare qu'un investisseur n'ait qu'un seul projet d'investissement à analyser. De façon générale, il doit faire face à une multitude de projets, dont certains peuvent être indépendants et d'autres mutuellement exclusifs.

1.2 La contrainte budgétaire

Dans toute situation de choix d'investissement, l'investisseur doit faire face à une réalité inévitable : la limite des ressources disponibles. En effet, les fonds budgétaires à sa disponibilité ne sont pas inépuisables et encore moins illimités. En raison de cette contrainte budgétaire, l'investisseur devra rejeter certains projets qu'il réaliserait s'il en avait les moyens.

Si les projets sont indépendants et que le budget est limité, l'investisseur devra se doter de critères de choix qui lui permettront de classer les projets et de choisir celui ou ceux qui contribuent le plus à augmenter sa richesse jusqu'à épuisement de ses ressources.

Si les projets sont mutuellement exclusifs et que les ressources sont limitées, l'investisseur devra se doter de critères de choix qui lui permettront de classer les projets et de choisir celui qui contribue le plus à l'enrichir.

À titre d'exemple, supposons que la compagnie ABC dispose d'un budget de 750 000 $ pour réaliser différents projets d'investissement et qu'elle doit faire un choix parmi les quatre projets suivants :

A. renouveler son parc automobile (250 000 $),
B. installer une nouvelle usine (750 000 $),
C. introduire une nouvelle chaîne de production (800 000 $),
D. investir dans une campagne de publicité (200 000 $).

Supposons que les projets soient indépendants. Pour les réaliser tous, il aurait fallu un budget total de 2 000 000 $. Or, la compagnie ne dispose que de 750 000 $. Cette contrainte budgétaire impose au gestionnaire de choisir un investissement se situant dans les limites de ses capacités financières disponibles.

À partir de l'exemple précédent, le gestionnaire se retrouve devant les quatre choix suivants :

1. ne réaliser que le projet A,
2. ne réaliser que le projet B,
3. ne réaliser que le projet D,
4. réaliser les projets A et D.

Supposons que les projets soient mutuellement exclusifs. Le gestionnaire n'a alors plus que trois possibilités, soit :

1. réaliser A,
2. réaliser B,
3. réaliser D.

2. La mise en application des critères de choix des investissements

Comme l'objectif ultime de tout investisseur est de maximiser sa richesse et son utilité, c'est sur cette base qu'il devra choisir ses investissements. Pour évaluer les projets qui lui permettent d'atteindre son objectif, l'investisseur doit mettre en application des critères d'évaluation afin d'identifier la manière optimale d'utiliser les ressources dont il dispose. Les critères que nous avons retenus sont le délai de récupération, le taux de rendement comptable, la valeur actuelle nette, l'indice de rentabilité et le taux de rendement interne.

Devant un ensemble de projets d'investissement parmi lesquels il doit faire ses choix, l'investisseur doit évaluer le ou les projets qui contribueront le plus à augmenter sa richesse. Pour ce faire, il dispose d'un ensemble de critères lui permettant de choisir les investissements les plus susceptibles de l'enrichir. Les critères de choix des investissements permettent de faire un choix éclairé. Cependant, ces critères sont loin d'être parfaits et encore moins équivalents. En fait, dans certains cas, ils peuvent même conduire à des décisions opposées. Il faut donc comprendre les forces et les faiblesses de chacun de ces critères d'évaluation afin de bien saisir les nuances particulières de chaque approche.

2.1 Le délai de récupération

Règle générale, un projet est constitué d'une sortie de fonds initiale suivie d'entrées de fonds ultérieures. Une des préoccupations les plus présentes chez l'investisseur est de savoir au bout de combien de temps il pourra récupérer sa mise de fonds initiale. Le *délai de récupération* (*DR*), ou *payback*, répond à cette préoccupation. Le *DR* est défini comme étant le *nombre d'années* nécessaire pour récupérer les capitaux investis initialement. Le délai de récupération est l'un des critères les plus utilisés en pratique en raison de sa simplicité; il s'exprime comme suit :

$$DR = \frac{C}{FM} \qquad \textbf{Éq. 7.1}$$

où :

C = le coût du projet

FM = le flux monétaire annuel attendu

DR = le délai de récupération

Dans cette expression, on suppose que les flux monétaires annuels attendus sont *constants* d'année en année, mais également constants à l'intérieur même d'une année. S'ils sont *irréguliers* d'année en année, il faut additionner les flux monétaires jusqu'à ce que leur somme soit égale au coût du projet.

Il faut alors calculer d'année en année $\sum FM_t$ jusqu'à ce que $\sum FM_t = C$.

Nous allons illustrer, par des exemples, la méthode de calcul du délai de récupération.

Exemple 1

La modernisation de l'équipement informatique d'une usine nécessite un investissement initial de 20 000 $. Les flux monétaires attendus sont les suivants :

Flux monétaires	Montants	Montants cumulés	Montants à récupérer
C	–20 000 $		20 000 $
FM_1	10 000 $	10 000 $	10 000 $
FM_2	6 000 $	16 000 $	4 000 $
FM_3	4 000 $	**20 000 $**	0
FM_4	5 000 $	25 000 $	

Le délai de récupération représente le temps nécessaire pour récupérer le montant investi initialement. On voit qu'à la troisième année, les flux monétaires permettent de récupérer le capital initial de 20 000 $. Le délai de récupération de ce projet est donc égal à trois ans.

Exemple 2

Supposons que la rénovation d'une chaîne de production nécessite un investissement de 90 000 $. Ce projet devrait rapporter 25 000 $ par an. Au bout de combien de temps l'investisseur devrait-il récupérer sa mise de fonds initiale?

DR = à déterminer

C = 90 000 $

FM = 25 000 $

$$DR = \frac{C}{FM}$$

$$DR = \frac{90\ 000}{25\ 000} = 3{,}6 \text{ ans}$$

L'investissement est donc récupéré au bout de 3,6 ans, soit 3 ans et 219 jours ou encore 3 ans et 7,2 mois.

Exemple 3

Le coût d'installation d'une clôture autour d'un pâturage est de 75 000 $. Les flux monétaires attendus pour les six prochaines années sont les suivants :

Flux monétaires	Montants	Montants cumulés	Montant à récupérer
C	–75 000 $		75 000 $
FM_1	20 000 $	20 000 $	55 000 $
FM_2	30 000 $	50 000 $	25 000 $
FM_3	50 000 $	100 000 $	
FM_4	20 000 $	120 000 $	
FM_5	100 000 $	220 000 $	
FM_6	150 000 $	370 000 $	

Comme l'investissement initial est de 75 000 $, le montant cumulé des flux monétaires atteindra 75 000 $ entre la deuxième année (où le montant cumulé = 50 000) et la troisième année (où le montant cumulé = 100 000).

À la fin de la deuxième année, l'investisseur aura reçu la somme totale 50 000 $, soit 25 000 $ de moins que le coût initial du projet. En supposant que le troisième flux de 50 000 $ va être récupéré à un rythme constant durant la troisième année, il faudra approximativement 25 000/50 000 = 0,50 année, ou si vous préférez 6 mois, pour récupérer les 25 000 $ restants et couvrir ainsi l'investissement initial de 75 000 $. Le *DR* de ce projet est donc de 2 ans et 6 mois.

Les exemples qui précèdent illustrent la façon de déterminer le *DR* d'un projet d'investissement. Une fois le *DR* d'un projet d'investissement connu, les gestionnaires le comparent à la norme qu'ils auront précédemment établie afin de discriminer parmi les projets ceux qui seront acceptés par rapport à ceux qui seront rejetés. En effet, les gestionnaires doivent établir, de façon arbitraire ou non, un niveau de *DR en deçà* duquel les projets seront acceptés. Cette norme guidera les gestionnaires dans l'application des règles de décision touchant le *DR* et qu'on trouve énumérées à l'intérieur de la figure 7.1.

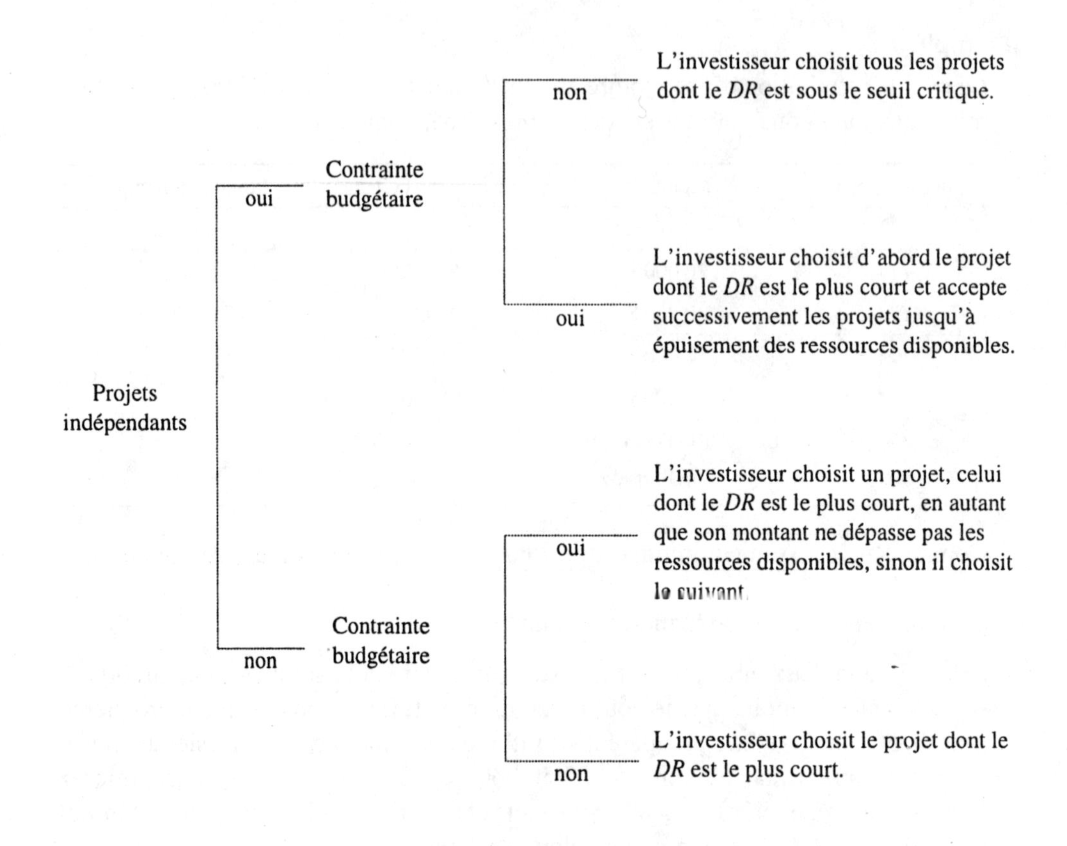

FIGURE 7.1
Les règles de décision selon le *DR*

Afin d'illustrer l'application des différentes règles de décision présentées à l'intérieur de la figure 7.1, et en supposant que la norme établie par les gestionnaires est de trois ans, voici cinq projets :

Projet	**A**	**B**	**C**	**D**	**E**
DR	2 ans	1,5 an	3 ans	4 ans	5 ans

En supposant que les projets sont indépendants et qu'il n'y a pas de contrainte budgétaire, l'investisseur choisira tous les projets dont le *DR* est inférieur à la norme établie, soit A, B et C.

En supposant que les projets sont indépendants et qu'il y a contrainte budgétaire, l'investisseur commencera par réaliser le projet dont le *DR* est le plus court par rapport à la norme établie, soit B, ensuite A et finalement C jusqu'à épuisement des ressources disponibles, ou aucun de ceux-ci si l'investissement nécessaire est trop élevé.

En supposant que les projets sont mutuellement exclusifs et qu'il n'y a pas de contrainte budgétaire, l'investisseur réalisera le projet dont le *DR* est le plus court par rapport à la norme établie, soit B.

En supposant que les projets sont mutuellement exclusifs et qu'il y a contrainte budgétaire, l'investisseur choisira de réaliser le projet dont le *DR* est le plus court par rapport à la norme établie et dont le montant n'excède pas le budget alloué, soit B ou A ou C, ou aucun de ceux-ci si l'investissement nécessaire est trop élevé.

L'utilisation du *DR* comme critère de choix des investissements doit être faite en ayant à l'esprit les limites et les faiblesses d'un tel critère de sélection. Comme principales faiblesses du *DR*, nous avons retenu les deux suivantes :

1. Le *DR* ne tient pas compte de la valeur temps de l'argent. En effet, comme nous l'avons vu au chapitre 2, les montants reçus ou versés à des périodes différentes ne sont pas comparables. *Il ne faut jamais, au grand jamais, additionner des montants qui se situent à des dates différentes*. Le *DR* additionne les flux monétaires sans les actualiser. Ainsi, dans l'exemple 3, selon le *DR*, le FM_1 et le FM_4, tous les deux égaux à 20 000 $, ont la même valeur malgré le fait que trois ans les séparent, ce qui ne serait pas le cas si chacun de ces montants était actualisé en dollars du temps 0.

2. Le *DR* ne tient pas compte des flux monétaires qui arrivent après le délai de récupération. En effet, à titre d'illustration, l'exemple 3 nous présente des flux monétaires très importants aux périodes 5 et 6. En supposant que la norme ait été fixée à deux ans, ce projet aurait été refusé malgré des flux monétaires très importants qui seraient apparus seulement à la fin du projet.

Un moyen de pallier la première faiblesse consiste à déterminer le *délai de récupération actualisé* (*DRA*). Pour ce faire, il suffit d'actualiser les différents flux monétaires avant de les additionner.

Il faut alors calculer d'année en année $\sum_{t=1}^{N} FM_t(1+K)^{-t}$ jusqu'à ce que

$$\sum_{t=1}^{N} FM_t(1+K)^{-t} = C,$$ où K représente le taux d'actualisation.

2.2 Le taux de rendement comptable

Un investissement est souvent analysé à partir d'informations comptables qui cherchent à comptabiliser et à évaluer les entrées de fonds attendues ainsi que le bénéfice engendré par le projet. Sur la base de données telles que le bénéfice comptable, les gestionnaires peuvent déterminer le *taux de rendement comptable* (*TRC*) d'un projet. Le taux de rendement comptable est défini comme le rapport entre le bénéfice comptable annuel moyen et le coût de l'investissement initial. Sa formulation algébrique est la suivante :

$$TRC = \frac{\left[\frac{\sum_{t=1}^{N} BNAI_t}{N}\right]}{C}$$ **Éq. 7.2**

où :

$BNAI_t$	=	le bénéfice net après impôts à la période t
N	=	la durée de l'investissement
C	=	le coût du projet

Nous allons, dans ce qui suit, illustrer avec un exemple le mode de calcul du taux de rendement comptable.

Exemple 4

L'achat d'un ordinateur nécessite un investissement initial de 25 000 $. Les bénéfices nets après impôts engendrés par le projet sont répartis comme suit pendant cinq ans :

- année 1 : 6 000 $
- année 2 : 4 000 $
- année 3 : 2 000 $
- année 4 : 4 000 $
- année 5 : 3 000 $

Quel est le *TRC* du projet?

Le *TRC* s'établit comme suit :

$$TRC = \frac{\left[\dfrac{\sum_{t=1}^{N} BNAI_t}{N}\right]}{C}$$

$$TRC = \frac{\left[\dfrac{6\,000 + 4\,000 + 2\,000 + 4\,000 + 3\,000}{5}\right]}{25\,000} = 15{,}2\ \%$$

L'exemple qui précède illustre la façon de déterminer le *TRC* d'un projet d'investissement. Une fois le *TRC* d'un projet d'investissement connu, les gestionnaires le comparent à la norme qu'ils auront précédemment établie afin de discriminer parmi les projets ceux qui seront acceptés par rapport à ceux qui seront rejetés. En effet, les gestionnaires doivent établir, de façon arbitraire, un niveau de *TRC au-dessus* duquel les projets seront acceptés. Cette norme guidera les gestionnaires dans l'application des règles de décision touchant le *TRC* et qui sont énumérées à l'intérieur de la figure 7.2.

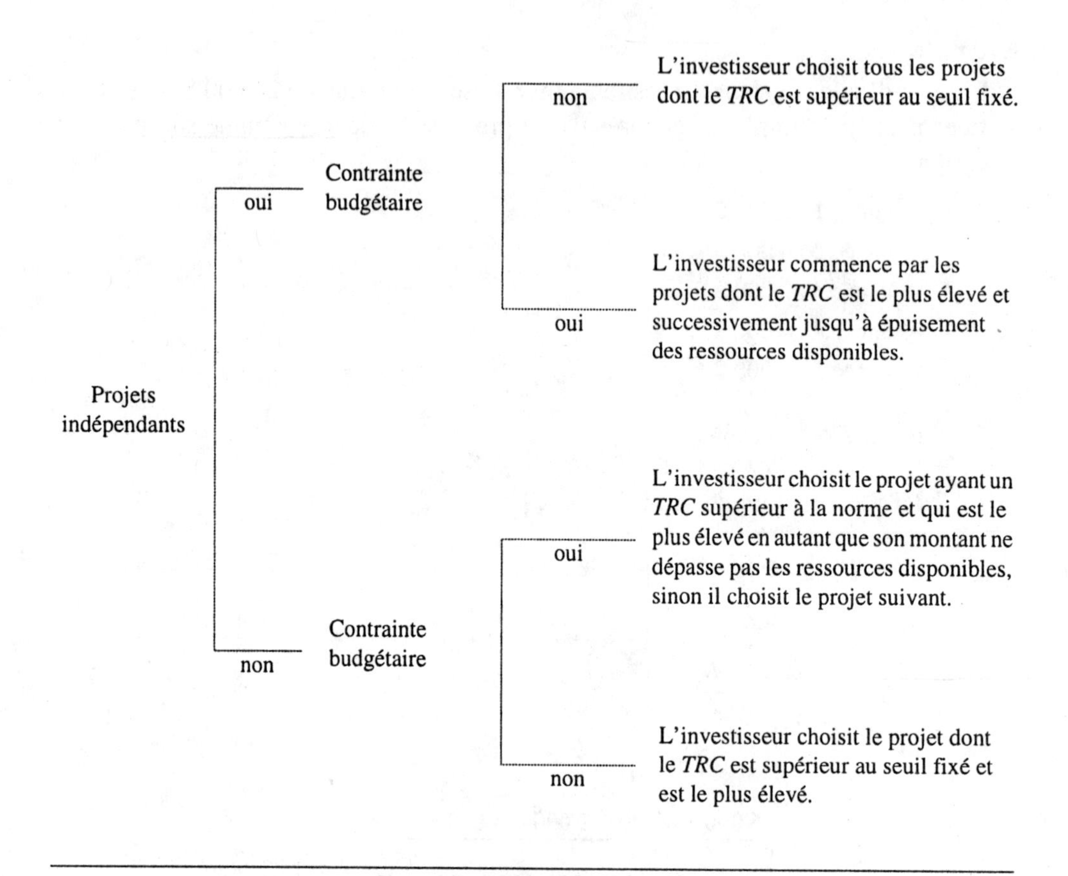

FIGURE 7.2
Les règles de décision selon le *TRC*

Afin d'illustrer l'application des différentes règles de décision présentées à l'intérieur de la figure 7.2, et en supposant que la norme établie par les gestionnaires est de 14 %, voici cinq projets :

Projet	A	B	C	D	E
TRC	12,47 %	10,21 %	8,13 %	21,01 %	33,61 %

En supposant que les projets sont indépendants et qu'il n'y a pas de contrainte budgétaire, l'investisseur choisira tous les projets dont le *TRC* est supérieur à la norme de 14 %, soit D et E.

En supposant que les projets sont indépendants et qu'il y a contrainte budgétaire, l'investisseur commencera par réaliser le projet dont le *TRC* est le plus élevé par rapport à la norme établie, soit E et ensuite D, jusqu'à épuisement des ressources disponibles, ou aucun de ceux-ci si l'investissement nécessaire est trop élevé.

En supposant que les projets sont mutuellement exclusifs et qu'il n'y a pas de contrainte budgétaire, l'investisseur réalisera le projet dont le *TRC* est le plus élevé par rapport à la norme de 14 %, soit E.

En supposant que les projets sont mutuellement exclusifs et qu'il y a contrainte budgétaire, l'investisseur choisira de réaliser le projet dont le *TRC* est le plus élevé par rapport à la norme établie de 14 % et dont le montant n'excède pas le budget alloué, soit E ou D, ou aucun de ceux-ci si l'investissement nécessaire est trop élevé.

L'utilisation du *TRC* comme critère de choix des investissements doit être faite en ayant à l'esprit les limites et les faiblesses d'un tel critère de sélection. Comme principales faiblesses du *TRC*, nous avons retenu les deux suivantes :

1. Le *TRC* ne tient pas compte de la valeur temps de l'argent. En effet, comme nous l'avons vu au chapitre 2, les montants reçus ou versés à des périodes différentes ne sont pas comparables. *Il ne faut jamais, au grand jamais, additionner des montants qui se situent à des dates différentes*. Le *TRC* additionne les flux monétaires sans les actualiser. Ainsi, dans l'exemple 4, selon le *TRC*, $BNAI_2$ et $BNAI_4$, tous les deux égaux à 4 000 $, ont la même valeur malgré le fait que deux ans les séparent, ce qui ne serait pas le cas si chacun de ces montants était actualisé en dollars du temps 0.
2. Le *TRC* est fonction des bénéfices nets et non des flux monétaires. Or, le bénéfice net est plus sensible aux choix comptables que ne le sont les flux monétaires. Prenons l'exemple d'un compte à recevoir de 5 000 $. Dans l'optique des flux monétaires, le compte à recevoir ne peut être inclus dans le calcul des flux monétaires que lorsqu'il est encaissé, c'est-à-dire lorsqu'il y a un mouvement de fonds. Par contre, selon une approche comptable, le compte à recevoir est enregistré dès que la créance est constatée.

Comme nous l'avons noté, la considération de la valeur temps de l'argent est une faiblesse commune aux critères présentés ci-dessus. Le *DR* et le *TRC* additionnent des montants qui arrivent à différentes périodes, sans les actualiser. Il s'agit d'une faiblesse fort importante compte tenu de l'impact que peut avoir le temps sur la valeur des flux monétaires à recevoir à la suite de la réalisation d'un projet.

Il existe cependant d'autres critères de choix d'investissements qui corrigent cette faiblesse, ce qui les rend plus attrayants. Plus spécifiquement, ces critères sont la valeur actuelle nette, l'indice de rentabilité et le taux de rendement interne. Le point commun à ces trois critères est que leur mode de calcul est basé sur la valeur actuelle des entrées de fonds (*VAE*) de même que sur la valeur actuelle des sorties de fonds (*VAS*). Nous les passons en revue dans les sections suivantes.

2.3 La valeur actuelle nette

Une méthode grandement répandue d'évaluation des projets d'investissement et qui a le mérite de tenir compte de la valeur temps de l'argent est la *valeur actuelle nette* (*VAN*). La *VAN* représente la différence entre la valeur actualisée des entrées de fonds (*VAE*) et la valeur actualisée des sorties de fonds (*VAS*) durant la durée d'un projet. Autrement dit, la *VAN* représente la différence entre les revenus actualisés et le coût actualisé du projet.

Algébriquement :

$$VAN = VAE - VAS \qquad \textbf{Éq. 7.3}$$

Ou encore :

$$VAN = \sum_{t=1}^{n} FM_t(1+i)^{-t} - C \qquad \textbf{Éq. 7.4}$$

où :

FM_t	=	les flux monétaires générés par l'investissement à la période t
C	=	le coût du projet
i	=	le taux d'actualisation
n	=	le nombre de périodes du projet

Dans l'exemple qui suit, nous illustrons la règle de calcul de la *VAN*.

Exemple 5

Soit un projet A qui nécessite un investissement initial de 70 000 $. Les flux monétaires anticipés de ce projet se répartissent comme suit :

$$C = -70\,000\ \$$$
$$FM_1 = 40\,000\ \$$$
$$FM_2 = 20\,000\ \$$$
$$FM_3 = 30\,000\ \$$$
$$FM_4 = 10\,000\ \$$$

En supposant que le taux d'actualisation est de 12 %, la *VAN* de ce projet se calcule comme suit :

$$VAN = \sum_{t=1}^{n} FM_t(1+i)^{-t} - C$$

$$VAN = 40\,000(1+0{,}12)^{-1} + 20\,000(1+0{,}12)^{-2} + 30\,000(1+0{,}12)^{-3} + 10\,000(1+0{,}12)^{-4} - 70\,000$$

$$VAN = 79\,367 - 70\,000 = 9\,367\ \$$$

L'exemple qui précède illustre la façon d'obtenir la *VAN* d'un projet d'investissement. Contrairement au *DR* et au *TRC*, vus précédemment, qu'il fallait comparer à une norme établie par les gestionnaires (norme qui peut d'ailleurs varier d'un gestionnaire à l'autre), l'intervention des gestionnaires, avec la *VAN*, se manifeste dans le choix du taux d'actualisation à utiliser sur les flux monétaires du projet. Ainsi, pour qu'un projet soit accepté, il faut que ce dernier obtienne une *VAN positive*, une fois les flux monétaires du projet actualisés au taux de rendement déterminé par les gestionnaires. Ce taux d'actualisation représente en fait le taux de rendement minimum que doit obtenir le projet afin d'être accepté. Si, une fois les flux monétaires du projet actualisés, ce dernier donne une *VAN* positive, cela démontre que le rendement du projet est au moins supérieur au taux d'actualisation utilisé. *Sans connaître le taux de rendement précis du projet, nous savons cependant que si la VAN est positive, celui-ci atteint au minimum le taux de rendement requis et prédéterminé par les gestionnaires.*

Le montant de la *VAN*, pour sa part, représente l'*enrichissement* (si la *VAN* est positive) ou l'*appauvrissement* (si la *VAN* est négative) en dollars du temps 0 des investisseurs à la suite de la réalisation du projet.

Les règles de décision touchant la *VAN* sont énumérées à l'intérieur de la figure 7.3.

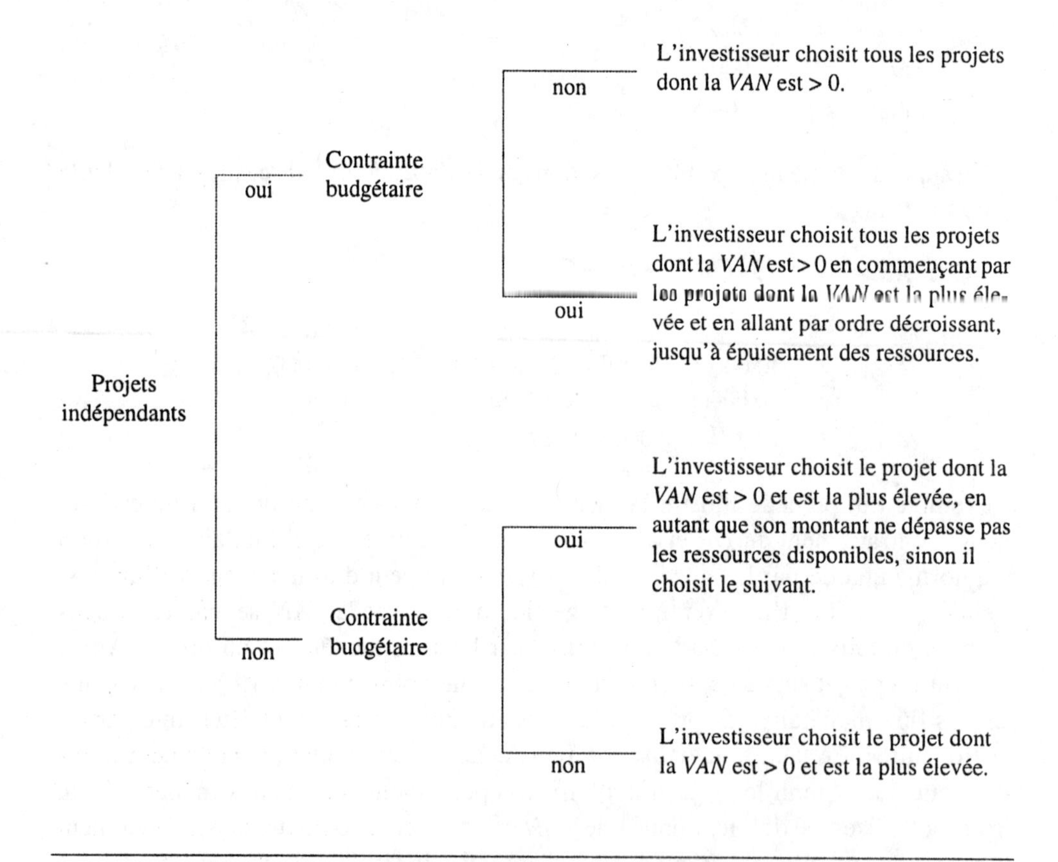

FIGURE 7.3
Les règles de décision selon la *VAN*

Afin d'illustrer l'application des différentes règles de décision présentées à l'intérieur de la figure 7.3, voici cinq projets :

Projet	A	B	C	D	E
VAN	– 300 $	1 000 $	11 700 $	20 000 $	700 $

En supposant que les projets sont indépendants et qu'il n'y a pas de contrainte budgétaire, l'investisseur choisira tous les projets dont la *VAN* est positive, soit D, C, B et E.

En supposant que les projets sont indépendants et qu'il y a contrainte budgétaire, l'investisseur commencera par réaliser le projet dont la *VAN* est la plus élevée, soit D et ensuite C, B et E jusqu'à épuisement des ressources disponibles, ou aucun de ceux-ci si l'investissement nécessaire est trop élevé.

En supposant que les projets sont mutuellement exclusifs et qu'il n'y a pas de contrainte budgétaire, l'investisseur réalisera le projet dont la *VAN* est la plus élevée, soit D.

En supposant que les projets sont mutuellement exclusifs et qu'il y a contrainte budgétaire, l'investisseur choisira de réaliser le projet dont la *VAN* est la plus élevée et dont le montant n'excède pas les ressources disponibles, soit D ou C ou B ou E, ou aucun de ceux-ci si l'investissement nécessaire est trop élevé.

L'utilisation de la *VAN* comme critère de choix des investissements doit être faite en ayant à l'esprit les limites et les faiblesses d'un tel critère de sélection. Comme principales faiblesses de la *VAN*, nous avons retenu les deux suivantes :

1. Le critère de la *VAN* nous amène à effectuer notre choix sur un montant *absolu et non relatif*. En effet, toutes choses étant égales par ailleurs, si deux projets X et Y ont respectivement une *VAN* de 10 $ et 15 $, nous serons amenés à choisir le projet Y compte tenu d'un enrichissement supérieur de 5 $. Or, si le projet Y nécessite un investissement de 100 000 $ et le projet X un investissement de 2 000 $, la qualité du choix du projet Y selon le critère de la *VAN* peut être vue sous un autre angle. De façon absolue, un projet ayant une *VAN* de 15 $ est supérieur à un projet ayant une *VAN* de 10 $. De façon relative, cependant, par rapport à l'investissement de chaque projet, l'analyse adopte une autre facette que le critère de la *VAN* ne prend pas en considération.

2. Le critère de la *VAN* suppose un taux d'actualisation constant sur toute la durée du projet. On se souviendra qu'un taux d'actualisation est un *taux composé* et que l'impact de l'utilisation d'un taux composé sur de longues périodes peut être considérable. Or, telle que présentée jusqu'à présent, la *VAN* suppose l'utilisation d'un *taux d'actualisation unique pour un projet, indépendamment de la durée du projet*, ce qui est fort peu réaliste vu les fluctuations de taux ayant touché l'économie au cours des dernières décennies.

Ces deux faiblesses peuvent cependant être considérées lors de l'analyse du projet d'investissement. En effet, le caractère relatif de la *VAN* peut être obtenu en mettant en rapport le montant de la *VAN* obtenue et le montant de l'investissement d'un projet donné, tel qu'il sera traité dans la section suivante. De plus, l'utilisation d'*un taux de rendement uniforme* sur toute la durée de vie d'un projet peut être amoindrie par l'utilisation de taux multiples sur différentes périodes spécifiques d'un projet, par exemple 10 % pour les deux premières années du projet, 12 % pour les quatre suivantes, etc.

2.4 L'indice de rentabilité

Outre la *VAN*, il existe un autre critère d'évaluation des investissements qui repose sur la *VAE* et la *VAS*, soit l'indice d'enrichissement, ou indice de rentabilité. L'*indice de rentabilité* ou d'*enrichissement* présente, *sous la forme d'indice*, les résultats de la *VAN*. C'est le rapport entre la valeur actualisée des entrées de fonds et la valeur actualisée des sorties de fonds. Cet indice permet de relativiser la *VAN* obtenue par rapport à l'investissement nécessaire à sa réalisation.

Plus précisément,

$$IR = \frac{VAE}{VAS}$$ **Éq. 7.5**

Ou encore :

$$IR = \frac{VAN}{C} + 1$$ **Éq. 7.6**

où :

IR	=	l'indice de rentabilité
VAE	=	la valeur actuelle des entrées de fonds
VAS	=	la valeur actuelle des sorties de fonds
VAN	=	la valeur actuelle nette
C	=	le coût du projet

Avec l'exemple suivant, nous allons illustrer le mode de calcul de l'indice de rentabilité.

Exemple 6

Reprenons les données de l'exemple 5 :

$C = -70\,000$ \$

$FM_1 = 40\,000$ \$

$FM_2 = 20\,000$ \$

$FM_3 = 30\,000$ \$

$FM_4 = 10\,000$ \$

Pour $i = 12$ %, on a trouvé $VAN = 9\,367$ \$

L'indice d'enrichissement de ce projet est :

$$IR = \frac{VAE}{VAS}$$

Or :

$$VAE = 40\,000(1 + 0{,}12)^{-1} + 20\,000(1 + 0{,}12)^{-2} + 30\,000(1 + 0{,}12)^{-3} + 10\,000(1 + 0{,}12)^{-4}$$

D'où :

$VAE = 79\,367$ \$

D'autre part,

$$VAS = 70\,000\ \$$$

D'où :

$$IR = \frac{VAE}{VAS}$$

$$IR = \frac{79\,367}{70\,000}$$

$$IR = 1{,}134$$

Ou encore :

$$IR = \frac{VAN}{C} + 1$$

$$IR = \frac{9\,367}{70\,000} + 1$$

$$IR = 1{,}134$$

L'exemple qui précède illustre la façon de déterminer l'*IR* d'un projet d'investissement. Une fois l'*IR* d'un projet d'investissement connu, les gestionnaires le comparent à la norme, qui est 1, afin de discriminer parmi les projets ceux qui seront acceptés par rapport à ceux qui seront rejetés. En effet, les gestionnaires doivent accepter uniquement les projets qui permettent des entrées de fonds actualisées supérieures aux sorties de fonds actualisées. Les règles de décision touchant l'*IR* sont énumérées à l'intérieur de la figure 7.4.

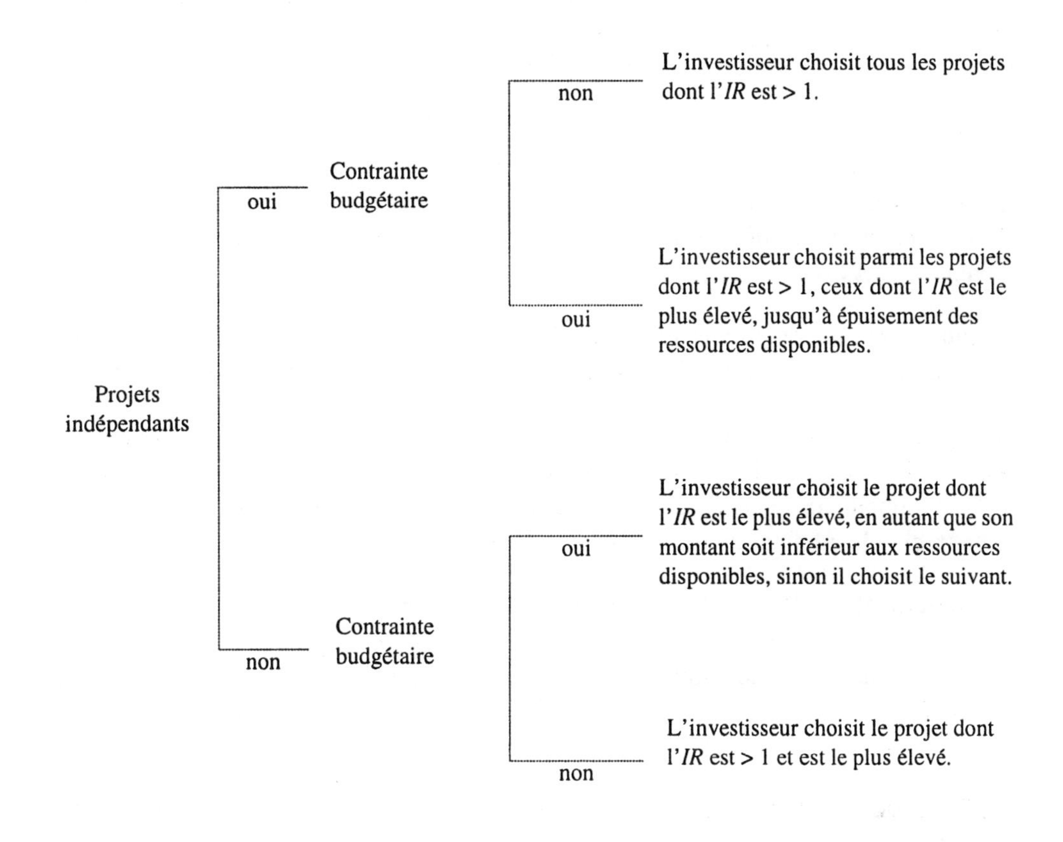

FIGURE 7.4
Les règles de décision selon l'*IR*

Afin d'illustrer l'application des différentes règles de décision présentées à l'intérieur de la figure 7.4, voici cinq projets :

Projet	**A**	**B**	**C**	**D**	**E**
IR	1,5	5	0,8	1,2	9

En supposant que les projets sont indépendants et qu'il n'y a pas de contrainte budgétaire, l'investisseur choisira tous les projets dont l'*IR* est supérieur à un. En d'autres termes, l'investisseur choisira les projets E, B, A et D.

En supposant que les projets sont indépendants et qu'il y a contrainte budgétaire, l'investisseur commencera par réaliser le projet dont l'*IR* est le plus élevé par rapport à 1, soit E et ensuite B, ensuite A et finalement D, jusqu'à épuisement des ressources disponibles, ou aucun de ceux-ci si le montant de l'investissement nécessaire est trop élevé.

En supposant que les projets sont mutuellement exclusifs et qu'il n'y a pas de contrainte budgétaire, l'investisseur réalisera le projet dont l'*IR* est le plus élevé, soit E.

En supposant que les projets sont mutuellement exclusifs et qu'il y a contrainte budgétaire, l'investisseur choisira de réaliser le projet dont l'*IR* est le plus élevé en autant que son montant ne dépasse pas le budget disponible, soit E ou B ou A ou D, ou aucun de ceux-ci si le montant de l'investissement nécessaire est trop élevé.

Contrairement à la *VAN*, qui représente l'enrichissement en dollars de l'investisseur, l'*IR* est exprimé en taux et représente l'enrichissement par dollar investi. L'utilisation de l'*IR* comme critère de choix des investissements doit être faite en ayant à l'esprit les limites et les faiblesses d'un tel critère de sélection. La principale faiblesse de l'*IR* que nous avons retenue est la suivante :

1. Le critère de l'*IR* suppose un taux d'actualisation constant sur toute la durée du projet. On se souviendra qu'un taux d'actualisation est un *taux composé* et que l'impact de l'utilisation d'un taux composé sur de grandes périodes peut être considérable. Or, tel que présenté jusqu'à présent, l'*IR* suppose l'utilisation d'un *taux d'actualisation unique pour un projet, indépendamment de la durée du projet*, ce qui est fort peu réaliste vu les fluctuations de taux ayant touché l'économie au cours des dernières décennies.

Cette faiblesse peut cependant être corrigée lors de l'analyse du projet d'investissement. En effet, l'utilisation *d'un taux de rendement uniforme* sur toute la durée de vie d'un projet peut être amoindrie par l'utilisation de taux multiples sur différentes périodes spécifiques d'un projet, par exemple 10 % pour les deux premières années du projet, 12 % pour les quatre suivantes, etc.

2.5 Le taux de rendement interne

Un projet d'investissement est caractérisé par des entrées de fonds, des sorties de fonds et un taux de rendement. Jusqu'à maintenant, aucun des critères vus précédemment ne nous a fourni un taux de rendement compatible avec la théorie vue au chapitre 5, à savoir un taux qui tienne compte de la valeur temps de l'argent selon les principes propres au taux d'intérêt composé. Pour l'investisseur, il est primordial de déterminer le taux de rendement attendu par l'investissement dans lequel il va s'engager. On définit donc le taux de rendement d'un projet (*TRI*) comme étant le *taux d'actualisation* selon lequel la valeur actuelle des entrées de fonds et la valeur actuelle des sorties de fonds sont égales. *C'est le taux auquel les coûts actualisés d'un projet sont couverts exactement par les revenus actualisés qu'il génère.* Il est formulé comme suit :

$$VAS = VAE \qquad \text{Éq. 7.7}$$

$$C = \sum_{t=1}^{N} FM_t(1 + TRI)^{-t} \qquad \text{Éq. 7.8}$$

Dans l'exemple qui suit, nous illustrons le mode de calcul du *TRI*. Vous remarquerez qu'il fait notamment appel aux méthodes de calcul du taux de rendement telles que développées dans le chapitre 5.

Exemple 6

Le coût d'ouverture d'un parc d'attractions est de 100 000 $. Les flux monétaires annuels futurs sur les quatre années à venir sont de 50 000 $ par année. Déterminons le *TRI* du projet.

Le *TRI* est déterminé de manière à ce que *VAE* égale *VAS* et que la $VAN = 0$.

On a :

$$C = 100\,000\ \$$$

$$N = 4$$

$$FM = 50\,000\ \$$$

$$VAS = VAE$$

$$C = \sum_{t=1}^{N} FM_t(1 + TRI)^{-t}$$

$$100\,000 = 50\,000(1 + TRI)^{-1} + 50\,000(1 + TRI)^{-2} + 50\,000(1 + TRI)^{-3} + 50\,000(1 + TRI)^{-4}$$

Pour déterminer le *TRI*, nous avons recours à l'interpolation linéaire, telle que vue au chapitre 5. Nous avons donc :

- Le *TRI* recherché doit donner une *VAN* nulle.
- Pour un taux d'actualisation de 35 %, la *VAN* = – 152,62 $
- Pour un taux d'actualisation de 30 %, la *VAN* = 8 312,02 $

Une simple règle de trois nous permet d'obtenir le taux recherché.

Si une augmentation de (35 % – 30 %) = 5 % du taux d'actualisation diminue la valeur de la *VAN* de (8 312,02 $ – -152,62 $) = 8 464,64 $, alors pour obtenir une *VAN* nulle le taux d'actualisation doit être :

$$TRI = \text{taux d'actualisation le plus élevé utilisé} + \left[\frac{\text{VAN calculée au taux d'actualisation le plus élevé}}{\text{différence entre les VAN calculées}}\right] \times \text{différence entre les deux taux d'actualisation utilisés}$$

$$TRI = 35\,\% + \left[\frac{-152{,}62}{8\,464{,}64}\right] \times 0{,}05$$

$$TRI = 34{,}91\,\%$$

L'exemple qui précède illustre le mode de calcul du *TRI*. Une fois le *TRI* d'un projet d'investissement connu, les gestionnaires comparent ce résultat à la norme qu'ils ont établie afin de discriminer parmi les projets ceux qui seront acceptés par rapport à ceux qui seront rejetés. En effet, les gestionnaires doivent établir, de façon arbitraire ou non, un niveau de *TRI* au-dessus duquel les projets seront acceptés. Cette norme guidera les gestionnaires dans l'application des règles de décision touchant le *TRI* et qui sont énumérées à l'intérieur de la figure 7.5.

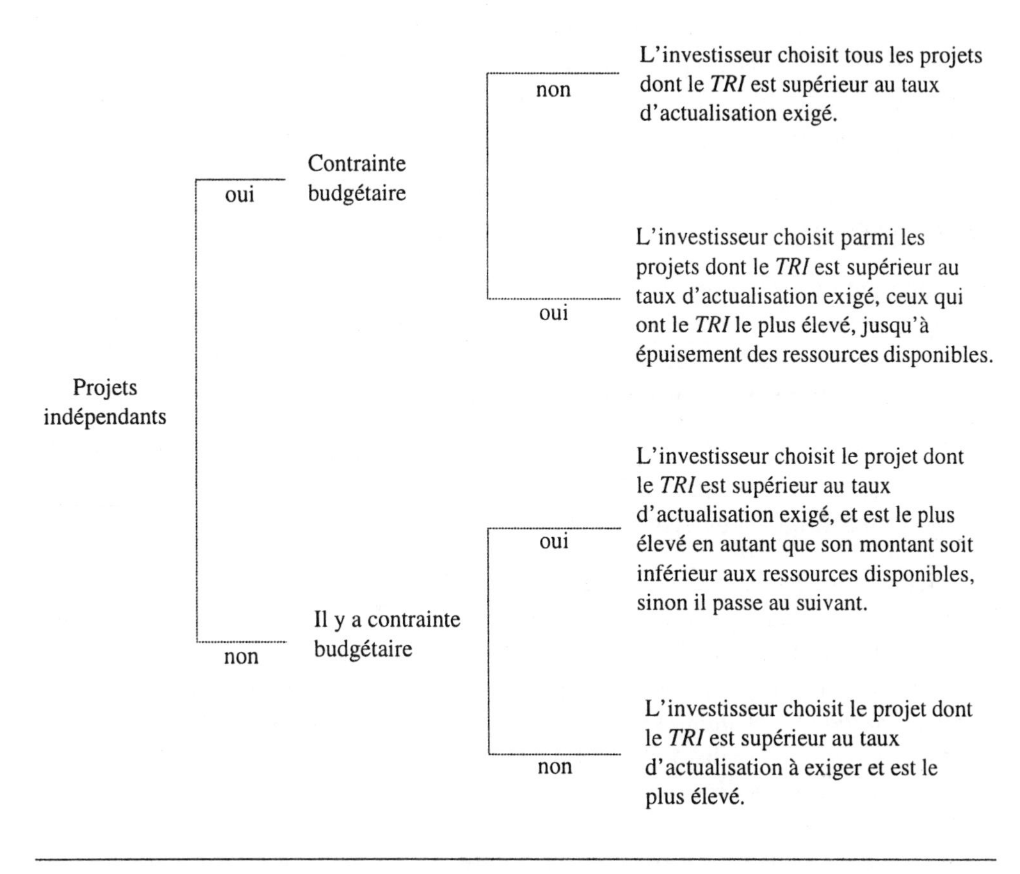

FIGURE 7.5
Les règles de décision selon le *TRI*

Afin d'illustrer l'application des différentes règles de décision présentées à l'intérieur de la figure 7.5, voici cinq projets :

Projet	A	B	C	D	E
TRI	1 %	10 %	0,8 %	20 %	9 %

En supposant que les projets sont indépendants et qu'il n'y a pas de contrainte budgétaire, l'investisseur choisira tous les projets dont le *TRI* est positif. L'investisseur choisira dans l'ordre les projets D, B, E, A et C.

En supposant que les projets sont indépendants et qu'il y a contrainte budgétaire, l'investisseur commencera par réaliser le projet dont le *TRI* est le plus élevé, soit D et ensuite B, ensuite E, puis A et finalement C, jusqu'à épuisement des ressources disponibles, ou aucun de ceux-ci si l'investissement nécessaire est trop élevé.

En supposant que les projets sont mutuellement exclusifs et qu'il n'y a pas de contrainte budgétaire, l'investisseur réalisera le projet dont le *TRI* est le plus élevé, soit D.

En supposant que les projets sont mutuellement exclusifs et qu'il y a contrainte budgétaire, l'investisseur choisira de réaliser le projet dont le *TRI* est le plus élevé en autant que son montant ne dépasse pas le budget disponible, soit D ou B ou E ou A ou C, dans cet ordre, ou aucun de ceux-ci si l'investissement nécessaire est trop élevé.

L'utilisation du *TRI* comme critère de choix des investissements doit être faite en ayant à l'esprit les limites et les faiblesses d'un tel critère de sélection. La principale faiblesse du *TRI* que nous avons retenue est la suivante :

1. Le critère du *TRI* suppose un taux d'actualisation constant sur toute la durée du projet. On se souviendra qu'un taux d'actualisation est un *taux composé* et que l'impact de l'utilisation d'un taux composé sur de grandes périodes peut être considérable. Or, tel que présenté jusqu'à présent, le *TRI* suppose l'utilisation d'un *taux d'actualisation unique pour un projet, indépendamment de la durée du projet*, ce qui est fort peu réaliste, vu les fluctuations de taux ayant touché l'économie au cours des dernières décennies.

Nous venons donc de passer en revue les différents critères actualisés de choix des investissements, en mettant en évidence les faiblesses majeures de chacun d'eux. Dans ce qui suit, nous allons maintenant appliquer ces différents critères à des problèmes de choix d'investissements, et les comparer un à un afin de mettre en évidence les situations conflictuelles qui peuvent en découler et la manière d'y remédier.

2.6 Le conflit entre la *VAN* et le *TRI*

Les critères actualisés, traités dans les sections précédentes, à savoir la *VAN*, l'*IR* et le *TRI*, sont plus attrayants que le *DR* et le *TRC* qui ne tiennent pas compte de la valeur temps de l'argent. Cependant, l'utilisation de la *VAN* et du *TRI* peut conduire à des choix conflictuels lorsqu'ils sont appliqués à la même situation de choix d'investissement. Ces situations surgissent généralement dans les cas suivants :

1. Quand les projets analysés nécessitent des investissements initiaux de taille inégale.
2. Quand les projets analysés génèrent des séquences différentes de flux monétaires.
3. Quand les projets analysés ont une durée de vie inégale.

Nous allons étudier ces trois cas individuellement ainsi que la manière de remédier aux conflits qu'ils génèrent.

Cas 1 : La taille inégale des investissements initiaux

Les investissements nécessitent en général une mise de fonds initiale. Cependant, celle-ci peut varier d'un projet à un autre.

Nous allons voir dans l'exemple suivant comment comparer des projets d'investissement qui diffèrent par la taille de leur investissement initial respectif.

Exemple 7

Supposons qu'un investisseur ait à choisir entre deux projets A et B en se basant sur les critères de la *VAN* et du *TRI*. Quel choix ferait-il sachant que le taux d'actualisation est de 15 % en tenant compte de la description suivante des deux projets? À titre indicatif, nous avons également déterminé l'*IR* de chacun des projets.

Sur la base de ces chiffres, nous pouvons calculer :

Projet	**A**	**B**
C	350 000 $	150 000 $
Flux monétaire annuel	90 000 $	40 000 $
Durée	7 ans	7 ans

La *VAN* du projet A :

$$VAN_A = 90\,000\left[\frac{1-(1{,}15)^{-7}}{0{,}15}\right] - 350\,000 = 24\,438\ \$$$

L'indice de rentabilité du projet A :

$$IR_A = \frac{VAN_A}{C_A} + 1 = \frac{24\,438}{350\,000} + 1 = 1{,}07$$

Le taux de rendement interne du projet A :

$$VAN_A = 90\,000\left[\frac{1-(1+TRI)^{-7}}{TRI}\right] - 350\,000 = 0$$

$$\left[\frac{1-(1+TRI)^{-7}}{TRI}\right] = \frac{350\,000}{90\,000}$$

$$TRI_A = 17{,}30\ \%$$

De la même façon, nous pouvons calculer, pour le projet B, la *VAN*, l'indice de rentabilité et le taux de rendement interne.

La *VAN* du projet B :

$$VAN_B = 40\,000\left[\frac{1-(1{,}15)^{-7}}{0{,}15}\right] - 150\,000 = 16\,417\ \$$$

L'indice de rentabilité du projet B :

$$IR_B = \frac{VAN_B}{C_B} + 1 = \frac{16\,417}{150\,000} + 1 = 1{,}11$$

Le taux de rendement interne du projet B :

$$VAN_B = 40\,000\left[\frac{1-(1+TRI^{-7})}{TRI}\right] - 150\,000 = 0$$

$$\left[\frac{1-(1+TRI)^{-7}}{TRI}\right] = \frac{150\,000}{40\,000}$$

$$TRI_B = 18{,}58\ \%$$

Ces résultats sont regroupés dans le tableau suivant, qui donne en outre le classement des projets selon le critère de choix d'investissement considéré.

	Projet A	Classement	Projet B	Classement
VAN	24 438 $	premier	16 417 $	deuxième
IR	1,07	deuxième	1,11	premier
TRI	17,30 %	deuxième	18,58 %	premier

Ainsi, nous pouvons voir dans ce cas qu'il y a conflit entre les critères de choix des investissements :

Selon le critère de la *VAN*, le projet A est supérieur au projet B et inversement selon le critère du *TRI* et de l'*IR*. Le conflit résulte ici du fait que la *VAN* est calculée en dollars absolus. Le *TRI* et l'*IR* sont exprimés en taux et mettent en relation la *VAE* par rapport à la *VAS*. Le *TRI* est une mesure de la rentabilité du projet qui dépend seulement de l'importance des flux monétaires et de leur étalement dans le temps, alors que la *VAN* mesure l'enrichissement généré par le projet pour l'investisseur.

Si les deux projets sont mutuellement exclusifs et uniques, on choisit A, qui procure le plus grand enrichissement mesuré par la *VAN*.

Si les deux projets sont mutuellement exclusifs et qu'il existe d'autres projets indépendants, on regarde si, avec le différentiel d'investissement entre A et B (soit

200 000), on ne pourrait pas générer plus que le différentiel de *VAN* (8 021) avec les autres projets.

Soit les projets D, E et F décrits ci-dessous. Ces projets ont, comme les projets A et B, une durée de 7 ans, et le taux d'actualisation requis est de 15 %.

Projet	**A**	**B**	**C** différentiel	**D**	**E**	**F**
C	350 000 $	150 000 $	200 000 $	80 000 $	20 000 $	110 000 $
VAN	24 438 $	16 417 $	8 021 $	4 200 $	350 $	6 424 $
TRI	17,30 %	18,58 %		16,73 %	15,58 %	16,93 %

Si B est jumelé aux projets D et F, que l'investissement initial est de 340 000 $ et que, par rapport au projet A, on obtient ce qui suit :

Projet	**A**	**Classement**	**B-D-F**	**Classement**
C	350 000 $	deuxième	340 000 $	premier
VAN	24 248 $	deuxième	27 041 $	premier
TRI	17,30 %	deuxième	17,61 %[1]	premier

on voit que le conflit disparaît et que la *VAN* et le *TRI* donnent le même classement.

Cas 2 : La différence dans la séquence des flux monétaires

Les investissements sont caractérisés par des entrées et des sorties de fonds. En général, la séquence, le rythme et le nombre de flux monétaires attendus à la suite de l'investissement varient d'un projet à l'autre, même si leur investissement initial est le même. Dans ce cas, un conflit peut émerger entre l'évaluation des projets selon l'un ou l'autre des critères de choix des investissements. Nous illustrons cette situation en question avec l'exemple suivant.

1. Il est clair que, pour un investissement inférieur et une *VAN* supérieure, le *TRI* de B-D-F se doit d'être supérieur à celui de A.

Exemple 8

Soit deux projets C et D dont l'investissement initial est de 100 000 $, mais dont la séquence de flux monétaires générés par l'investissement est donnée par :

Projet	C	D
C	100 000 $	100 000 $
FM_1	20 000 $	60 000 $
FM_2	30 000 $	50 000 $
FM_3	50 000 $	15 000 $
FM_4	60 000 $	10 000 $

Sachant que le taux d'actualisation est de 12 %, calculons les trois critères de la *VAN*, de l'*IR* et du *TRI* pour ces deux projets :

La *VAN* du projet C est :

$$VAN_C = 20\,000(1 + 0{,}12)^{-1} + 30\,000(1 + 0{,}12)^{-2} + 50\,000(1 + 0{,}12)^{-3} + 60\,000(1 + 0{,}12)^{-4} - 100\,000$$

$$VAN_C = 15\,493\ \$$$

L'indice de rentabilité du projet C est :

$$IR_C = \frac{VAN_C}{C_C} + 1$$

$$IR_C = \frac{15\,493}{100\,000} + 1 = 1{,}15$$

Le taux de rendement interne du projet C est :

$$VAS = VAE$$

$$100\,000 = 20\,000(1 + TRI_C)^{-1} + 30\,000(1 + TRI_C)^{-2} + 50\,000(1 + TRI_C)^{-3} + 60\,000(1 + TRI_C)^{-4}$$

$$TRI_C = 17{,}95\ \%$$

Les calculs pour le projet D sont les suivants :

La *VAN* du projet D est :

$$VAN_D = 60\,000(1+0{,}12)^{-1} + 50\,000(1+0{,}12)^{-2} + 15\,000(1+0{,}12)^{-3} + 10\,000(1+0{,}12)^{-4} - 100\,000$$

$$VAN_D = 10\,463\ \$$$

L'indice de rentabilité du projet D est :

$$IR_D = \frac{VAN_D}{C_D} + 1$$

$$IR_D = \frac{10\,643}{100\,000} + 1 = 1{,}10$$

Le taux de rendement interne du projet D est :

$$VAS = VAE$$

$$100\,000 = 60\,000(1+TRI_D)^{-1} + 50\,000(1+TRI_D)^{-2} + 15\,000(1+TRI_D)^{-3} + 10\,000(1+TRI_D)^{-4}$$

$$TRI_D = 18{,}73\ \%$$

Les résultats sont regroupés dans le tableau suivant, qui donne aussi les classements des projets selon chacun des critères considérés :

	Projet C	**Classement**	**Projet D**	**Classement**
VAN	15 493 $	premier	10 463 $	deuxième
IR	1,15	premier	1,10	deuxième
TRI	17,95 %	deuxième	18,73 %	premier

Ainsi, selon la *VAN* et l'*IR*, *le projet C devrait être accepté* tandis que le *TRI* indique que le projet D est meilleur. Dans cette situation, il y a conflit entre la *VAN* et le *TRI*. Cette différence émane du fait que la *VAN* et l'*IR* supposent que les flux monétaires sont réinvestis au taux d'actualisation alors que le *TRI* suppose que les flux monétaires successifs sont réinvestis au *TRI* lui-même.

La solution à ce conflit est de trouver *la valeur future des entrées de fonds pour chacun de ces projets à un taux de réinvestissement identique commun* (par exemple, 15 %) et d'en déduire le *TRI*.

Ainsi, en appliquant la formule de la valeur future aux flux monétaires des projets C et D, telle que vue dans le chapitre 3, au taux de 15 %, on a :

$$FV_C = 20\,000(1{,}15)^3 + 30\,000(1{,}15)^2 + 50\,000(1{,}15)^1 + 60\,000$$
$$FV_C = 187\,593\ \$$$
$$FV_D = 60\,000(1{,}15)^3 + 50\,000(1{,}15)^2 + 15\,000(1{,}15)^1 + 10\,000$$
$$FV_D = 184\,628\ \$$$

Par conséquent, le *TRI* pour les deux projets est celui qui actualise la valeur future des flux monétaires :

$$100\,000 = 187\,593(1 + TRI)^{-4}$$

d'où :

$$TRI_C = 17{,}03\ \%$$

et :

$$100\,000 = 184\,628(1 + TRI)^{-4}$$

d'où :

$$TRI_D = 16{,}57\ \%$$

Le meilleur choix est donc le projet C, puisque son *TRI* est supérieur et que sa *VAN* est supérieure pour un même investissement initial de 100 000 $.

Cas 3 : La durée de vie inégale des projets

Outre ses entrées et sorties de fonds, les projets d'investissement sont caractérisés par une durée de vie. On appelle *durée de vie* d'un projet d'investissement, le nombre d'années durant lesquelles l'investissement générera des flux monétaires. L'investisseur fait face à une multitude de projets d'investissement qui ont généralement une durée de vie différente d'un projet à l'autre. Dans ce cas, un conflit peut émerger entre les critères d'évaluation des projets d'investissement, comme l'illustre l'exemple suivant.

Exemple 9

Soit les deux projets E et F décrits comme suit :

Projet	E	F
C	10 000 $	10 000 $
FM_1	12 500 $	0 $
FM_2	0 $	0 $
FM_3	0 $	0 $
FM_4	0 $	19 500 $

Ces projets ont une durée de vie respective de 1 an et 4 ans, et ne sont donc pas comparables.

Sachant que le taux d'actualisation est de 15 %, nous pouvons calculer la *VAN* du projet, son *IR* et son *TRI* :

$$VAN_E = \sum FM(1+i)^{-n} - C$$

$$VAN_E = 12\,500(1+0{,}15)^{-1} - 10\,000 = 870\ \$$$

$$IR_E = \frac{870}{10\,000} + 1 = 1{,}09$$

$$VAE = VAS$$

$$12\,500\,(1 + TRI_E)^{-1} = 10\,000$$

$$TRI_E = 25\ \%$$

De la même façon, nous pouvons trouver les valeurs de ces mesures pour le projet F :

$$VAN_F = \sum FM(1+i)^{-n} - C$$

$$VAN_F = 19\,500(1+0{,}15)^{-4} - 10\,000 = 1\,149\ \$$$

$$IR_F = \frac{1\,149}{10\,000} + 1 = 1{,}11$$

$$VAE = VAS$$
$$19\,500(1 + TRI_F)^{-4} = 10\,000$$
$$TRI_F = 18{,}17\ \%$$

	Projet E	Classement	Projet F	Classement
VAN	870 $	deuxième	1 149 $	premier
IR	1,09	deuxième	1,11	premier
TRI	25 %	premier	18,17 %	deuxième

Sur la base de ces mesures, nous voyons que, selon la *VAN*, le choix se porte sur le projet F alors que selon le *TRI*, le projet E est meilleur. Ce conflit émerge à cause de la durée de vie inégale des deux projets.

Pour remédier à cette situation, il faut faire subir à la *VAN* une transformation de manière à rétablir une certaine uniformité au moyen du revenu annuel équivalent (*RAE*). Le *RAE* correspond au versement périodique dont la valeur actualisée équivaut à la *VAN*.

À partir de la formule de la valeur actuelle des annuités vue dans le chapitre 3 :

$$PV = PMT\left[\frac{1-(1+i)^{-n}}{i}\right] \qquad \text{Éq. 3.5}$$

nous pouvons en déduire que :

$$PMT = PV\left[\frac{i}{1-(1+i)^{-n}}\right]$$

Ou, encore, si *PMT* correspond à *RAE* et que *PV* correspond à *VAN* :

$$RAE = VAN\left[\frac{i}{1-(1+i)^{-n}}\right] \qquad \text{Éq. 7.9}$$

Si nous l'appliquons pour harmoniser les projets E et F, nous obtenons :

$$RAE_F = 1\,149\left[\frac{0{,}15}{1-(1+0{,}15)^{-4}}\right] = 402\ \$$$

$$RAE_E \quad = \quad 870\left[\frac{0,15}{1-(1+0,15)^{-4}}\right] = 305\ \$$$

Nous voyons donc que le *RAE* permet une comparaison sur une base commune entre les deux options suivantes : soit recevoir 402 $ par an durant quatre ans pour une valeur actuelle de 1 149 $ ou recevoir 305 $ par an pour une valeur actuelle de 870 $. Le projet F l'emporte sur le projet E sur la base de ce critère de revenu moyen équivalent.

Nous avons étudié ces cas individuellement, mais on peut se trouver dans des situations plus complexes où tous ces cas peuvent être combinés. Par exemple, les gestionnaires peuvent se trouver face à des investissements dont le coût initial est différent d'un projet à l'autre, dont la séquence des flux monétaires attendus est différente, et dont la durée de vie est différente. Dans ce cas, il faut essayer de remédier aux situations conflictuelles qui pourraient émerger lors de l'application des différents critères d'évaluation.

Conclusion

Dans le cadre de ce chapitre, nous avons développé les critères de choix des investissements qui permettent aux investisseurs d'identifier le projet le plus susceptible de les enrichir. Parmi tous ces critères, nous retiendrons la *VAN* comme le meilleur critère de choix des investissements. En effet, étant donné que la principale préoccupation des investisseurs est de maximiser l'enrichissement que le projet leur amène, et que la *VAN* permet justement de déterminer l'enrichissement que le projet génère pour les investisseurs en dollars d'aujourd'hui, la *VAN* devient le critère le mieux indiqué pour leur permettre de choisir le projet qui leur permettra d'atteindre cet objectif. Par ailleurs, la *VAN* représente la valeur actuelle des flux monétaires à recevoir nets des flux monétaires à payer. Il est donc primordial pour l'investisseur d'évaluer avec exactitude les flux monétaires attendus par le projet avant de les inclure dans le calcul de la *VAN* du projet.

Les activités d'apprentissage

Questions

1. Décrivez les facteurs qui peuvent avoir un impact sur le choix des investissements.

2. Quels sont les principaux critères d'évaluation qui permettent à un investisseur de choisir un projet d'investissement?

3. Définissez chacun de ces critères.

4. Identifiez les principales limites de chacun de ces critères.

5. Quel est le meilleur critère de choix des investissements? Expliquez pourquoi.

Problèmes

1. La compagnie Silverco inc. envisage un projet d'investissement d'une durée de trois ans. Ce projet nécessitera un investissement initial de 120 000 $ et permettra de réaliser des économies après impôts de 36 000 $ par année, en même temps qu'il générera des recettes (après impôts également) annuelles de 20 000 $. La direction financera ce projet à l'aide d'un prêt bancaire dont l'échéance est de trois ans au taux effectif de 15 %. Voici d'ailleurs la table d'amortissement du prêt :

Année	Paiement ($)	Intérêts ($)	Capital ($)	Solde ($)
0	–	–	–	120 000,00
1	52 557,24	18 000,00	34 557,24	85 442,76
2	52 557,24	12 816,41	39 740,83	45 701,93
3	52 557,24	6 855,31	45 701,93	0
		37 671,72	120 000,00	

Si la compagnie exige un taux de rendement effectif de 12 % sur ce type de projet :

a) calculez la *VAN* du projet.

b) calculez le *TRI*.

c) calculez le *DR*.

2. Estimez graphiquement le *TRI* d'un projet dont les flux monétaires nets sont :

FM_0	FM_1	FM_2	FM_3	FM_4	FM_5
– 100 000	10 000	90 000	10 000	– 10 000	– 40 000

3. La firme ABC inc., qui dispose d'un budget en capital de 10 000 $, envisage trois projets dont voici les flux monétaires anticipés :

Année	Projet XL ($)	Projet Dalo ($)	Projet BB ($)
0	–10 000	–95 000	–85 000
1	8 800	33 000	22 000
2	12 100	36 300	42 350
3		59 895	41 926,50

Les projets considérés sont indépendants.

a) Quel(s) projet(s) choisir selon la *VAN* si le taux de rendement exigé est de 10 %?

b) Calculez le *TRI* de chaque projet et faites un choix.

c) Calculez le *TRI* des projets XL et BB combinés.

d) Calculez la *VAN* des projets XL et BB combinés (taux de 10 %).

e) À la suite des résultats obtenus ci-dessus, que dire de l'addition de la *VAN* et du *TRI*?

4. Nous sommes le 1er janvier 20X8 et Alcan envisage la construction d'une nouvelle usine en Australie. Cette construction serait échelonnée sur quatre ans et débuterait le 1er janvier 20X10. Les coûts annuels de construction, dans l'ordre, sont estimés à deux milliards, un milliard, trois milliards et deux milliards et demi de dollars. L'usine serait ensuite opérationnelle, soit à partir du 1er janvier 20X14, et engendrerait des flux monétaires annuels de 750 000 000 $ pendant 50 ans. Si Alcan exige 15 % sur ces investissements, ce projet doit-il être accepté en date du 1er janvier 20X9? Utilisez le critère de la *VAN*.

5. La compagnie Johnson & Johnson envisage les trois projets mutuellement exclusifs suivants :

Année	Produit 1 ($)	Produit 2 ($)	Produit 3 ($)
0	–25 000	–25 000	–25 000
1	27 500	13 750	0
2		18 150	0
3			19 965
4			0
5			24 157,50

Cette compagnie exige 10 % sur ce type d'investissement.

a) Calculez le *DR* de chaque projet et faites un choix en fonction de ce critère.

b) Calculez le *DR* actualisé et refaites votre choix.

c) Calculez la *VAN* et choisissez en fonction de ce critère.

d) Choisissez en fonction du *TRI*.

e) Choisissez en fonction de l'*IR*.

f) Existe-t-il un autre critère de choix qui serait plus approprié ici? Pourquoi?

6. La compagnie Martel inc., qui fait affaire dans le domaine de l'imprimerie, doit envisager l'acquisition d'une nouvelle imprimante car l'actuelle imprimante est totalement désuète, inopérante et sans valeur marchande. Il n'existe que deux fabricants d'imprimantes du type que Martel inc. désire. Voici les détails pertinents concernant chaque fabricant.

	Fabricant A	Fabricant B
Coût total de l'imprimante	11 000 000 $	13 000 000 $
Durée de vie d'utilisation	10 ans	10 ans
Valeur résiduelle après la durée de vie d'utilisation	0 $	0 $
Recettes espérées par année pendant dix ans	3 500 000 $	3 600 000 $
Débours attendus par année pendant dix ans	750 000 $	100 000 $

Sachant que Martel inc. exige un rendement de 20 % sur ses investissements, évaluez la rentabilité de chaque imprimante (selon la *VAN*) et faites un choix.

7. La compagnie aérienne Airjax inc. évalue quatre projets d'investissement lors de l'élaboration de sa planification stratégique sur 15 ans. La direction a fourni aux analystes financiers de la compagnie, dont vous faites partie, les données suivantes :

Projet	Coût initial de l'investissement ($)	Vie utile (sans valeur résiduelle) (années)	Flux monétaire net annuel anticipé (après impôts) ($)
1	1 200 000	5	400 000
2	95 000	15	15 000
3	12 000	10	33 000
4	500 000	8	120 000

Le taux de rendement exigé par Airjax est de 14 % après impôts.

a) Calculez la *VAN* de chaque projet.

b) Calculez le *RAE* de chaque projet.

c) Si les projets sont indépendants et que le budget en capital est limité à 1 500 000 $, quel(s) projet(s) doit-on choisir?

ANNEXE 7.1
Les équations

L'intérêt simple

Montant total d'intérêts accumulés

$$TOT\,i = PV \times I \times N$$ **Éq. 2.1**

FV d'un montant placé à intérêt simple

$$FV_N = PV + TOT\,i$$ **Éq. 2.2**

$$FV_N = PV(1 + I \times N)$$ **Éq. 2.3**

L'intérêt composé

FV d'un montant placé à intérêt composé

$$FV_N = PV(1 + I)^N$$ **Éq. 2.4**

Taux périodique (i)

$$i = I/m$$ **Éq. 2.5**

Transposition du taux périodique au taux effectif

$$(1 + i_r) = (1 + i)^m$$ **Éq. 2.6**

$$(1 + i_r) = (1 + I/m)^m$$

Taux effectif quand la fréquence de capitalisation est infinie

$$i_r = e^I - 1$$ **Éq. 2.7**

Équivalence entre des taux nominaux

$$(1 + I_1 / m_1)^{m1} = (1 + I_2 / m_2)^{m2} \quad \textbf{Éq. 2.8}$$

Valeur future d'un montant unique

$$FV_n = PV(1 + i)^n \quad \textbf{Éq. 2.9}$$

$$FV_{N \times m} = PV(1 + I/m)^{N \times m}$$

Valeur actuelle d'un montant unique

$$PV = FV_n (1 + i)^{-n} \quad \textbf{Éq. 2.10}$$

$$PV = FV_{N \times m} (1 + I/m)^{-N \times m}$$

Valeur future d'une annuité de fin de période

$$FV_n = PMT\left[\frac{(1 + i)^n - 1}{i}\right] \quad \textbf{Éq. 3.1}$$

$$FV_n = PMT\left[\frac{(1 + I/m)^{N \times m} - 1}{I/m}\right]$$

$$FV_n = PMT \times S_{i,n} \quad \textbf{Éq. 3.2}$$

Valeur future d'une annuité de début de période

$$FV_n = PMT\left[\frac{(1 + i)^n - 1}{i}\right](1 + i) \quad \textbf{Éq. 3.3}$$

$$FV_n = PMT\left[\frac{(1 + I/m)^{N \times m} - 1}{I/m}\right](1 + I/m)$$

$$FV_n = PMT(S^1_{i,n}) \quad \textbf{Éq. 3.4}$$

Valeur actuelle d'une annuité de fin de période

$$PV = PMT\left[\frac{1-(1+i)^{-n}}{i}\right] \qquad \textbf{Éq. 3.5}$$

$$PV = PMT\left[\frac{1-(1+I/m)^{-N\times m}}{I/m}\right]$$

$$PV = PMT \times A_{i,n} \qquad \textbf{Éq. 3.6}$$

Valeur actuelle d'une annuité de début de période

$$PV = PMT\left[\frac{1-(1+i)^{-n}}{i}\right](1+i) \qquad \textbf{Éq. 3.7}$$

$$PV = PMT\left[\frac{1-(1+I/m)^{-N\times m}}{I/m}\right](1+I/m)$$

$$PV = PMT \times A^{1}_{i,n} \qquad \textbf{Éq. 3.8}$$

Valeur actuelle d'une série de flux monétaires variables

$$PV = \sum_{t=1}^{n} FM_t(1+i)^{-t} \qquad \textbf{Éq. 3.9}$$

Valeur future d'une série de flux monétaires variables

$$FV = \sum_{t=1}^{n} FM_t(1+i)^{n-t} \qquad \textbf{Éq. 3.10}$$

Valeur actuelle d'une perpétuité de fin de période

$$PV = \frac{PMT}{i} \qquad \textbf{Éq. 4.1}$$

Valeur actuelle d'une perpétuité de début de période

$$PV = \frac{PMT}{i}(1+i) \qquad \textbf{Éq. 4.2}$$

$$PV = \frac{PMT}{i} + PMT \qquad \textbf{Éq. 4.3}$$

La valeur des coupons

$$C = VN \times I_c \qquad \text{Éq. 6.1}$$

Le prix d'une obligation

$$P_0 = C\left[\frac{1-(1+i)^{-n}}{i}\right] + VN(1+i)^{-n} \qquad \text{Éq. 6.2}$$

Les intérêts courus

intérêts courus = (*coupon*/6) × *nombre de mois écoulés depuis le dernier coupon* **Éq. 6.3**

Le prix d'une action ordinaire

$$P_0 = \sum_{t=1}^{\alpha} \frac{D_t}{(1+k)^t} \qquad \text{Éq. 6.4}$$

Le prix d'une action avec dividende à croissance nulle

$$P_0 = \frac{D_0}{k} \qquad \text{Éq. 6.5}$$

Le prix d'une action avec dividende à croissance stable

$$P_0 = \frac{D_1}{k-g} \qquad \text{Éq. 6.6}$$

Le délai de récupération

$$DR = \frac{C}{FM} \qquad \text{Éq. 7.1}$$

Le taux de rendement comptable

$$RC = \frac{\left[\frac{\sum_{t=1}^{N} BNAI_t}{N}\right]}{C} \qquad \text{Éq. 7.2}$$

La valeur actuelle nette

$$VAN = VAE - VAS \qquad \text{Éq. 7.3}$$

$$VAN = \sum_{t=1}^{N} FM_t(1+i)^{-t} - C \qquad \text{Éq. 7.4}$$

L'indice de rentabilité

$$IR = \frac{VAE}{VAS} \qquad \text{Éq. 7.5}$$

$$IR = \frac{VAN}{C} + 1 \qquad \text{Éq. 7.6}$$

Le taux de rendement interne

$$VAS = VAE \qquad \text{Éq. 7.7}$$

$$C = \sum_{t=1}^{N} FM_t(1+TRI)^{-t} \qquad \text{Éq. 7.8}$$

Le revenu annuel équivalent

$$RAE = VAN\left[\frac{i}{1-(1+i)^{-n}}\right] \qquad \text{Éq. 7.9}$$

Chapitre 8

La détermination des flux monétaires d'un projet d'investissement

Schéma d'intégration des contenus

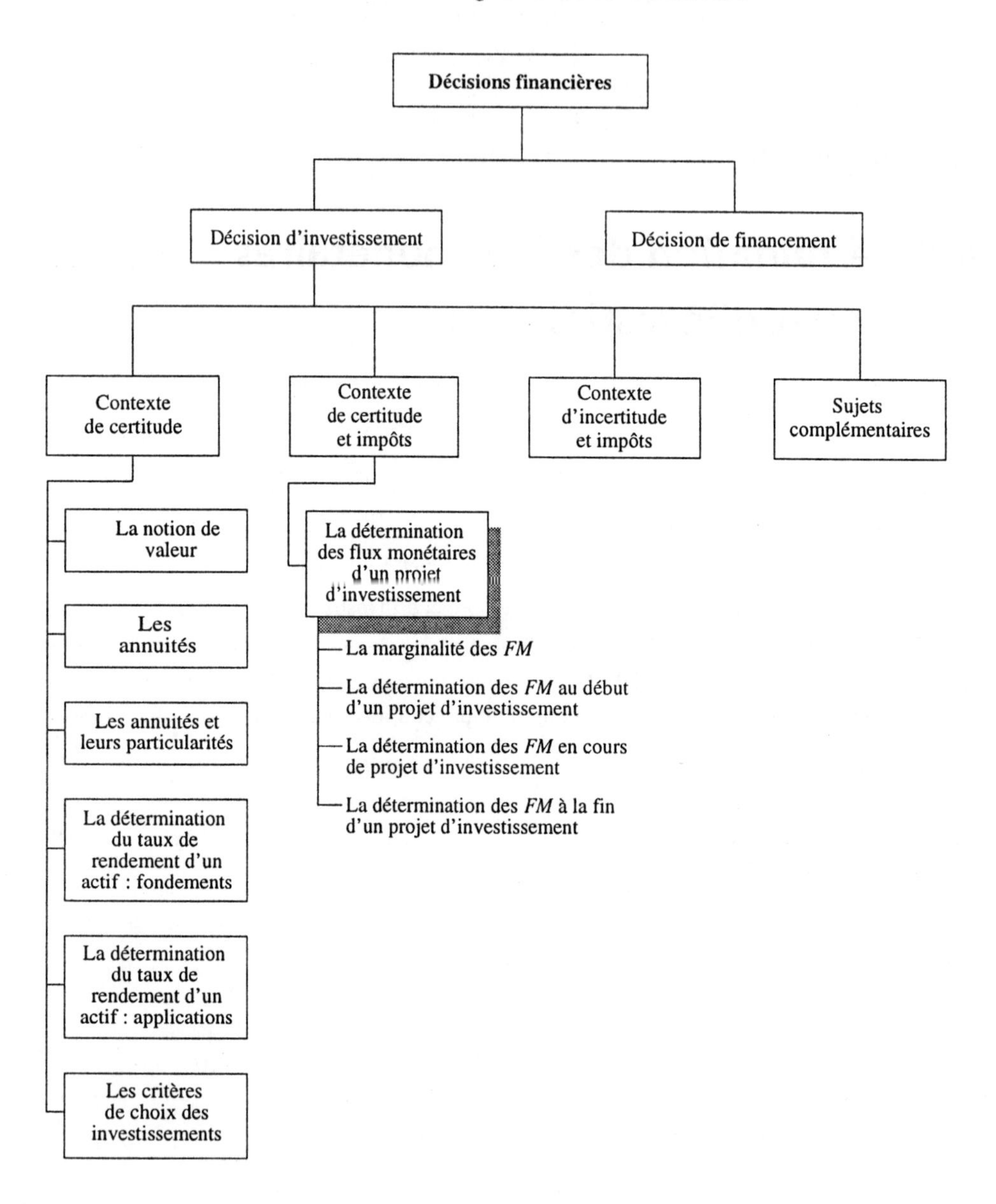

Au terme de ce chapitre, vous devriez être en mesure de :

- connaître et d'identifier le traitement fiscal des éléments qui entrent dans la détermination du coût d'un projet d'investissement;
- comprendre le concept de marginalité des flux monétaires;
- comprendre l'impact de la fiscalité sur les flux monétaires d'un projet;
- déterminer les flux monétaires au début, en cours et à la fin d'un projet d'investissement.

Introduction

Nous avons précédemment défini l'*investissement* comme une allocation de ressources (c'est-à-dire de capitaux) à plus ou moins long terme, qui a pour but de générer des gains futurs. L'investissement est habituellement composé du coût initial du projet ainsi que des flux monétaires (les entrées et les sorties de fonds) engendrés par la réalisation de ce dernier.

Jusqu'à présent, les flux monétaires des projets que nous vous avons présentés étaient définis à l'avance. Nous ne nous sommes pas attardés à en déterminer l'origine. Or, pour bien comprendre et saisir les composantes de l'investissement qu'un investisseur cherche à évaluer, il est primordial pour lui de bien identifier les flux monétaires du projet et de les établir de la manière la plus exacte possible. L'étape la plus importante du processus conduisant à la décision d'investir est probablement la détermination des flux monétaires du projet. Par conséquent, nous aborderons, dans ce chapitre, la détermination des flux monétaires d'un projet d'investissement. Pour ce faire, nous avons divisé le processus d'investissement en trois fenêtres ou étapes temporelles bien distinctes, à savoir : le *début* du projet, *le cours* du projet et la *fin* du projet. Pour chacune de ces étapes, nous évaluerons les entrées et les sorties de fonds générées par l'investissement. Nous introduirons aussi, dans le cadre de cette démarche, un aspect fondamental dans la détermination des flux monétaires d'un projet, soit la fiscalité canadienne. Toute cette approche visant à établir le plus précisément possible les flux monétaires d'un projet repose sur une notion très importante dont la maîtrise est essentielle pour une bonne analyse de la qualité des projets d'investissement, à savoir le concept de marginalité des flux monétaires.

1. La marginalité des flux monétaires

La décision de réaliser un investissement est de première importance pour l'entreprise. Tout nouveau projet engendre un changement dans les flux monétaires actuels aussi bien que futurs de l'entreprise. En d'autres termes, le profil des flux monétaires de l'entreprise sera modifié à la suite de l'adoption d'un projet. C'est ce changement dans le profil des flux monétaires qu'il faut analyser afin de décider si un projet d'investissement doit être accepté ou non.

Le changement est évalué en fonction de la différence entre les flux monétaires de l'entreprise qui seront engendrés si le projet est accepté et les flux monétaires futurs qui seront obtenus s'il est rejeté. Il s'agit d'une approche *marginale,* car elle est basée sur les changements, la variation, la différence dans les flux monétaires d'une entreprise avec ou sans la réalisation d'un projet. Ces changements dans les flux monétaires, appelés *flux monétaires marginaux*, sont définis comme suit :

FM marginal d'un projet = *FM de l'entreprise si le projet est accepté*

– *FM de l'entreprise si le projet n'est pas accepté* **Éq. 8.1**

L'approche des flux monétaires marginaux sert à identifier l'apport réel pour l'entreprise d'un projet en particulier. Par conséquent, les flux monétaires marginaux doivent tenir compte de tous les effets directs et indirects qui pourraient être engendrés par la réalisation d'un projet.

Prenons l'exemple d'un étudiant qui veut évaluer le coût du projet que constitue la réalisation d'un baccalauréat en administration. Pour lui, entreprendre ce baccalauréat mobilisera toutes ses énergies pendant trois ans. De ce fait, il devra renoncer à la possibilité qu'il a de continuer à travailler à temps plein pendant trois ans moyennant salaire. Ce salaire sacrifié pendant les trois années d'études constitue un coût d'opportunité ou de sacrifice pour l'étudiant. Par ailleurs, ce coût sera compensé par le fait que, trois ans plus tard, une fois son diplôme en main, il pourra commencer à travailler moyennant un salaire plus élevé que celui qu'il aurait eu s'il n'avait pas achevé ses études. Par conséquent, pour que l'étudiant considère que le baccalauréat en administration vaut la peine d'être entrepris, l'investissement réalisé devra être récompensé à la fin de ses études.

Ce projet, *analysé de façon marginale*, se présente comme suit :

- S'il entreprend ses études, l'étudiant sacrifiera le salaire dont il pourrait bénéficier durant les trois prochaines années. De plus, il devra supporter les coûts additionnels directement reliés à sa décision tels que les frais de scolarité, le coût des livres, etc. Tous les coûts directs et indirects découlant de sa décision doivent être considérés comme l'investissement économique, en termes de flux monétaires, de l'individu par rapport au projet.
- Nous devons noter ici que les frais de subsistance de l'individu durant cette période ne doivent pas être pris en considération puisque, *marginalement*, que l'individu réalise ou non le projet, il devra de toute façon se loger, se nourrir et se vêtir.
- Il faut également souligner, comme nous l'avons spécifié au début de ce volume, que nous ne retenons pour fin d'analyse que les éléments à portée économique, quantifiables et transposables sous la forme de flux monétaires. Ainsi, dans ce cas bien précis, tous les efforts déployés, le temps investi et le bonheur de pouvoir étudier dans une discipline aussi intéressante ne sont pas pris en considération.
- De plus, l'aspect financement de la décision de faire un baccalauréat en administration (c.-à-d. la problématique des prêts et bourses, des emprunts personnels, etc.) n'est pas considéré ici puisque le présent cours, comme nous l'avons mentionné au chapitre 1, traite de la décision d'investissement exclusivement.
- À la fin de ses études, l'étudiant recevra un salaire plus élevé que celui qu'il aurait reçu en ne réalisant pas son projet.

L'analyse marginale consiste à comparer deux situations afin de déterminer la différence nette entre les flux monétaires de l'une par rapport à l'autre.

Précisons l'exemple de notre étudiant en illustrant, à partir d'un projet d'investissement particulier, la détermination des flux monétaires d'un projet d'investissement selon l'approche marginale.

Exemple 1

Madame Perrault exerce la fonction de commis comptable au sein de l'entreprise XYZ et reçoit un salaire de 30 000 $ par année. Elle envisage d'entreprendre un programme de baccalauréat en administration et se donne trois ans pour réaliser ce projet. Afin de réaliser ce projet, madame Perrault devra subir une perte de salaire pour les trois années à venir, soit 30 000 $ la première année, 32 500 $ la deuxième année et 35 000 $ la troisième année. Elle se retrouvera avec un salaire de 37 500 $ à partir de la quatrième année, si elle exerce toujours les mêmes fonctions. Ce salaire sera constant pour les dix années subséquentes. Nous supposons qu'elle devra, en outre, débourser des frais de scolarité de 5 000 $ par année si elle décide de réaliser son projet.

D'un autre côté, ses études terminées, madame Perrault pourra à nouveau travailler, mais cette fois en tant que contrôleur, et elle bénéficiera alors d'un salaire de 47 500 $ par année pour les dix prochaines années.

Marginalement, sur un horizon de treize ans, les flux monétaires de ce projet s'établissent comme suit :

An 1 :	flux monétaire négatif	
	- perte de salaire	30 000 $
	- frais de scolarité	5 000 $
An 2 :	flux monétaire négatif	
	- perte de salaire	32 500 $
	- frais de scolarité	5 000 $
An 3 :	flux monétaire négatif	
	- perte de salaire	35 000 $
	- frais de scolarité	5 000 $
Ans 4 à 13 :	flux monétaire positif	
	- revenu annuel additionnel	10 000 $

Une fois actualisés, ces flux monétaires nous permettront de juger de la pertinence d'entreprendre ce projet en tenant compte, évidemment, que seul un horizon de treize ans a été considéré.

Afin de nous permettre de mieux appréhender la détermination des flux monétaires pertinents lors de l'évaluation des choix d'investissement, nous distinguerons trois fenêtres ou étapes temporelles bien distinctes lors du processus d'investissement, à savoir : le début du projet, le cours du projet et la fin du projet. Nous allons étudier la détermination des flux monétaires à chacune de ces étapes.

2. La détermination des flux monétaires au début d'un projet d'investissement

En général, l'analyse des projets d'investissement repose sur deux éléments fort distincts : le coût rattaché à la réalisation d'un projet, d'une part, et les retombées positives découlant de cet investissement, d'autre part. Déterminer le coût d'un projet d'investissement constitue donc une étape importante dans l'analyse des projets d'investissement. Quel que soit le projet, à savoir la construction d'une nouvelle usine, le remplacement d'une pièce d'équipement, l'installation d'un système informatique, l'acquisition d'un compétiteur ou le lancement d'un nouveau produit, il est important de bien établir le coût nécessaire à la réalisation du projet. Règle générale, le coût d'un projet se concrétise au début dudit projet.

Le coût d'un projet est défini comme la somme des flux monétaires que l'entreprise consacre à la réalisation d'un projet.

En général, le coût du projet doit :

- *exclure les coûts irrécupérables* : on appelle coût irrécupérable une dépense ou des frais qu'on doit engager, que le projet soit accepté ou non. Les études de marché constituent un exemple de coûts irrécupérables. En effet, supposons qu'une entreprise envisage de lancer un nouveau produit et qu'elle commande une étude de marché. Les frais reliés à cette étude de marché doivent être acquittés, que le projet soit réalisé ou pas. Par conséquent, ils ne peuvent pas être imputés au coût du projet; ce sont des coûts irrécupérables. Marginalement, que le projet se réalise ou non, cette dépense se devra d'être assumée par l'entreprise.
- *inclure les frais directement reliés au projet*. Par exemple, lors du lancement d'un nouveau produit, une compagnie organise une grande réception. Les frais de cette « fête » sont directement reliés au projet et doivent par conséquent lui être imputés.
- *inclure les coûts de renonciation ou d'opportunité* : on appelle coût de renonciation, ou coût d'opportunité, tout flux monétaire occasionné par la renonciation à des ressources disponibles à la suite de l'adoption d'un projet. Par exemple, une entreprise dispose d'un terrain inutilisé sur lequel elle envisage de construire une nouvelle usine. L'entreprise a la possibilité de revendre ce terrain au prix de 100 000 $. En choisissant de faire construire la nouvelle usine, l'entreprise renonce à la possibilité

de recevoir 100 000 $. Elle subit donc un coût de renonciation, ou coût d'opportunité, qui doit être imputé au projet de construction d'une nouvelle usine.

Les flux monétaires retenus pour établir le coût d'un projet sont, sur le plan comptable et fiscal, de deux natures : ils peuvent être capitalisables ou non capitalisables. Un *flux monétaire capitalisable* apparaît au bilan d'une entreprise (par exemple, l'achat d'un terrain), alors qu'un *flux monétaire non capitalisable* se retrouve quant à lui dans l'état des résultats de l'entreprise (par exemple, le coût de formation du personnel). La nature du flux monétaire a une incidence directe sur le traitement fiscal qui en est fait. Or, les flux monétaires que nous considérons pour déterminer le coût du projet sont justement des flux monétaires après impôts. Par conséquent, il est nécessaire d'étudier au préalable les implications, sur le plan fiscal, qui sont liées à la nature des flux monétaires.

Les particularités fiscales sont nombreuses et seront traitées plus loin dans ce chapitre. Néanmoins, il est important, à ce stade-ci, de percevoir très clairement les nuances entre un flux monétaire capitalisable et un flux monétaire non capitalisable :

- Un coût d'investissement de 10 000 $ *capitalisable* sera comptabilisé dans le bilan de l'entreprise. Son impact fiscal sera important, mais *réparti dans le temps sur de nombreuses années*. Les retombées fiscales positives d'un flux monétaire capitalisable se matérialiseront *en cours de projet*; elles seront traitées dans les prochaines sections.
- Un coût d'investissement de 10 000 $ *non capitalisable* sera comptabilisé dans l'état des résultats de l'entreprise. Son impact fiscal sera important et *immédiat*. Il ne se produira qu'à une reprise et nous le situerons temporellement *exactement au moment où le coût est engagé*. Les retombées fiscales positives d'un flux monétaire non capitalisable se matérialiseront *au début du projet*. Elles doivent donc être considérées lors de la détermination du coût du projet. Marginalement, un flux monétaire de 10 000 $ non capitalisable permettra à l'entreprise (en supposant qu'elle soit profitable) d'économiser de l'impôt, puisque son bénéfice net avant impôts se verra *réduit* du montant correspondant.

À titre d'illustration (voir ci-dessous), considérons une entreprise ayant un chiffre d'affaires de 100 000 $, des dépenses de 30 000 $ et un taux d'imposition de 40 %. Une dépense additionnelle de 10 000 $ ne coûte marginalement que 6 000 $ à l'entreprise, puisqu'elle permet à cette dernière d'économiser 4 000 $ d'impôts.

	Avant	Après	Marginalement
Revenus de l'entreprise	100 000 $	100 000 $	
Dépenses de l'entreprise	30 000	40 000	
Bénéfice net de l'entreprise	70 000 $	60 000 $	(10 000 $)
Impôts payés par l'entreprise (40 %)	28 000	24 000	4 000
Bénéfice net de l'entreprise après impôts	42 000 $	36 000 $	(6 000 $)

Ainsi, le coût de 10 000 $ additionnel (marginal) aura permis à l'entreprise de réaliser une économie de 4 000 $ sur le plan fiscal en ne déboursant que 24 000 $ d'impôts plutôt que les 28 000 $ qu'elle aurait dû verser n'eût été la réalisation du projet. Le coût marginal d'une dépense non capitalisable peut être obtenu directement à partir de l'équation 8.2 :

$$\textit{coût marginal d'une dépense non capitalisable} = Dép\,(1 - T) \qquad \text{Éq. 8.2}$$

Où :

$Dép$ = une dépense non capitalisable

T = le taux d'imposition de l'entreprise

L'exemple suivant illustre la détermination du coût d'un projet d'investissement.

Exemple 2

Une entreprise envisage de lancer sur le marché un nouveau produit de fabrication japonaise et commande une étude de marché de 10 000 $. À la suite des conclusions positives de cette étude, l'entreprise décide d'entreprendre le projet. Pour commencer la fabrication du produit, l'entreprise doit débourser 200 000 $ pour acheter une bâtisse. Elle doit en outre acheter l'équipement nécessaire au Japon pour la somme de 250 000 $, ce qui occasionne des coûts de transport de 90 000 $ et des coûts d'installation de 25 000 $. Par ailleurs, des ingénieurs japonais sont invités à venir offrir des séminaires de formation au personnel au coût de 30 000 $. La fabrication du produit occasionne des coûts de main-d'œuvre additionnels de 30 000 $, mais sa vente devrait faire augmenter les revenus de l'entreprise de 180 000 $ à 220 000 $ par année. Finalement, lors du lancement du produit, l'entreprise compte organiser une réception au coût de 6 000 $. Le taux d'imposition de l'entreprise est de 40 %. Déterminons les flux pertinents qui entrent dans la détermination du coût du projet.

Le coût initial du projet

Investissement	Capitalisable	Non capitalisable	Coût	
Achat d'une bâtisse	X			200 000 $
Achat d'équipement	X		250 000	
Frais de transport	X		90 000	
Frais d'installation	X		25 000	365 000
Formation du personnel		X	30 000(1 – 0,4) =	18 000
Réception		X	6 000(1 – 0,4) =	3 600
				586 600 $

Notons que la première étape consiste à identifier les coûts pertinents à la détermination de l'investissement nécessaire à la réalisation du projet.

À ce niveau, les frais reliés à la réalisation de l'étude de marché ont été exclus puisque, marginalement, que le projet soit réalisé ou non, ces derniers devront être assumés par l'entreprise de toute façon. De plus, les coûts de main-d'œuvre additionnels de 30 000 $ et l'impact marginal sur les ventes de l'entreprise de 40 000 $ (220 000 – 180 000) ne doivent pas être considérés dans le coût initial du projet puisque ceux-ci arriveront durant la réalisation du projet et seront traités ultérieurement.

La deuxième étape consiste à classifier les différents éléments du coût du projet selon qu'ils sont capitalisables ou non capitalisables. Soulignons que le coût de la bâtisse et de l'équipement sont capitalisables. De plus, le coût total de l'équipement s'élève à 365 000 $ puisqu'au coût d'acquisition proprement dit (250 000 $), s'ajoutent les frais de transport (90 000 $) et d'installation (25 000 $). Seuls les frais de réception et de formation du personnel sont non capitalisables et doivent être considérés après impôts.

3. La détermination des flux monétaires en cours de projet d'investissement

L'information nécessaire à la détermination des flux monétaires en cours de projet provient essentiellement des données comptables regroupées dans les états financiers. Or, la comptabilité des entreprises est en général une *comptabilité d'exercice* et non une *comptabilité de caisse*. En d'autres termes, l'événement est enregistré quand il se produit, sans qu'il donne nécessairement lieu à des décaissements ou à des encaissements. À l'opposé, dans un système de comptabilité de caisse, la transaction est enregistrée seulement au moment où elle donne lieu à un mouvement de fonds. Par conséquent, pour obtenir les flux monétaires recherchés, on doit traiter l'information comptable de manière à convertir les revenus et les dépenses (comptabilité d'exercice) en entrées et sorties de fonds (comptabilité de caisse). En effet, il existe certaines différences de base entre les flux monétaires et les bénéfices comptables obtenus à partir d'une comptabilité d'exercice. Il importe de connaître et d'identifier ces différences, car elles peuvent introduire des biais lors de l'analyse d'un projet d'investissement.

Le *bénéfice comptable* est obtenu par la différence entre les revenus et les dépenses alors que *le flux monétaire* est constitué par la différence entre les entrées et les sorties de fonds. Afin d'obtenir les flux monétaires à partir des informations comptables, il faut exclure les dépenses ou les revenus qui ne donnent pas lieu à des mouvements de fonds. Un exemple type de ce genre d'élément est l'amortissement. En effet, l'amortissement, comme on le verra plus loin, est une écriture comptable qui vise à répartir le coût d'achat d'un bien capitalisable sur un certain nombre d'années sans pour autant qu'il y ait une sortie de fonds proprement dite. Par conséquent, l'amortissement est considéré lors du calcul du bénéfice comptable à titre de dépense, mais pas dans le flux monétaire puisqu'il ne donne pas lieu à des sorties de fonds.

Les principales différences entre la détermination du bénéfice comptable et celle du flux monétaire sont les suivantes :

- *Le moment où l'on enregistre un revenu (ou une dépense) et celui où l'on enregistre un flux monétaire (ou un mouvement de fonds) sont différents.*

  Exemple : un compte client est comptabilisé dans les revenus et se retrouve donc dans le bénéfice comptable. Cependant, étant donné qu'il ne donne pas lieu à une entrée de fonds, il ne sera pas considéré comme un flux monétaire tant qu'il ne sera pas encaissé. Le même principe s'applique en ce qui concerne les comptes fournisseurs.

- *Certaines dépenses sont déduites des revenus sans qu'elles n'engendrent de sorties de fonds.*

  Exemple : l'amortissement est une écriture qui est enregistrée afin de tenir compte de la dépréciation des actifs. Elle vise à répartir le coût d'achat d'un actif sur un certain nombre d'années. Pourtant, en réalité, cette écriture comptable n'occasionne aucun décaissement ou sortie de fonds et ne peut donc, à ce titre, être reconnue dans les flux monétaires.

- *Les impôts utilisés dans le calcul du bénéfice comptable ne sont pas nécessairement les mêmes que ceux qui sont versés à l'État.*

  Exemple : les impôts reportés d'exercice en exercice en sont un exemple et ne correspondent pas aux impôts que l'État prélève en réalité.

- *Les conventions comptables permettent de déterminer les bénéfices de différentes manières. Les bénéfices dépendent donc des conventions comptables retenues.*

  Exemple : la comptabilisation des inventaires peut se faire selon différentes méthodes, dont les plus communes sont le LIFO, le FIFO et le coût moyen pondéré. Le choix de l'une ou l'autre de ces méthodes relève du gestionnaire et peut avoir un impact différent sur le calcul des bénéfices comptables.

Les différences énumérées ci-dessus entre la détermination du bénéfice comptable et celle du flux monétaire font que les décisions prises sur la base du bénéfice comptable peuvent s'avérer différentes de celles qui sont prises sur la base du flux monétaire. Ce sont ces derniers, plutôt que les bénéfices, qui doivent être considérés lors de l'évaluation des investissements. Deux raisons principales justifient ce choix :

1. Comme nous l'avons vu plus haut, l'estimation des bénéfices est tributaire des choix comptables et peut donc varier, par opposition aux flux monétaires qui, eux, ne dépendent que des mouvements réels de fonds.

2. Pour l'investisseur, ce qui importe c'est ce qu'il va effectivement décaisser et encaisser lors de la réalisation du projet. Les bénéfices de l'entreprise ne correspondent pas nécessairement à l'argent qui se trouve entre les mains de l'investisseur. Par conséquent, pour évaluer un projet, l'investisseur a intérêt à baser ses décisions sur les flux monétaires.

L'information nécessaire à la détermination des flux monétaires provient essentiellement des données comptables regroupées dans les états financiers des entreprises. Pour établir les flux monétaires à partir de ces données comptables, il faut nécessairement faire une conciliation entre le bénéfice comptable et les flux monétaires ou convertir le bénéfice comptable en flux monétaires.

Nous allons illustrer la détermination des flux monétaires en cours de projet à partir de l'exemple suivant.

Exemple 3

Une entreprise considère l'achat d'un équipement de forage qui va nécessiter un investissement de 100 000 $. Cet équipement va générer des revenus et des dépenses annuels sur quatre ans, tels que décrits dans le tableau suivant. Déterminez les flux monétaires de ce projet d'investissement.

1. Les données comptables dont nous disposons sont regroupées dans le tableau suivant :

	Année 1	Année 2	Année 3	Année 4
Revenus	170 000 $	181 000 $	234 700 $	110 270 $
Frais de main-d'œuvre	70 000	80 000	110 000	40 000
Dépenses diverses	40 000	40 000	40 000	40 000
Dépenses d'amortissement	30 000	21 000	14 700	10 270
Bénéfice avant impôts	30 000 $	40 000 $	70 000 $	20 000 $
Impôts (40 %)	12 000	16 000	28 000	8 000
Bénéfice après impôts	18 000 $	24 000 $	42 000 $	12 000 $

2. À partir de ces données comptables, nous voulons déterminer les flux monétaires. Pour ce faire, il faut convertir le bénéfice comptable en flux monétaires, comme le montre le tableau suivant :

Année	Bénéfice avant impôts (1) ($)	Impôts à payer (2) = (1) × 40 % ($)	Bénéfice après impôts (3) = (1) – (2) ($)	Amortissement (4) ($)	Flux monétaires (5) = (3) + (4) ($)
1	30 000	12 000	18 000	30 000	48 000
2	40 000	16 000	24 000	21 000	45 000
3	70 000	28 000	42 000	14 700	56 700
4	20 000	8 000	12 000	10 270	22 270

La démarche suivie dans la détermination des flux monétaires et la conciliation entre le bénéfice comptable et les flux monétaires comporte deux étapes :

Étape 1 : nous avons déterminé le bénéfice après impôts en retranchant du bénéfice avant impôts les impôts à payer.

Étape 2 : nous avons déterminé les flux monétaires du projet en ajoutant au bénéfice après impôts la dépense d'amortissement qui, par définition, ne constitue pas une sortie de fonds.

Donc, à la suite de la réalisation de ce projet, l'investisseur recevra annuellement un flux monétaire de 48 000 $, 45 000 $, 56 700 $ et 22 270 $ pour les quatre années du projet et non 18 000 $, 24 000 $, 42 000 $ et 12 000 $ comme l'établit le bénéfice après impôts.

Jusqu'ici, nous avons considéré que les flux monétaires résultant de la réalisation d'un projet constituent une catégorie homogène et nous les avons traités comme une seule entité. Or, les flux monétaires établis plus haut sont de deux types : les flux monétaires générés par les opérations du projet, qui résultent de la réalisation du projet sur le plan commercial, et les flux monétaires d'ordre fiscal, qui découlent des particularités propres à l'imposition de chaque projet.

Les flux monétaires générés par les opérations du projet

Ceux-ci étant dus aux opérations du projet d'investissement, nous les désignons par *FMGOP* (flux monétaires générés par les opérations du projet). Les flux monétaires générés par le projet pour l'année *t* ($FMGOP_t$) correspondent à la différence entre les revenus et les dépenses après impôts. Ainsi, si :

R_t = les revenus marginaux du projet pour l'année *t*

D_t = les dépenses marginales du projet pour l'année *t* (excluant les intérêts et l'amortissement)

T = le taux d'impôt

alors, les flux monétaires générés par les opérations du projet sont définis par :

$$FMGOP_t = (R_t - D_t)(1 - T) \quad \textbf{Éq. 8.3}$$

Vous aurez remarqué que nous avons exclu deux éléments bien précis des dépenses du projet, à savoir l'amortissement et l'intérêt. L'amortissement ne doit pas être considéré dans les flux monétaires d'un projet puisque, comme nous l'avons mentionné précédemment, il ne s'agit pas d'une sortie de fonds et son impact sur le projet est d'ordre fiscal, comme nous le verrons ci-dessous. Pour sa part, l'intérêt ne peut lui non plus être considéré dans les flux monétaires d'un projet puisqu'il constitue une dépense directement liée à la décision de financement retenue et que, comme nous le soulignions au chapitre 1, les *décisions liées à l'investissement* et *celles qui sont liées au financement* se doivent d'être dissociées.

Les flux monétaires d'ordre fiscal

Ces flux monétaires sont essentiellement constitués d'économies d'impôts liées au projet. Nous les désignerons par *EIACC* (économies d'impôts liées à l'allocation du coût en capital).

Pour des fins d'illustration, nous allons, à partir de l'exemple précédent, préciser l'origine de chacun des flux monétaires déjà établis.

Exemple 4

À partir des données de l'exemple 3, déterminons les *FMGOP* et les *EIACC* pour les dix prochaines années.

Année	*FMGOP* avant impôts (1) ($)	Impôts à payer (2) = (1) x 40 % ($)	*FMGOP* (3) = (1) – (2) ($)	Amortissement (4) ($)	*EIACC* (5) = (4) x 40 % ($)	Flux monétaires totaux (6) = (3) + (5) ($)
1	60 000*	24 000	36 000	30 000**	12 000	48 000
2	61 000	24 400	36 600	21 000	8 400	45 000
3	84 700	33 880	50 820	14 700	5 880	56 700
4	30 270	12 108	18 162	10 270	4 108	22 270
5	0	0	0	7 203	2 881,20	2 881,20
6	0	0	0	5 042,10	2 016,80	2 016,80
7	0	0	0	3 529,40	1 411,80	1 411,80
8	0	0	0	2 470,60	988,20	988,20
9	0	0	0	1 729,40	691,70	691,70
10	0	0	0	1 210,60	484,20	484,20

* Les revenus de la première année d'exploitation sont estimés à 170 000 $, les dépenses excluant l'amortissement s'élèvent à 110 000 $, d'où une différence de 60 000 $.

** La dépense d'amortissement a été calculée à partir d'un investissement de 100 000 $, selon une catégorie fiscale dont l'amortissement est de 30 % sur le solde dégressif. À titre indicatif, nous fournissons des données jusqu'à la dixième année. Nous traiterons de cet aspect à l'intérieur de la section 3.2.

À partir de ce tableau, nous pouvons voir que les flux monétaires liés aux opérations (*FMGOP*) sont limités dans le temps et s'arrêtent en même temps que la fin du projet. Par contre, l'amortissement continue indéfiniment dans le temps de même que les économies d'impôts (*EIACC*) auxquelles il donne droit. Au bout de quatre ans, seuls les flux monétaires liés à la fiscalité subsistent. On ne retire plus de flux monétaires liés aux opérations.

Dans la section suivante, nous allons examiner de manière plus exhaustive les flux monétaires liés à la fiscalité, ainsi que leur origine et la façon de les déterminer.

3.1 Les flux monétaires et le système fiscal

Nous avons vu au chapitre 1 que l'environnement économique dans lequel les décisions d'investissement sont prises met en jeu différents agents économiques en interaction continuelle. Parmi ces agents économiques, nous avons identifié l'État ou le gouvernement. Jusqu'à présent, nous avons omis de parler de l'État dans l'environnement de l'entreprise; or, cette intervention se présente particulièrement sous la forme de politiques fiscales du gouvernement à l'égard des entreprises. La fiscalité régit, à travers les impôts, l'environnement dans lequel les décisions d'investissement sont prises. Par conséquent, dans toute analyse de projet, il faut considérer les flux monétaires que les règles fiscales établies par l'État génèrent. Il peut s'agir, par exemple, d'économies d'impôts (déductions permises par la fiscalité) ou de pertes d'économies d'impôts (déductions permises par la fiscalité mais auxquelles on n'a plus droit). Comme nous l'avons vu précédemment, il est important d'identifier ces flux monétaires liés à la fiscalité et de les inclure lors de l'analyse du projet d'investissement. Dans ce qui suit, nous allons traiter d'un élément important découlant de l'environnement fiscal dans lequel évolue l'entreprise, soit l'allocation du coût en capital.

3.2 L'allocation du coût en capital (*ACC*)

Comme nous l'avons précédemment défini, l'amortissement est une écriture comptable qui est enregistrée afin de tenir compte de la dépréciation des actifs. Cette écriture vise à répartir le coût d'achat d'un actif sur un certain nombre d'années. L'*allocation du coût en capital (ACC)* est la notion fiscale qui correspond à l'amortissement comptable. Elle constitue une dépense permise par l'État pour compenser le vieillissement des actifs amortissables. Ces deux termes correspondent en fait au même concept. L'*ACC* est enregistrée en tant que dépense mais n'entraîne ni décaissement ni sortie de fonds. Elle a été introduite par le gouvernement pour encourager les entreprises à investir dans l'économie. En effet, en permettant aux entreprises de déduire de leur revenu un certain montant sur tous les nouveaux projets qu'elles entreprennent, l'État crée ainsi une mesure incitative afin qu'elles se lancent dans des projets d'investissement bénéfiques pour l'économie. La participation financière de l'État est indirecte et se concrétise dans la charge fiscale de l'entreprise. Cette charge fiscale, toutes choses étant égales par ailleurs, sera moindre si l'entreprise réalise des projets d'investissement incluant l'acquisition d'actifs capitalisables.

L'*ACC* donne droit à des économies d'impôts qui peuvent être considérées comme une source de fonds. En effet, en tant que dépense n'entraînant aucune sortie de fonds, l'*ACC* va diminuer le bénéfice imposable et, par le fait même, les impôts à payer. En d'autres termes, il y a économie d'impôts liée à l'*ACC*, ce qui constitue un flux monétaire positif qui doit être inclus lors de l'analyse du projet. Ce flux monétaire, soit l'économie d'impôts, est positif puisqu'il résulte d'une dépense n'entraînant aucune sortie de fonds.

Les économies d'impôts liées à l'*ACC* sont des flux monétaires dont l'entreprise bénéficie à la suite de la déduction de l'*ACC*. Ces économies d'impôts existent tant et aussi longtemps qu'il existera des actifs capitalisables reliés au projet et non totalement amortis. L'*horizon* sur lequel ces économies d'impôts seront réalisées peut différer de la *durée de vie du projet*. En effet, comme nous l'avons noté précédemment, les économies d'impôts peuvent être réalisées indéfiniment, au-delà de la fin des opérations du projet, en autant que l'entreprise ne dispose pas des actifs amortissables acquis pour sa réalisation.

Ainsi, si :

$EIACC$ = les économies d'impôts liées à l'*ACC*

T = le taux d'impôt

ACC = l'allocation du coût en capital

alors pour l'année t, les économies d'impôts liées à l'*ACC* sont calculées comme suit :

$$EIACC_t = ACC_t \times T$$ **Éq. 8.4**

Par exemple, pour une année donnée t, si la dépense d'*ACC*, qui n'entraîne aucune sortie de fonds, s'élève à 100 000 $ et que l'entreprise est imposée à un taux de 40 %, alors durant l'année t, l'entreprise économisera 40 000 $ d'impôts qu'elle aurait dû verser au gouvernement si cette dépense d'*ACC* n'avait pas existé.

$$EIACC = ACC_t \times T$$
$$EIACC = 100\,000 \times 0{,}40$$
$$EIACC = 40\,000\ \$$$

Le montant de l'*ACC* qu'il est permis de déduire n'est pas un montant arbitraire, quel que soit le projet. En effet, il dépend du type d'actif amortissable. À ce niveau, tous les actifs amortissables sont regroupés dans près de 35 catégories dont quelques-unes sont présentées au tableau 8.1. Chaque *catégorie d'actifs* ou *classe d'amortissement* est identifiée par un montant maximal d'*ACC* selon un taux d'amortissement donné.

TABLEAU 8.1
Catégories d'actifs ou classes d'amortissement

Catégorie d'actifs ou classe d'amortissement	Nature des actifs	Taux d'amortissement
1	Bâtiments acquis après 1987	4 %
3	Bâtiments acquis avant 1988	5 %
6	Bâtisse avec structure en bois	10 %
8	Machinerie	20 %
9	Avion, radar	25 %
10	Matériel roulant, matériel informatique	30 %
12	Vaisselles, ustensiles	100 %
16	Taxis et voitures de location de courte durée	40 %
38	Matériel mobile d'excavation	30 %
43	Matériel de fabrication	30 %
		—

Les taux d'amortissement sont établis en fonction de l'espérance de vie du bien. Le taux d'amortissement est d'autant plus élevé que l'espérance de vie est courte. En effet, l'horizon de vie de l'actif étant plus court, il faut l'amortir plus vite de manière à ce que la valeur aux livres à la fin de l'espérance de vie de l'actif corresponde le plus près possible à la valeur marchande du bien.

Pour l'application des particularités fiscales liées à l'*ACC*, le gouvernement a établi certaines règles que nous avons résumées ci-dessous, en six points.

1. *L'amortissement, selon le taux dégressif de la catégorie d'actifs, se calcule sur le solde décroissant ou dégressif.*

ILLUSTRATION 1

Supposons que le taux d'amortissement d'une catégorie d'actifs qui présente un solde non amorti de 100 000 $ est de 30 %. Ce taux de 30 % sera appliqué chaque année sur le solde non amorti de la catégorie, jusqu'à épuisement de la catégorie, c'est-à-dire jusqu'à l'infini. En effet, chaque année, une fraction de 70 % (100 % – 30 %) subsistera. À titre d'illustration, voici la catégorie de 30 % pour laquelle nous avons calculé l'amortissement jusqu'à l'an 15 :

Catégorie de 30 %

	Débit	*Crédit*	
Solde 1	100 000 $	30 000 $	*ACC* an 1
Solde 2	70 000	21 000	*ACC* an 2
Solde 3	49 000	14 700	*ACC* an 3
Solde 4	34 300	10 290	*ACC* an 4
Solde 5	24 010	7 203	*ACC* an 5
Solde 6	16 807	5 042,10	*ACC* an 6
Solde 7	11 764,90	3 529,40	*ACC* an 7
Solde 8	8 235,50	2 470,60	*ACC* an 8
Solde 9	5 764,90	1 729,40	*ACC* an 9
Solde 10	4 035,50	1 210,60	*ACC* an 10
Solde 11	2 824,70	847,40	*ACC* an 11
Solde 12	1 977,40	593,20	*ACC* an 12
Solde 13	1 384,20	415,20	*ACC* an 13
Solde 14	968,90	290,60	*ACC* an 14
Solde 15	678,30	203,50	*ACC* an 15

2. *L'amortissement se prend sur le solde de la fin de l'année financière, sans ajustement mensuel lors de l'achat ou de la vente d'un actif de la catégorie en cours d'année.*

Supposons que la fin de l'année financière d'une entreprise est le 31 juillet. L'entreprise calculera son *ACC* pour l'année financière entre le 1er août et le 31 juillet, à partir du solde de la catégorie au 31 juillet. À titre d'exemple, que l'entreprise acquiert une pièce d'équipement le 30 juin (soit un mois avant la fin de l'année financière) ou le 31 janvier (soit six mois avant la fin de l'année financière), l'*ACC* pour l'année financière sera calculée sur le solde non amorti de la catégorie à la date du 31 juillet.

3. *Le calcul de l'amortissement ne tient pas compte de la valeur de revente d'un bien avant que l'on ait effectivement disposé du bien.*

Le calcul de l'amortissement ne tient pas compte de la valeur de revente de l'actif. Ainsi, même si un actif capitalisable est acquis au coût de 250 000 $ et qu'on estime pouvoir s'en départir pour 100 000 $ dans dix ans, l'amortissement sera calculé sur le coût d'origine, soit 250 000 $.

Comme la valeur de revente est incertaine, cette dernière ne sera considérée qu'au moment de sa matérialisation.

4. *Lorsqu'on dispose d'un bien amortissable, le produit de la revente, jusqu'à concurrence du coût en capital du bien aliéné, mais sans dépasser ce coût, est crédité à la fraction non amortie du coût en capital de la catégorie (la FNACC).*

ILLUSTRATION 2

- Si un actif qui a coûté 8 000 $ est revendu 2 000 $, le solde de la catégorie doit être réduit de 2 000 $.
- Si un actif qui a coûté 8 000 $ est revendu 8 000 $, le solde de la catégorie doit être réduit de 8 000 $.
- Si un actif qui a coûté 8 000 $ est revendu 10 000 $, le solde de la catégorie doit être réduit de 8 000 $ puisqu'on ne peut retrancher de la catégorie un montant supérieur à celui qu'a coûté l'actif.

5. *Lorsque tous les biens d'une catégorie sont vendus et qu'un solde débiteur non amorti demeure, ce solde peut être radié contre le revenu de l'année comme perte terminale (PT). Si, au contraire, le solde non amorti de la catégorie en question est créditeur, il viendra s'ajouter au revenu de l'année au titre de récupération d'amortissement (RA).*

ILLUSTRATION 3

Cas 1 : la *FNACC* d'une catégorie donnée lors de sa fermeture est un solde débiteur de 76 932 $.

Lorsque la *FNACC* d'une catégorie donnée est un solde débiteur, nous pouvons en déduire que l'amortissement de la catégorie a été trop lent, ce qui nous a empêchés de réaliser des économies d'impôts auxquelles nous avions droit au fil du temps. Le traitement de la *FNACC* en tant que dépense vise à nous faire récupérer une partie des économies d'impôts perdues.

Catégorie

	Débit	*Crédit*
FNACC	76 932 $	

Le traitement d'un solde débiteur consiste à passer la *FNACC* en dépense. Cette dépense n'entraîne aucun mouvement de fonds. Elle donne lieu alors à des économies d'impôts dues à une perte terminale (*EIPT*) ce qui, finalement, engendre un gain net.

$$EIPT = PT \times T \qquad \textbf{Éq. 8.5}$$

Cas 2 : la *FNACC* d'une catégorie donnée est un solde créditeur de 76 932 $.

Lorsque la *FNACC* d'une catégorie est un solde créditeur, nous pouvons en déduire que l'amortissement de la catégorie a été trop rapide, ce qui nous a fait bénéficier de trop d'économies d'impôts au fil du temps. Le traitement de la *FNACC* en tant que revenu imposable vise à nous faire payer une partie du trop-perçu en économies d'impôts.

Catégorie

	Débit	Crédit
FNACC		76 932 $

Le traitement de ce solde créditeur consiste à passer la *FNACC* en revenu. Ce revenu n'entraîne aucun mouvement de fonds. Il donne lieu à des impôts à payer dus à une récupération d'amortissement (*IRA*) ce qui, finalement, engendre une perte nette.

$$IRA = RA \times T$$ **Éq. 8.6**

6. *Depuis novembre 1981, le montant d'ACC déductible durant l'année d'acquisition d'un bien amortissable est réduit de moitié. Les entreprises ne peuvent donc réclamer pour la première année d'acquisition d'un bien que la moitié de l'allocation du coût en capital de ce bien. Cette règle est appelée la règle de la demi-année ou la règle du 50 %.*

ILLUSTRATION 4

Un entrepreneur achète une pièce d'équipement pour la somme de 50 000 $. Le taux d'amortissement dégressif correspondant est de 25 %. En supposant que le solde de la catégorie au début de l'année financière est de 100 000 $, nous établissons l'amortissement lors de cette année d'acquisition de deux façons :

– Sans la règle de la demi-année :

Catégorie de 25 %

	Débit	Crédit	
Solde au début	100 000 $		
Achat	50 000	37 500 *	*ACC*
	112 500 $		

* 150 000 × 0,25 = 37 500

– Avec la règle de la demi-année :

Catégorie de 25 %

	Débit	*Crédit*	
Solde au début	100 000 $		
Achat	50 000	31 250 *	*ACC*
	118 750 $		

* (100 000) × 0,25 + (50 000 × 0,25 × 50 %) = 31 250

La règle de la demi-année a été introduite par le gouvernement afin de contrer la possibilité que les actifs acquis en fin d'exercice permettent aux entreprises de bénéficier de plus d'économies d'impôts qu'il n'en faut. En effet, étant donné que l'amortissement se calcule, comme nous l'avons vu, sans ajustement mensuel, les entreprises peuvent se trouver incitées à acheter des actifs à la fin de l'année financière, ce qui leur permet de bénéficier de plus d'économies d'impôts. La règle de la demi-année a eu pour conséquence, comme nous l'avons illustré dans l'exemple ci-dessus, de diminuer les économies d'impôts au cours de la première année d'acquisition d'un bien amortissable. Notons que cette règle du 50 % s'applique dans les faits sur le montant de la variation nette positive entre la *FNACC* de début et de fin d'année. Par exemple, si l'acquisition d'un bien pour une valeur de 100 000 $ vise à remplacer un autre actif de la même catégorie qui a été vendu 30 000 $, alors la règle de la demi-année ne s'appliquera que sur un montant de 70 000 $, soit, toutes choses étant égales par ailleurs, la variation nette positive de la catégorie en cours d'année.

Vous aurez remarqué que, parmi les règles fiscales reliées à l'*ACC* dont il a été question précédemment, la *FNACC* (fraction non amortie du coût en capital) est un élément qui doit régulièrement être pris en considération dans le traitement fiscal de nos décisions d'investissement.

Afin de se familiariser davantage avec la détermination des flux monétaires dans le cadre d'un système fiscal, nous traiterons maintenant de la détermination de la *FNACC*, de celle des économies d'impôts liées à l'*ACC* (*EIACC*) et, finalement, de la détermination de la valeur actualisée des *EIACC* (*VAEIACC*).

– La détermination de la *FNACC* d'un actif amortissable

Comme la *FNACC* correspond au solde de la classe d'amortissement pour chaque année, on peut la calculer d'année en année, comme suit :

Pour l'année 1 $FNACC_1 = C - ACC_1$

Pour l'année n $FNACC_n = FNACC_{(n-1)} - ACC_{(n)}$

Ou, encore, de manière algébrique, comme suit :

$S_n = C \times (1-d)^n$ (sans la règle de la demi-année) **Éq. 8.7.1**

$S_n = FNACC_1 \times (1-d)^{n-1}$ (avec la règle de la demi-année) **Éq. 8.7.2**

où :

C = le coût d'acquisition d'un bien amortissable

S_n = le solde non amorti de la catégorie

d = le taux d'amortissement dégressif

n = le nombre d'années d'amortissement

Dans l'exemple suivant, nous illustrons deux façons, soit manuellement et algébriquement, de trouver la *FNACC* d'un bien amortissable.

ILLUSTRATION 5

Calculons la *FNACC* après dix ans dans la catégorie de 30 % sur une acquisition de 100 000 $ avec et sans la règle de la demi-année.

- Première façon : manuellement

Catégorie de 30 % (sans la règle de la demi-année)				Catégorie de 30 % (avec la règle de la demi-année)			
	Débit	*Crédit*			*Débit*	*Crédit*	
Solde 1	100 000 $	30 000 $	*ACC* an 1	Solde 1	100 000 $	15 000 $	*ACC* an 1
Solde 2	70 000	21 000	*ACC* an 2	Solde 2	85 000	25 500	*ACC* an 2
Solde 3	49 000	14700	*ACC* an 3	Solde 3	59 500	17 850	*ACC* an 3
Solde 4	34 300	10290	*ACC* an 4	Solde 4	41 650	12 495	*ACC* an 4
Solde 5	24 010	7203	*ACC* an 5	Solde 5	29 155	8 746,50	*ACC* an 5
Solde 6	16 807	5042,10	*ACC* an 6	Solde 6	20 408,50	6 122,50	*ACC* an 6
Solde 7	11 764,90	3529,40	*ACC* an 7	Solde 7	14 286	4 286	*ACC* an 7
Solde 8	8 235,50	2470,60	*ACC* an 8	Solde 8	10 000	3 000	*ACC* an 8
Solde 9	5 764,90	1729,40	*ACC* an 9	Solde 9	7 000	2 100	*ACC* an 9
Solde 10	4 035,50	1210,60	*ACC* an 10	Solde 10	4 900	1 470	*ACC* an 10
Solde	2 824,70 $			Solde	3 430,00 $		

- Deuxième façon : algébriquement

(sans la règle de la demi-année)

$$S = C(1-d)^n$$
$$S_{10} = 100\,000\,(1-0{,}3)^{10}$$
$$= 2\,824{,}70\ \$$$

(avec la règle de la demi-année)

$$S_n = FNACC_1 \times (1-d)^{n-1}$$
$$S_{10} = 85\,000\,(0{,}7)^9$$
$$= 3\,430\ \$$$

En généralisant :

$$FNACC_n = FNACC_j \times (1-d)^{n-j}$$

– La détermination des *EIACC*

Comme nous l'avons vu précédemment, la détermination des flux monétaires d'un projet doit nécessairement tenir compte des économies d'impôts liées à l'*ACC*. En effet, pour l'entreprise, le montant des taxes payées à l'État dépend directement du montant d'économies d'impôts dont elle peut bénéficier. Pour l'entreprise, il est donc primordial de pouvoir mesurer ces *EIACC* et d'en calculer la valeur actuelle lors de l'évaluation des projets d'investissement. Il est important de préciser que ce ne sont pas les dépenses d'*ACC* qui nous intéressent, mais bien les économies d'impôts que ces dernières nous procurent.

Afin d'illustrer la détermination des *EIACC*, nous allons reprendre les données de l'exemple 4.

Année	*FMGOP* avant impôts (1) ($)	Impôts à payer (2) = (1) x 40 % ($)	*FMGOP* (3) = (1) – (2) ($)	Amortissement (4) ($)	*EIACC* (5) = (4) x 40 % ($)	Flux monétaires totaux (6) = (3) + (5) ($)
1	60 000*	24 000	36 000	30 000**	12 000	48 000
2	61 000	24 400	36 600	21 000	8 400	45 000
3	84 700	33 880	50 820	14 700	5 880	56 700
4	30 270	12 108	18 162	10 270	4 108	22 270
5	0	0	0	7 203	2 881,20	2 881,20
6	0	0	0	5 042,10	2 016,80	2 016,80
7	0	0	0	3 529,40	1 411,80	1 411,80
8	0	0	0	2 470,60	988,20	988,20
9	0	0	0	1 729,40	691,70	691,70
10	0	0	0	1 210,60	484,20	484,20

* Les revenus de la première année d'exploitation sont estimés à 170 000 $, les dépenses excluant l'amortissement s'élèvent à 110 000 $, d'où une différence de 60 000 $.

** La dépense d'amortissement a été calculée à partir d'un investissement de 100 000 $, selon une catégorie fiscale dont l'amortissement est de 30 % sur le solde dégressif. À titre indicatif, nous fournissons des données jusqu'à la dixième année. Nous traiterons de cet aspect à l'intérieur de la section 3.2.

Ce tableau ne tient toutefois pas compte de la règle de la demi-année. En en tenant compte, le tableau devient :

Année	*FMGOP* avant impôts (1) ($)	Impôts à payer (2) = (1) × 40 % ($)	*FMGOP* (3) = (1) – (2) ($)	Amortissement (4) ($)	*EIACC* (5) = (4) × 40 % ($)	Flux monétaires totaux (6) = (3) + (5) ($)
1	60 000	24 000	36 000	15 000	6 000	42 000
2	61 000	24 400	36 600	25 500	10 200	46 800
3	84 700	33 880	50 820	17 850	7 140	57 960
4	30 270	12 108	18 162	12 495	4 998	23 160
5	0	0	0	8 746,50	3 498	3 498
6	0	0	0	6 122,50	2 449	2 449
7	0	0	0	4 286	1 714	1 714
8	0	0	0	3 000	1 200	1 200
9	0	0	0	2 100	840	840
10	0	0	0	1 470	588	588

Vous remarquerez, comme nous l'avons noté plus haut, qu'en tenant compte de la règle de la demi-année, l'*ACC* de la première année est effectivement réduite de moitié. Cependant, pour toutes les années subséquentes, l'*ACC* avec la règle de la demi-année est supérieure à l'*ACC* sans la règle de la demi-année.

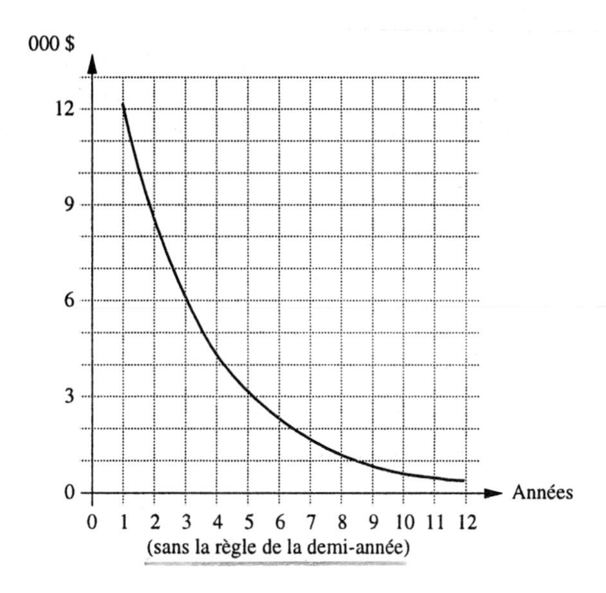

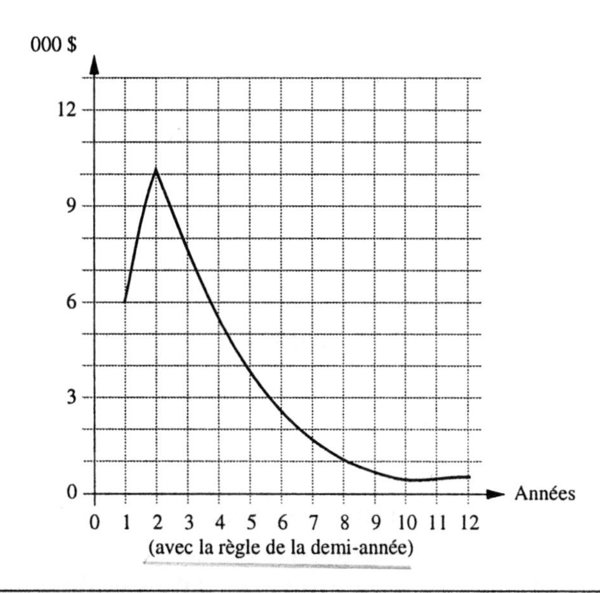

FIGURE 8.1
Les économies d'impôts liées à l'ACC (*EIACC)*

– La détermination de la *VAEIACC*

Étant donné que les *EIACC* se poursuivent jusqu'à l'infini, il faudrait actualiser les économies annuelles jusqu'à l'infini afin d'obtenir la valeur actuelle des *EIACC*. Des manipulations algébriques nous permettent cependant de les calculer facilement, selon la formule suivante et ce, en tenant compte de la règle de la demi-année :

$$VAEIACC = \left[\frac{C \times d \times T}{k+d}\right]\left[\frac{1+0{,}5k}{1+k}\right] \qquad \textbf{Éq. 8.8}$$

où :

C = le coût d'acquisition

d = le taux d'amortissement dégressif

T = le taux d'imposition

k = le taux d'actualisation

Ainsi, dans notre cas, en supposant que :

C = 100 000 $

d = 30 %

T = 40 %

k = 10 %

$$VAEIACC = \left[\frac{C \times d \times T}{k+d}\right]\left[\frac{1+0{,}5k}{1+k}\right]$$

$$VAEIACC = \left[\frac{100\,000 \times 0{,}3 \times 0{,}4}{0{,}1+0{,}3}\right]\left[\frac{1+(0{,}5 \times 0{,}1)}{1{,}10}\right]$$

$$VAEIACC = 28\,636{,}36\ \$$$

Jusqu'à présent, nous avons considéré les flux monétaires générés par les opérations du projet (*FMGOP*) et ceux qui sont générés par l'aspect fiscal du projet. Toutefois, à la fin du projet, une possibilité peut se présenter : celle de disposer de l'actif, c'est-à-dire de le vendre. Nous étudierons cette situation dans la section suivante.

4. La détermination des flux monétaires à la fin d'un projet d'investissement

En règle générale, à la fin d'un projet, on dispose des actifs utilisés. La revente des actifs est une pratique courante, notamment en fin de projet. Le fait de revendre un actif occasionne principalement deux types de flux monétaires :

- la valeur de revente de l'actif (*VR*), qui constitue une entrée de fonds pour l'investisseur et qui est équivalente à la valeur marchande du bien ou à ce que ce dernier reçoit pour le bien.

  Lors de la revente d'un actif, trois situations sont possibles :

  1. la valeur de revente est supérieure au coût d'acquisition de l'actif ($VR > C$);
  2. la valeur de revente est égale au coût d'acquisition de l'actif ($VR = C$);
  3. la valeur de revente est inférieure au coût d'acquisition de l'actif ($VR < C$).

- les flux monétaires fiscaux touchant la disposition d'actifs amortissables.

  Les flux monétaires fiscaux touchant la disposition d'actifs amortissables peuvent être de quatre ordres, soit :

  1. les pertes d'économies d'impôts liées à l'*ACC* (*PEIACC*);
  2. l'impôt sur le gain en capital (*IGC*);
  3. l'impôt à payer sur la récupération d'amortissement (*IRA*);
  4. les économies d'impôts liées à une perte terminale (*EIPT*);

  Les *PEIACC* ont lieu lorsque la *VR* d'un actif est supérieure à 0. En effet, nous ne pouvons plus amortir la valeur soustraite d'une catégorie lors de la vente d'un actif à partir du moment où l'on en a disposé. Or, lors du calcul de la *VAEIACC* à partir de l'équation 8.8, nous avons supposé que l'actif serait la propriété de l'entreprise jusqu'à l'infini et que cette dernière pouvait donc en amortir le coût jusqu'à l'infini. Nous devons donc retrancher de cette *VAEIACC* les *PEIACC* qui correspondent au montant soustrait de la catégorie lors de la disposition de l'actif. Nous vous rappelons que nous ne pouvons, au moment de la disposition d'un actif, soustraire de la catégorie un montant supérieur au coût d'acquisition de ce dernier.

Les pertes d'économies d'impôts liées à l'*ACC* lors de la disposition d'un actif se déterminent à partir de l'équation 8.8 où la variable du coût est remplacée, selon les circonstances, soit par la valeur de revente de l'actif jusqu'à concurrence de son coût s'il n'y a pas de fermeture de la classe d'amortissement, soit par la *FNACC* dans le cas où l'actif vendu est le dernier de sa catégorie et qu'il entraîne une fermeture de cette dernière.

S'il n'y a pas fermeture de la classe d'amortissement (ou de la catégorie d'actifs)

- Si la valeur de revente est inférieure à son coût d'origine :

$$PEIACC = \frac{VR \times d \times T}{k + d} \qquad \text{Éq. 8.9.1}$$

- Si la valeur de revente est supérieure à son coût d'origine :

$$PEIACC = \frac{C \times d \times T}{k + d} \qquad \text{Éq. 8.9.2}$$

S'il y a fermeture de la classe d'amortissement (ou de la catégorie d'actifs)

$$PEIACC = \frac{FNACC \times d \times T}{k + d} \qquad \text{Éq. 8.9.3}$$

L'*IGC* survient pour sa part quand la valeur de revente d'un actif est supérieure à son coût d'acquisition. Au Canada, le gain en capital (valeur de revente – coût d'acquisition) est imposable dans une proportion de 75 %.

L'*IRA* et les *EIPT* se présentent quant à eux lorsque l'actif vendu est le dernier de sa catégorie. À ce moment, nous sommes en présence d'un cas de fermeture de classe d'amortissement (ou de catégorie d'actifs). L'*IRA* et les *EIPT* ne peuvent cependant être tous les deux présents; ce sera toujours soit l'un, soit l'autre en fonction de la nature du solde de la catégorie, qu'il soit créditeur ou débiteur.

Nous allons identifier, à partir d'exemples, les flux monétaires pertinents qui doivent être considérés à la fin d'un projet d'investissement selon deux situations particulières : quand il n'y a pas fermeture de la classe d'amortissement et quand il y a fermeture de la classe d'amortissement. Rappelons qu'il y a fermeture de la classe d'amortissement seulement si l'actif vendu est le dernier de sa catégorie. Dans chacune de ces situations, nous allons identifier les flux monétaires dont on doit tenir compte selon que la valeur de revente de l'actif est supérieure, égale ou inférieure au coût d'acquisition de ce dernier.

S'il n'y a pas fermeture de la classe d'amortissement (ou de la catégorie d'actifs)

Exemple 5

Une entreprise achète un camion 100 000 $ (catégorie de 20 %) pour un projet dont la durée de vie est de trois ans. L'entreprise revend ce camion à la fin du projet. Le taux d'imposition est de 40 %.

- Si la valeur de revente (100 000 $) est égale au coût d'acquisition (100 000 $), soit $VR = C$

  Les flux monétaires qui doivent alors être considérés sont les suivants :

  (1) la valeur de revente (*VR*) égale à 100 000 $,

  (2) les pertes d'économies d'impôts liées à l'*ACC* (*PEIACC*).

  Dans ce cas, on doit réduire la classe du montant de la vente, soit 100 000 $, comme le dicte la règle 4 énoncée précédemment.

- Si la valeur de revente (120 000 $) est supérieure au coût d'acquisition (100 000 $), soit $VR > C$

  Les flux monétaires qui doivent alors être considérés sont les suivants :

  1) la valeur de revente (*VR*) égale à 120 000 $,

2) les pertes d'économies d'impôts liées à l'*ACC* (*PEIACC*),
3) l'impôt sur le gain en capital (IGC) que celui-ci occasionne, soit $(VR - C) \times 0{,}75 \times T$. En supposant une VR = 120 000 $, on réalise un gain en capital lors de cette vente. Ce gain en capital correspond à la différence entre *VR* et C, soit 120 000 – 100 000 = 20 000 $. *Ce gain en capital est imposable* et ce, dans une proportion de 75 % suivant le taux d'imposition de l'entreprise.

Dans ce cas aussi, il faut réduire la classe de 100 000 $ en vertu de la règle 4.

– Si la valeur de revente (90 000 $) est inférieure au coût d'acquisition (100 000 $), soit $VR < C$

Les flux monétaires qui doivent alors être considérés sont les suivants :
1) la valeur de revente (*VR*),
2) les pertes d'économies d'impôts liées à l'*ACC* (*PEIACC*).

Dans ce cas, il faut réduire la classe de 90 000 $ en vertu de la règle 4.

S'il y a fermeture de la classe d'amortissement (ou de la catégorie d'actifs)

Exemple 6

Une entreprise achète un camion 100 000 $ (catégorie de 20 %) pour un projet dont la durée de vie est de trois ans. L'entreprise revend ce camion à la fin du projet. Le taux d'imposition est de 40 %.

– Si la valeur de revente (30 000 $) est inférieure à la *FNACC* (57 600 $), soit ($VR < FNACC$)

Les flux monétaires suivants doivent alors être considérés :
1) la valeur de revente (*VR*),
2) les pertes d'économies d'impôts liées à l'*ACC* (*PEIACC*),

3) les économies d'impôts liées à la perte terminale (*EIPT*). En effet, le fait que la valeur de revente ne couvre pas le solde non amorti de la catégorie traduit le fait que les actifs ont été amortis trop lentement; par conséquent, on a bénéficié de moins d'*EIACC* que ceux auxquels on avait droit. Le solde, qui est donc une perte terminale, peut être déduit du bénéfice imposable, ce qui permet de réaliser des économies d'impôts.

– Si la valeur de revente (80 000 $) est supérieure à la *FNACC* (57 600 $), soit *VR* > *FNACC*

Les flux monétaires suivants doivent alors être considérés :

1) la valeur de revente (*VR*),
2) les pertes d'économies d'impôts liées à l'*ACC* (*PEIACC*),
3) l'impôt à payer sur la récupération d'amortissement (*IRA*). En effet, le fait que la valeur de revente est plus grande que la fraction non amortie de la classe traduit le fait que les actifs de la classe ont été amortis trop vite; par conséquent, il y a eu un trop-perçu d'*EIACC*. Cette récupération est imposable; elle est ajoutée au bénéfice imposable et augmente donc les impôts à payer.

– Si la valeur de revente (57 600 $) est égale à la *FNACC* (57 600 $), soit *VR* = *FNACC*

Les flux monétaires suivants doivent alors être considérés :

1) la valeur de revente (*VR*),
2) les pertes d'économies d'impôts liées à l'*ACC* (*PEIACC*).

– Si la valeur de revente (120 000 $) est supérieure au coût d'acquisition (100 000 $), soit *VR* > C

Les flux monétaires suivants doivent alors être considérés :

1) la valeur de revente (*VR*),

2) les pertes d'économies d'impôts liées à l'*ACC* (*PEIACC*),
3) l'impôt sur le gain en capital (*IGC*),
4) l'impôt à payer sur la récupération d'amortissement (*IRA*).

En effet, dans ce cas, on réalise un gain en capital imposable dû à la différence entre la valeur de revente et le coût d'acquisition (20 000 $), mais aussi une récupération d'amortissement, elle aussi imposable, due à la différence entre le montant déduit de la catégorie et la *FNACC*.

Mentionnons que les *PEIACC* – *VR*, l'*IGC*, l'*IRA*, les *EIPT* et les *VR* sont tous des éléments arrivant à une étape du projet qui est différente du moment où la décision est prise d'entreprendre ou non le projet, soit le moment $t = 0$. Ces valeurs, une fois déterminées, devront être actualisées afin de toutes les ramener au temps zéro, de manière à nous permettre de considérer tous les flux monétaires du projet à un même moment dans le temps.

Conclusion

Dans ce chapitre, nous avons identifié les flux monétaires pertinents pour l'analyse des investissements, soit les flux monétaires marginaux. Nous avons ensuite appris à déterminer les flux monétaires d'un projet d'investissement, depuis son début jusqu'à sa fin, dans le cadre de la fiscalité canadienne. En définitive, les flux monétaires totaux d'un projet sont loin de constituer une catégorie homogène et comprennent les flux monétaires générés par les opérations, les flux monétaires liés à la fiscalité et, enfin, les flux monétaires dus à la disposition d'actifs à la fin du projet. Les outils développés dans ce chapitre permettent de déterminer les flux monétaires d'un projet d'investissement de la manière la plus exhaustive possible. Ceci sera particulièrement utile lors du choix d'un projet d'investissement, comme nous le verrons au chapitre suivant.

Les activités d'apprentissage

Questions

1. Pourquoi parle-t-on de marginalité des flux monétaires?

2. Déterminer le coût d'un projet d'investissement est une étape essentielle dans l'analyse d'un projet d'investissement. À quelle étape du processus d'investissement se situe cette analyse et en quoi consiste-t-elle?

3. Quelle est la différence entre un flux monétaire *capitalisable* et un flux monétaire *non capitalisable*?

4. Précisez la différence entre un *bénéfice comptable* et un *flux monétaire*.

5. Indiquez les principales différences entre la détermination du *bénéfice comptable* et celle du *flux monétaire*.

6. Pour quelles raisons doit-on considérer les flux monétaires plutôt que les bénéfices comptables lors de l'évaluation d'un investissement?

7. Expliquez ce qu'est l'*allocation du coût en capital* (l'*ACC*).

8. Le gouvernement a établi certaines règles pour l'application des particularités fiscales liées à l'ACC. Une de ces règles est appelée la règle de la demi-année ou la règle du 50 %. Expliquez cette règle.

9. En général, à la fin d'un projet d'investissement, on dispose des actifs utilisés. Quels sont les deux types de flux monétaires qu'entraîne la revente des actifs?

Problèmes

1. La firme Axta inc. envisage un projet d'investissement bien spécifique qui devrait lui permettre d'accroître ses revenus pour une période de trois ans. Le département de comptabilité vous soumet les états financiers prévisionnels pour ce projet :

Prévisions si le projet n'est pas réalisé

	Année 1	Année 2	Année 3
Ventes	100 000 $	110 000 $	121 000 $
Coût de ventes	80 000	88 000	96 800
Dépenses diverses avant	5 000	5 500	6050
Amortissement	5 000	5 000	5 000
Frais financiers	2 000	2 000	2 000
Bénéfice avant impôts	8 000 $	9 500 $	11 150 $
Impôts	3 200	3 800	4 460
Bénéfice après impôts	4 800 $	5 700 $	6 690 $

Prévisions si le projet est réalisé

	Année 1	Année 2	Année 3
Ventes	120 000 $	132 000 $	145 000 $
Coût des ventes	96 000	105 600	116 160
Dépenses diverses après	6 000	6 600	7 260
Amortissement	7 000	7 000	7 000
Frais financiers	3 000	3 000	3 000
Bénéfice avant impôts	8 000 $	9 800 $	11 580 $
Impôts	3 200	3 920	4 632
Bénéfice après impôts	4 800 $	5 880 $	6 948 $

Sachant que les revenus et les dépenses seront effectués au comptant et que le taux d'imposition de l'entreprise est de 40 %, calculez les flux monétaires qu'on devra considérer dans l'analyse de la rentabilité de ce projet.

2. Une entreprise de transport en pleine expansion procède en 20X1 à l'acquisition de six véhicules au coût total de 45 000 $. L'ensemble de ces véhicules se situe dans une catégorie de 30 % sur le solde dégressif. Au début de 20X5, l'entreprise vend trois de ses véhicules au prix total de 17 500 $. Au cours de la même année, elle achète deux nouveaux véhicules au prix total de 65 000 $. Déterminez l'amortissement pour les années 20X1 à 20X5 et le solde de la catégorie au début de l'année 20X6 :

a) si le solde non amorti de la catégorie au début de 20X1 est de 0;

b) si le solde non amorti de la catégorie au début de 20X1 est de 127 500 $.

3. En tant que directeur général d'un salon funéraire, vous procédez à l'acquisition d'un four crématoire afin d'effectuer des incinérations. Le coût de ce dernier est de 50 000 $ et sa catégorie est de 20 % sur le solde dégressif. Il s'agit du seul actif de sa catégorie. Le taux d'imposition de la compagnie est de 45 % et le taux d'actualisation, de 12 %.

Après quatre bonnes années d'utilisation, vous décidez de vous en départir au début de la cinquième année.

a) Déterminez l'impôt à payer sur la récupération d'amortissement (*IRA*) ou les économies d'impôts liées à la perte terminale (*EIPT*) si le prix de vente du four est de :
   i) 25 000 $;
   ii) 18 000 $;
   iii) 32 000 $;
   iv) 75 000 $.

b) Déterminez la valeur actualisée des économies d'impôts liées à l'*ACC* si le four est revendu pour la somme de 25 000 $ et que :
   i) la vente de l'actif a lieu au début de l'année 5 et n'entraîne pas la fermeture de la classe d'amortissement;
   ii) la vente de l'actif a lieu au début de l'année 5 et entraîne la fermeture de la classe d'amortissement.

4. Un agent de voyages désire élargir ses activités et offrir à sa clientèle la possibilité d'effectuer des croisières sur les différentes voies navigables de la région. À cette fin, l'agent doit acquérir une embarcation d'une valeur de 125 000 $ qui sera amortie sur le plan fiscal à un taux de 25 % sur le solde dégressif. L'entreprise est imposée à un taux de 40 %. L'embarcation acquise en 20X1 est la seule de sa catégorie.

Déterminez les économies d'impôts liées à la perte terminale si l'embarcation est vendue pour une somme de 15 500 $ au début de 20X7.

5. Une nouvelle entreprise manufacturière spécialisée dans la fabrication de chandails décide de s'implanter, au début 20X0, à Rimouski. Afin de démarrer ses activités, elle procède à l'acquisition de huit machines à tisser d'une valeur unitaire de 28 500 $. Ces machines se situent dans une catégorie de 30 % sur le solde dégressif. Au début de 20X2, l'entreprise se départit de trois de ses machines à tisser pour un montant global de 21 750 $ et les remplace par une machine nettement plus efficace au coût de 47 500 $. Compte tenu des résultats obtenus par cette nouvelle machine, l'entreprise décide de vendre les cinq vieilles machines en 20X5 pour un montant de 25 000 $ et procède à l'acquisition de deux machines plus productives au coût de 75 000 $.

Déterminez le solde non amorti de la catégorie au début de 20X8.

6. À la suite d'une réunion du conseil d'administration de l'entreprise qui vous emploie à titre d'analyste financier, on vous confie la tâche d'établir les flux monétaires des cinq premières années du présent projet.

Le projet consiste à accroître le personnel du département de marketing de cinq personnes. Chacune des personnes engagées aura un salaire moyen d'environ 35 000 $ qui augmentera de 5 % par année. Cette addition de personnel devrait accroître les ventes de 500 000 $ par année durant les cinq prochaines années. La marge bénéficiaire brute (MBB) (après le coût des marchandises vendues) de l'entreprise est de 25 %. L'entreprise est imposée à un taux de 50 %.

Chacune des personnes engagées aura à sa disposition un véhicule coûtant 20 000 $, catégorie de 30 % sur solde dégressif. Les frais d'entretien et de réparation de chaque véhicule seront assumés par l'entreprise. Ces derniers devraient être de 1 500 $ par an par véhicule pour les cinq prochaines années.

Déterminez les flux monétaires générés par les opérations du projet (*FMGOP*) de l'entreprise pour les cinq premières années du projet.

7. À la suite d'une demande croissante de ses produits, la compagnie Excel inc. projette d'agrandir son usine d'une superficie additionnelle de 35 000 pieds carrés. Les coûts de construction de l'agrandissement sont de 7,50 $ le pi^2. Afin d'accroître sa capacité de production et de moderniser ses équipements, Excel inc. devra acquérir pour 155 000 $ de nouveaux équipements.

Si l'entreprise ne réalise pas le projet, ses flux monétaires au cours des cinq prochaines années connaîtront une augmentation beaucoup moins marquée, ce qui entraînera des coûts d'opportunité significatifs. Marginalement, les prévisions pour les cinq prochaines années, avec et sans agrandissement, ont été établies comme suit :

Année	Sans agrandissement ($)	Avec agrandissement ($)
1	490 000	475 000
2	545 000	630 000
3	560 000	755 000
4	695 000	870 000
5	750 000	1 060 000

On ne prévoit aucune valeur de revente pour la bâtisse et l'équipement à la fin du projet.

Compte tenu des informations qui vous sont fournies et en faisant abstraction des *EIACC*, déterminez la valeur actuelle nette de cet agrandissement si le taux d'actualisation est de 13,5 % et que l'entreprise est imposée à un taux marginal de 35 %. Calculez également le *TRI* du projet.

8. Le chef mécanicien d'une entreprise manufacturière a, de sa propre initiative, mis au point un procédé révolutionnaire de fabrication. Ce procédé permettrait à la compagnie, sans accroître la production, de diminuer les frais variables de fabrication. Les frais fixes seraient toutefois légèrement supérieurs.

Les frais variables passeraient de 5,00 $ la douzaine à 3,75 $ la douzaine. Les frais fixes, qui sont actuellement de 400 000 $ par année, augmenteraient pour leur part à 525 000 $. Le chef de production a estimé de la façon suivante la production pour les cinq prochaines années :

Année	**Production** (en milliers de douzaines)
1	83
2	121
3	182
4	214
5	275
6	50

L'analyste financier de la compagnie étudie la rentabilité du projet soumis par le chef mécanicien en utilisant un taux d'actualisation de 12,5 %. Il est à noter que, si l'entreprise réalise le projet, une prime de 35 000 $ sera versée au chef mécanicien afin de souligner et de récompenser les efforts fournis par ce dernier. Le taux d'imposition de la compagnie est de 30 %.

a) En utilisant la valeur actuelle nette comme critère de décision et en faisant abstraction des *EIACC*, dites si l'entreprise devrait réaliser le projet en sachant que sa mise en application nécessitera un investissement en équipement de 125 000 $.

b) Toujours en utilisant la *VAN* et en supposant maintenant que le coût d'acquisition du nouvel équipement augmentera de 7 % par année, dites quand il serait le plus rentable de procéder à la réalisation du projet. Notez que vous n'avez pas à tenir compte des *EIACC*.

ANNEXE 8.1
Les équations

L'intérêt simple

Montant total d'intérêts accumulés

$$TOT\,i = PV \times I \times N$$ **Éq. 2.1**

FV d'un montant placé à intérêt simple

$$FV_N = PV + TOT\,i$$ **Éq. 2.2**

$$FV_N = PV\,(1 + I \times N)$$ **Éq. 2.3**

L'intérêt composé

FV d'un montant placé à intérêt composé

$$FV_N = PV\,(1 + I\,)^N$$ **Éq. 2.4**

Taux périodique (i)

$$i = I/m$$ **Éq. 2.5**

Transposition du taux périodique au taux effectif

$$(1 + i_r) = (1 + i)^m$$ **Éq. 2.6**

$$(1 + i_r) = (1 + I\,/m)^m$$

Taux effectif quand la fréquence de capitalisation est infinie

$$i_r = e^I - 1$$ **Éq. 2.7**

Équivalence entre des taux nominaux

$$(1 + I_1 / m_1)^{m1} = (1 + I_2 / m_2)^{m2}$$ **Éq. 2.8**

Valeur future d'un montant unique

$$FV_n = PV (1 + i)^n$$ **Éq. 2.9**

$$FV_{N \times m} = PV (1 + I/m)^{N \times m}$$

Valeur actuelle d'un montant unique

$$PV = FV_n (1 + i)^{-n}$$ **Éq. 2.10**

$$PV = FV_{N \times m} (1 + I/m)^{-N \times m}$$

Valeur future d'une annuité de fin de période

$$FV_n = PMT\left[\frac{(1 + i)^n - 1}{i}\right]$$ **Éq. 3.1**

$$FV_n = PMT\left[\frac{(1 + I/m)^{N \times m} - 1}{I/m}\right]$$

$$FV_n = PMT \times S_{i,n}$$ **Éq. 3.2**

Valeur future d'une annuité de début de période

$$FV_n = PMT \left[\frac{(1 + i)^n - 1}{i}\right](1 + i)$$ **Éq. 3.3**

$$FV_n = PMT \left[\frac{(1 + I/m)^{N \times m} - 1}{I/m}\right](1 + I/m)$$

$$FV_n = PMT(S^1_{i,n})$$ **Éq. 3.4**

Valeur actuelle d'une annuité de fin de période

$$PV = PMT\left[\frac{1-(1+i)^{-n}}{i}\right] \qquad \text{Éq. 3.5}$$

$$PV = PMT\left[\frac{1-(1+I/m)^{-N\times m}}{I/m}\right]$$

$$PV = PMT \times A_{i,n} \qquad \text{Éq. 3.6}$$

Valeur actuelle d'une annuité de début de période

$$PV = PMT\left[\frac{1-(1+i)^{-n}}{i}\right](1+i) \qquad \text{Éq. 3.7}$$

$$PV = PMT\left[\frac{1-(1+I/m)^{-N\times m}}{I/m}\right](1+I/m)$$

$$PV = PMT \times A^{1}{}_{i,n} \qquad \text{Éq. 3.8}$$

Valeur actuelle d'une série de flux monétaires variables

$$PV = \sum_{t=1}^{n} FM_t(1+i)^{-t} \qquad \text{Éq. 3.9}$$

Valeur future d'une série de flux monétaires variables

$$FV = \sum_{t=1}^{n} FM_t(1+i)^{n-t} \qquad \text{Éq. 3.10}$$

Valeur actuelle d'une perpétuité de fin de période

$$PV = \frac{PMT}{i} \qquad \text{Éq. 4.1}$$

Valeur actuelle d'une perpétuité de début de période

$$PV = \frac{PMT}{i}(1+i) \qquad \text{Éq. 4.2}$$

$$PV = \frac{PMT}{i} + PMT \qquad \text{Éq. 4.3}$$

La valeur des coupons

$$C = VN \times I_c$$ **Éq. 6.1**

Le prix d'une obligation

$$P_0 = C\left[\frac{1-(1+i)^{-n}}{i}\right] + VN(1+i)^{-n}$$ **Éq. 6.2**

Les intérêts courus

$$\textit{intérêts courus} = (\textit{coupon}/6) \times \textit{nombre de mois écoulés depuis le dernier coupon}$$ **Éq. 6.3**

Le prix d'une action ordinaire

$$P_0 = \sum_{t=1}^{\alpha} \frac{D_t}{(1+k)^t}$$ **Éq. 6.4**

Le prix d'une action avec dividende à croissance nulle

$$P_0 = \frac{D_0}{k}$$ **Éq. 6.5**

Le prix d'une action avec dividende à croissance stable

$$P_0 = \frac{D_1}{k-g}$$ **Éq. 6.6**

Le délai de récupération

$$DR = \frac{C}{FM}$$ **Éq. 7.1**

Le taux de rendement comptable

$$RC = \frac{\left[\frac{\sum_{t=1}^{N} BNAI_t}{N}\right]}{C} \qquad \text{Éq. 7.2}$$

La valeur actuelle nette

$$VAN = VAE - VAS \qquad \text{Éq. 7.3}$$

$$VAN = \sum_{t=1}^{N} FM_t(1+i)^{-t} - C \qquad \text{Éq. 7.4}$$

L'indice de rentabilité

$$IR = \frac{VAE}{VAS} \qquad \text{Éq. 7.5}$$

$$IR = \frac{VAN}{C} + 1 \qquad \text{Éq. 7.6}$$

Le taux de rendement interne

$$VAS = VAE \qquad \text{Éq. 7.7}$$

$$C = \sum_{t=1}^{N} FM_t(1+TRI)^{-t} \qquad \text{Éq. 7.8}$$

Le revenu annuel équivalent

$$RAE = VAN\left[\frac{i}{1-(1+i)^{-n}}\right] \qquad \text{Éq. 7.9}$$

Les flux monétaire marginal d'un projet

FM marginal d'un projet	=	*FM de l'entreprise si le projet est accepté*	
	–	*FM de l'entreprise si le projet n'est pas accepté*	Éq. 8.1

Le coût marginal d'une dépense non capitalisable

$$\textit{coût marginal d'une dépense non capitalisable} = Dép\,(1 - T) \quad \text{Éq. 8.2}$$

Les flux monétaires générés par les opérations d'un projet (*FMGOP*)

$$FMGOP_t = (R_t - D_t)\,(1 - T) \quad \text{Éq. 8.3}$$

Les économies d'impôts liées à l'*ACC* (*EIACC*)

$$EIACC_t = ACC_t \times T \quad \text{Éq. 8.4}$$

Les économies d'impôts dues à une perte terminale (*EIPT*)

$$EIPT = PT \times T \quad \text{Éq. 8.5}$$

L'impôt à payer sur la récupération d'amortissement

$$IRA = RA \times T \quad \text{Éq. 8.6}$$

Le solde non amorti de la catégorie

$$S_n = C \times (1 - d)^n \quad \text{(sans la règle de la demi-année)} \quad \text{Éq. 8.7.1}$$

$$S_n = FNACC_1 \times (1 - d)^{n-1} \quad \text{(avec la règle de la demi-année)} \quad \text{Éq. 8.7.2}$$

La valeur actuelle des économies d'impôts liées à l'*ACC* (*VAEIACC*)

$$VAEIACC = \left[\frac{C \times d \times T}{k+d}\right]\left[\frac{1+0,5k}{1+k}\right]$$

Éq. 8.8

Les pertes d'économies d'impôts liées à l'*ACC* (*PEIACC*) sans fermeture de la classe d'amortissement et lorsque $VR < C$

$$PEIACC = \frac{VR \times d \times T}{k+d}$$

Éq. 8.9.1

Les pertes d'économies d'impôts liées à l'*ACC* (*PEIACC*) sans fermeture de la classe d'amortissement et lorsque $VR > C$

$$PEIACC = \frac{C \times d \times T}{k+d}$$

Éq. 8.9.2

Les pertes d'économies d'impôts liées à l'*ACC* (*PEIACC*) avec fermeture de la classe d'amortissement

$$PEIACC = \frac{FNACC \times d \times T}{k+d}$$

Éq. 8.9.3

Chapitre 9

Le calcul de la *VAN* en contexte fiscal canadien

Schéma d'intégration des contenus

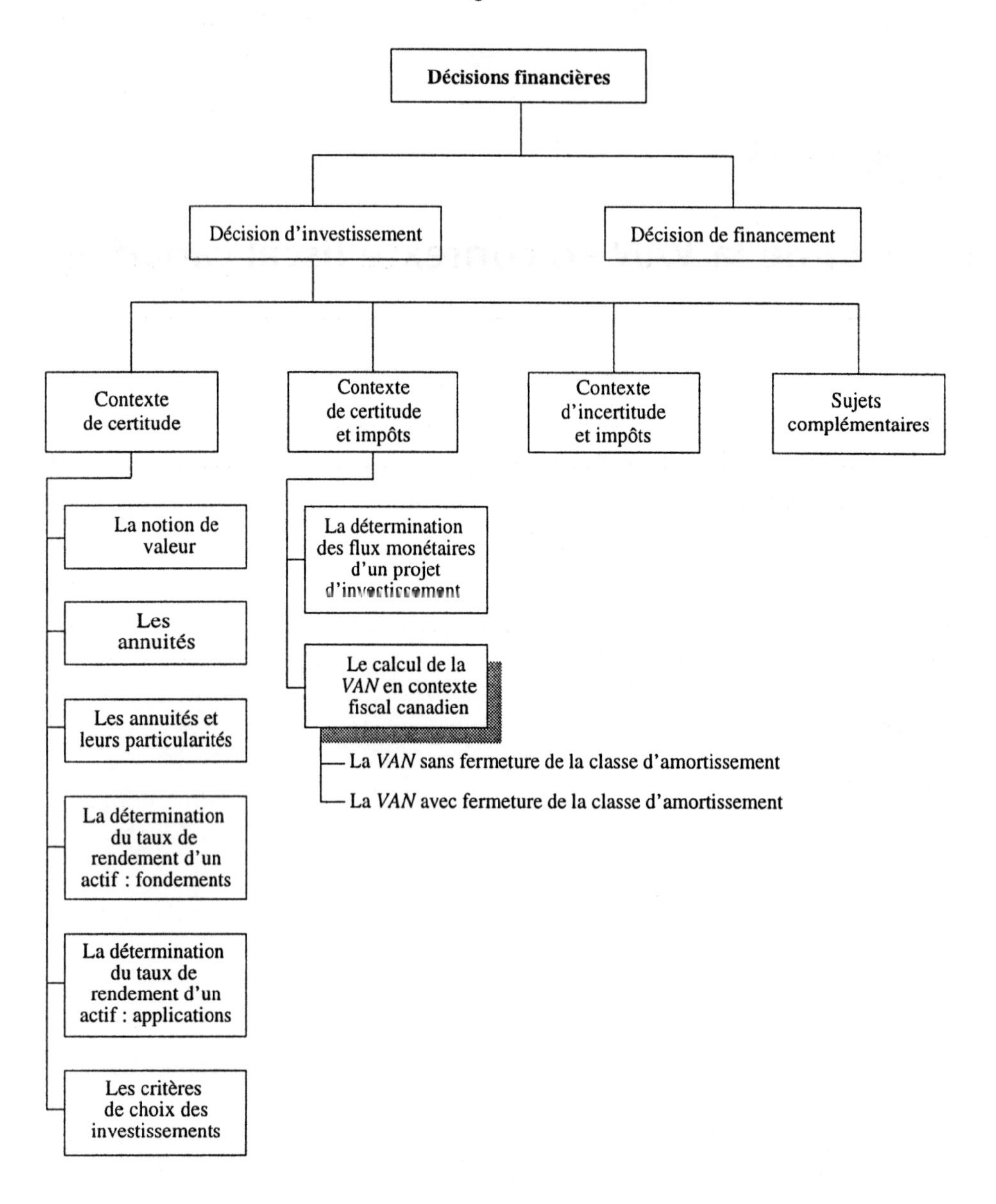

Après avoir déterminé les flux monétaires d'un projet d'investissement à ses différentes étapes, nous introduisons dans le chapitre 9 le calcul de la *VAN* d'un projet. À la fin de ce chapitre, vous serez en mesure de calculer la *VAN* d'un projet d'investissement en contexte fiscal canadien, selon les différentes situations qui peuvent se présenter lors de la revente d'un actif. Pour ce faire, vous devrez être capable de :

- calculer la *VAN* d'un projet d'investissement lorsque la revente d'actifs n'engendre pas la fermeture de la classe d'amortissement;
- calculer la *VAN* d'un projet d'investissement lorsque la revente d'actifs engendre la fermeture de la classe d'amortissement.

Introduction

Lorsque l'on considère un projet d'investissement dans son ensemble, il faut, au *début du projet*, en déterminer le coût initial et, *en cours de projet*, calculer les flux monétaires issus de la réalisation de l'investissement, qu'ils soient liés aux opérations ou à la fiscalité. Puis, à la *fin du projet*, on doit tenir compte des flux monétaires engendrés s'il y a lieu par la revente des actifs. Tous les flux monétaires ainsi identifiés constituent la base de l'évaluation d'un investissement et les étapes qui nous y ont conduits font partie de la démarche à suivre lors de l'analyse d'un projet. En effet, lors de la première phase de cette démarche, il importe :

- de bien saisir le projet, c'est-à-dire de rassembler le maximum de données;
- d'établir ensuite les flux monétaires du projet;
- de traiter correctement ces flux monétaires en tenant compte de leur incidence fiscale.

C'est ce que nous avons fait jusqu'à maintenant. La deuxième phase de la démarche consiste pour sa part :

- à actualiser les flux monétaires, c'est-à-dire à tous les ramener à l'instant présent et non pas à les traiter chacun en un point donné dans le temps;
- à établir la *VAN* du projet, une fois la valeur actuelle de tous les flux monétaires déterminée, en calculant la différence entre la valeur actuelle des entrées de fonds et celle des sorties de fonds.

Dans le cadre de ce chapitre, nous analyserons un projet d'investissement en mettant en application les connaissances acquises dans les chapitres précédents pour déterminer les flux monétaires d'un projet à ses différentes étapes. Nous utiliserons par la suite ces derniers afin de déterminer la *VAN* d'un projet et de décider de son rejet ou de son acceptation. Rappelez-vous que la *VAN* constitue l'un des meilleurs critères d'évaluation d'un projet d'investissement, dans la mesure où cette dernière détermine l'enrichissement réalisé par l'investisseur dans un projet en particulier.

Par ailleurs, nous avons démontré au chapitre 8 que, selon qu'il y a ou non fermeture de la classe d'amortissement, la nature des flux monétaires et les incidences fiscales qui s'y rattachent peuvent être fort différentes. Nous allons donc, dans ce chapitre, déterminer la *VAN* d'un projet d'investissement selon les deux situations suivantes :

1. lorsque la revente d'actifs à la fin du projet n'engendre pas la fermeture de la classe d'amortissement (ou de la catégorie d'actifs) correspondante;
2. lorsque la revente d'actifs à la fin du projet engendre la fermeture de la classe d'amortissement (ou de la catégorie d'actifs) correspondante.

1. La *VAN* sans fermeture de la classe d'amortissement

Comme nous l'avons vu au chapitre précédent, qu'il y ait ou non fermeture de classe, la revente d'actifs à la fin du projet occasionne au minimum deux flux monétaires dans le cas où la *VR* est supérieure à 0 : une valeur de revente (*VR*) et une perte d'économies d'impôts liées à l'*ACC* (*PEIACC*). En effet, en disposant d'un actif, nous recevons dans la majorité des cas une valeur de revente (*VR*) positive. En contrepartie, la disposition d'un actif nous fait perdre les économies d'impôts liées à l'amortissement fiscal dont nous aurions continué de bénéficier autrement.

Il n'y a pas de fermeture de la classe d'amortissement lorsque l'actif revendu n'est pas le dernier de la catégorie d'actifs correspondante. Citons à titre d'exemple une entreprise qui met en vente une partie du matériel roulant dont elle dispose. Même après la revente d'une partie des véhicules qu'elle possède, l'entreprise en détiendra toujours d'autres qui appartiennent à la même classe d'amortissement du matériel roulant. Cette classe n'est donc pas fermée.

Lors de la détermination de la *VAN* d'un projet, il faut tenir compte dans un premier temps des économies d'impôts liées à l'*ACC* (*EIACC*) découlant de l'acquisition d'actifs amortissables et des *PEIACC* liées à la disposition, généralement à la fin du projet, d'actifs amortissables. Les *EIACC* constituent un flux monétaire positif (c.-à-d. une entrée de fonds) alors que les *PEIACC* représentent pour leur part un flux monétaire négatif (c.-à-d. une sortie de fonds).

Afin d'être inclus dans le calcul de la détermination de la *VAN*, ces flux monétaires liés à l'*ACC* doivent être actualisés. Étant donné qu'ils s'échelonnent dans le temps jusqu'à l'infini, les actualiser un à un est une tâche impossible. Comme nous l'avons vu au chapitre 8, les équations 8.8, 8.9.1 et 8.9.2 nous permettent cependant de calculer la valeur actuelle des économies d'impôts liées à l'*ACC* (*VAEIACC*) et les *PEIACC* d'une manière plus simple, soit :

$$VAEIACC = \left[\frac{C \times d \times T}{k + d}\right]\left[\frac{1 + 0{,}5k}{1 + k}\right] \qquad \text{Éq. 8.8}$$

– Si la valeur de revente est inférieure à son coût d'origine :

$$PEIACC = \frac{VR \times d \times T}{k + d} \qquad \text{Éq. 8.9.1}$$

– Si la valeur de revente est supérieure à son coût d'origine :

$$PEIACC = \frac{C \times d \times T}{k + d} \qquad \text{Éq. 8.9.2}$$

Vous remarquerez que l'équation 8.8 nous permet d'obtenir une valeur actualisée au moment présent des *EIACC* alors que le résultat obtenu à partir des équations 8.9.1 et 8.9.2 est une valeur qui se situe dans le temps au moment de la revente de l'actif amortissable. Ce résultat des *PEIACC* se doit d'être actualisé au moment présent pour les fins du calcul de la *VAN* compte tenu du fait que, pour être additionnés ou soustraits, les flux monétaires se doivent d'être tous situés au même moment.

Dans le cas où il n'y a pas fermeture de la classe d'amortissement, les équations 8.9.1 et 8.9.2 peuvent être généralisées afin d'obtenir les *PEIACC* au moment de la revente d'un actif à partir de l'équation suivante :

$$PEIACC = \frac{MIN(VR,C) \times d \times T}{k + d} \qquad \textbf{Éq. 9.1}$$

où :

$MIN(VR, C)$	=	la valeur minimale entre la valeur de revente et le coût d'acquisition de l'actif dont on a disposé
d	=	le taux d'amortissement dégressif
T	=	le taux d'imposition
k	=	le taux d'actualisation

L'objectif étant d'obtenir une valeur actualisée au moment présent de manière à ce qu'elle soit considérée dans le calcul de la *VAN*, le résultat de l'équation 9.1 se doit d'être actualisé du nombre d'années entre le moment de la revente et le début du projet. Règle générale, étant donné que la revente d'actifs se matérialise dans la plupart des cas à la fin du projet, les *PEIACC* seront actualisées du nombre d'années du projet afin d'obtenir la valeur actuelle des pertes d'économies d'impôts liées à l'*ACC* (*VAPEIACC*) :

$$VAPEIACC = \frac{MIN(VR,C) \times d \times T}{k + d}(1 + k)^{-n} \qquad \textbf{Éq. 9.2}$$

où :

$MIN(VR, C)$	=	la valeur minimale entre la valeur de revente et le coût d'acquisition de l'actif dont on a disposé
d	=	le taux d'amortissement dégressif
T	=	le taux d'imposition
k	=	le taux d'actualisation
n	=	le nombre d'années s'étant écoulé entre le moment de la revente de l'actif et le début du projet

Pour des fins de récapitulation, résumons les différents flux monétaires, positifs (+) et négatifs (–), qui doivent être considérés lors de la revente d'actifs amortissables lorsqu'il n'y a pas de fermeture de la classe d'amortissement selon les quatre situations qui peuvent avoir lieu touchant l'importance de la *VR* obtenue lors de la disposition :

1) Si *VR* = 0, il n'y a pas de revente d'actifs.
2) Si *VR* < *C*, il faut considérer :
   – la *VAVR* de l'actif (+),
   – la *VAPEIACC* (–).
3) Si *VR* > *C*, il faut considérer :
   – la *VAVR* de l'actif (+),
   – la *VAPEIACC* (–),
   – la *VAIGC* (–).
4) Si *VR* = *C*, il faut considérer :
   – la *VAVR* de l'actif (+),
   – la *VAPEIACC* (–).

Dans l'exemple qui suit, nous allons illustrer, à l'aide d'une application, la détermination de la *VAN* d'un projet dont la revente d'actifs à la fin du projet n'entraîne pas la fermeture de la classe d'amortissement correspondante.

Exemple 1

L'entreprise XYZ envisage l'achat d'un équipement de 100 000 $ nécessaire au lancement d'un nouveau produit. Une fois sur le marché, ce produit devrait générer des ventes annuelles de 10 000 unités à 12 $ chacune, et des dépenses annuelles d'entretien et de main-d'œuvre de 5 $ par unité. La durée de vie de ce projet est de trois ans et l'actif requis fait partie d'une classe d'amortissement de 20 % sur le solde dégressif. L'entreprise est imposée à un taux de 30 %.

Sachant que le taux d'actualisation est de 10 %, calculons les différents flux monétaires qui entrent dans le calcul de la *VAN* en supposant qu'il n'y a pas fermeture de la classe d'amortissement.

Pour résoudre ce problème, nous allons adopter une démarche conviviale qui nous permet de classer les flux monétaires selon l'étape du projet où ils se produisent.

Pour débuter, identifions les données disponibles fournies sur le projet :

C (coût d'acquisition)	=	100 000 $
R (recettes)	=	120 000 $
D (dépenses)	=	50 000 $
k (taux d'actualisation)	=	10 %
T (taux d'imposition)	=	30 %
d (taux d'amortissement dégressif)	=	20 %
n (durée de vie du projet)	=	3 ans

Ensuite, pour chaque étape du projet, il faut établir les flux monétaires pertinents et les actualiser.

Étape 1 : Au début du projet

Coût d'achat de l'équipement — 100 000 $

Étape 2 : En cours de projet

- Détermination de la valeur actuelle des flux monétaires générés par les opérations (*FMGOP*)

  Nous savons déjà que :

  $$FMGOP_t = (R_t - D_t)(1 - T) \qquad \text{Éq. 8.3}$$

  d'où :

  $$FMGOP_1 = (120\,000 - 50\,000)(1 - 0{,}3)$$
  $$FMGOP_1 = 70\,000 \times 0{,}7$$
  $$FMGOP_1 = 49\,000\ \$$$

  $$FMGOP_2 = (120\,000 - 50\,000)(1 - 0{,}3)$$
  $$FMGOP_2 = 70\,000 \times 0{,}7$$
  $$FMGOP_2 = 49\,000\ \$$$

$$FMGOP_3 = (120\,000 - 50\,000)\,(1 - 0{,}3)$$
$$FMGOP_3 = 70\,000 \times 0{,}7$$
$$FMGOP_3 = 49\,000\ \$$$

Compte tenu du fait que nous sommes en présence d'un flux monétaire périodique constant de fin de période, nous pouvons donc déterminer comme suit la valeur actuelle des *FMGOP* :

$$VAFMGOP = PMT\left[\frac{1-(1+k)^{-n}}{k}\right]$$

$$VAFMGOP = 49\,000\left[\frac{1-(1{,}10)^{-3}}{0{,}10}\right]$$

$$VAFMGOP = 121\,855{,}75\ \$ \qquad \underline{121\,855{,}75}\ \$$$

- Détermination de la *VAEIACC*

$$VAEIACC = \left[\frac{C \times d \times T}{k+d}\right]\left[\frac{1+0{,}5k}{1+k}\right]$$

$$VAEIACC = \left[\frac{100\ 000 \times 0{,}2 \times 0{,}3}{0{,}1+0{,}2}\right]\left[\frac{1+(0{,}5 \times 0{,}1)}{1{,}10}\right]$$

$$VAEIACC = 19\,090{,}91\ \$ \qquad \underline{19\,090{,}91}\ \$$$

Étape 3 : À la fin du projet

À la fin du projet, il peut y avoir une revente d'actifs. L'incidence fiscale de la revente d'actifs et le type de flux monétaires qui vont en résulter dépendront de la valeur de revente de ce matériel. Nous allons donc considérer dans ce qui suit les quatre cas alors possibles :

1) l'actif n'a pas de valeur de revente;

2) la valeur de revente de l'actif est inférieure au coût d'acquisition;

3) la valeur de revente de l'actif est supérieure au coût d'acquisition;

4) la valeur de revente de l'actif est égale au coût d'acquisition.

Dans tous ces cas, il faut identifier les flux monétaires pertinents pour l'analyse du projet et les actualiser afin de les inclure dans le calcul de la *VAN*.

- Si l'actif n'a pas de valeur de revente, soit $VR = 0$

  Dans ce cas, il n'y a pas de revente d'actifs à la fin du projet, et la *VAN* est uniquement déterminée par les flux monétaires générés au début du projet et en cours de projet, soit :

  $$VAN = -C + VAFMGOP + VAEIACC$$

  $$VAN = -100\,000 + 121\,855{,}75 + 19\,090{,}91$$

  $$VAN = 40\,946{,}66\ \$ \qquad \underline{\underline{40\,946{,}66}}\ \$$$

  La *VAN* étant positive dans le cas où l'actif n'a pas de valeur de revente, le projet doit être accepté.

- Si la valeur de revente de l'actif est inférieure au coût d'acquisition, soit $VR = 70\,000\ \$$

  Comme la revente de l'actif n'a d'incidence qu'à la fin du projet, les flux monétaires déterminés au début du projet et en cours de projet restent invariables. Par conséquent, nous reprenons uniquement la fin du projet. Il faut d'abord considérer les flux monétaires qui surviennent lors de la revente d'actifs, à savoir la valeur actuelle de la *VR* (*VAVR*) et la valeur actuelle des *PEIACC* (*VAPEIACC*), soit :

  $$VAVR = 70\,000\,(1{,}10)^{-3} = \qquad \underline{52\,592{,}04}\ \$$$

  $$VAPEIACC = \frac{MIN(VR,C) \times d \times T}{(k+d)}(1+k)^{-n}$$

  $$VAPEIACC = \frac{MIN(70\,000{,}100\,000) \times 0{,}2 \times 0{,}3}{(0{,}1+0{,}2)}(1{,}10)^{-3}$$

  $$VAPEIACC = 10\,518{,}41\ \$ \qquad \underline{-\,10\,518{,}41}\ \$$$

Finalement, la *VAN* du projet, dans le cas où la valeur de revente est de 70 000 $, est égale à :

$VAN = 40\,946{,}66 + 52\,592{,}04 - 10\,518{,}41$

$VAN = 83\,020{,}29$ $ 83 020,29 $

La *VAN* étant positive, le projet devrait être accepté.

- Si la valeur de revente de l'actif est supérieure au coût d'acquisition, soit *VR* = 120 000 $

Dans ce cas, étant donné que la valeur de revente excède le coût d'achat, nous réalisons un gain en capital imposable. Le fisc prélève des impôts sur les gains en capital jusqu'à concurrence de 75 %. Comme la revente de l'actif n'a d'incidence qu'à la fin du projet, les flux monétaires déterminés au début du projet et en cours de projet restent invariables. Par conséquent, nous reprenons uniquement la fin du projet. Dans ce cas, il faut d'abord établir les flux monétaires générés par la revente d'actifs, soit la valeur actuelle de la *VR* et la valeur actuelle des pertes d'économies d'impôts liées à l'*ACC*.

$VAVR = 120\,000\,(1{,}10)^{-3} =$ 90 157,78 $

$$VAPEIACC = \frac{MIN(VR,C) \times d \times T}{(k+d)}(1+k)^{-n}$$

$$VAPEIACC = \frac{MIN(120\,000,\ 100\,000) \times 0{,}2 \times 0{,}3}{(0{,}1+0{,}2)}(1{,}10)^{-3}$$

$VAPEIACC = 15\,026{,}30$ $ – 15 026,30 $

De plus, nous réalisons un gain en capital qui est égal à la différence entre *C* et *VR*, et 75 % de ce gain est imposable au taux de 30 %. Par conséquent, nous devons payer de l'impôt sur le gain en capital dont la valeur actuelle est la suivante :

$VAIGC = [(VR - C) \times 0{,}75 \times T]\,(1+k)^{-n}$

$VAIGC = [(120\,000 - 100\,000) \times 0{,}75 \times 0{,}3)]\,(1{,}10)^{-3}$

$VAIGC = 3\,380{,}92$ $ – 3 380,92 $

La *VAN* dans ce cas est égale à :

$VAN = 40\,946{,}66 + 90\,157{,}78 - 15\,026{,}30 - 3\,380{,}92$

$VAN = 112\,697{,}22$ \$ $\underline{\underline{112\,697{,}22}}$ \$

Donc, le projet devrait être accepté.

- Si la valeur de revente de l'actif est égale au coût d'acquisition, soit $VR = 100\,000$ \$

  Dans ce cas, l'actif se revend au même prix qui a été payé pour l'acheter et nous réalisons alors ni gain en capital, ni perte, lors de la revente. De plus, les flux monétaires déterminés à la fin du projet représentent la valeur actuelle de la valeur de revente (*VAVR*) et la valeur actuelle des *PEIACC* (*VAPEIACC*) à déduire :

  $VAVR = 100\,000(1{,}10)^{-3} =$ $\underline{75\,131{,}48}$ \$

  $$VAPEIACC = \frac{MIN(VR,C) \times d \times T}{(k+d)}(1+k)^{-n}$$

  $$VAPEIACC = \frac{MIN(100\,000,\ 100\,000) \times 0{,}2 \times 0{,}3}{(0{,}1+0{,}2)}(1{,}10)^{-3}$$

  $VAPEIACC = 15\,026{,}30$ \$ $\underline{-\,15\,026{,}30}$ \$

  Dans ce cas, la *VAN* est égale à :

  $VAN = 40\,946{,}66 + 75\,131{,}48 - 15\,026{,}30$

  $VAN = 101\,051{,}84$ \$ $\underline{\underline{101\,051{,}84}}$ \$

  Et le projet devrait également être accepté dans cette dernière situation.

Cet exemple nous a permis de procéder à l'analyse d'un projet lorsque la revente d'actifs à la fin du projet n'entraîne pas la fermeture de la classe d'amortissement correspondante. Nous avons établi, pour chaque étape du projet, les flux monétaires pertinents. À la fin du projet, nous avons identifié l'incidence fiscale de chaque flux monétaire, selon la valeur de revente de l'actif. Tout ceci nous a permis de calculer la *VAN* du projet et de décider si le projet devait être accepté ou rejeté. Cependant, un autre cas peut se présenter en fin de projet : la revente de l'actif peut entraîner la fermeture de la classe d'amortissement. Nous allons traiter ce cas dans la section suivante, en adoptant la même démarche que nous avons suivie jusqu'à présent.

2. La *VAN* avec fermeture de la classe d'amortissement

On parle de fermeture de classe lorsque l'entreprise revend tous les actifs que contient une classe d'amortissement. Prenons à titre d'exemple le cas d'une jeune entreprise créée spécifiquement pour réaliser un projet en particulier. Une fois le projet terminé, l'entreprise doit fermer, et donc revendre tous ses actifs. Nous illustrerons ce cas en utilisant les mêmes données qu'à l'exemple 1. Vous noterez que les flux monétaires établis pour les deux premières étapes du projet (au début du projet et en cours de projet) ne varient pas. En effet, qu'il y ait fermeture ou non de la catégorie, le coût de l'investissement et les flux monétaires générés par l'exploitation du projet ne changent pas.

La revente de l'actif n'ayant d'incidence qu'à la fin du projet, nous allons montrer les différentes possibilités qui peuvent surgir en ce qui a trait aux flux monétaires et leur incidence fiscale à la fin du projet. Une fois les flux monétaires pertinents identifiés et établis, il faudra déterminer leur valeur actuelle afin de les introduire dans la détermination de la *VAN*.

Pour des fins de récapitulation, résumons les différents flux monétaires, positifs (+) et négatifs (–), qui doivent être considérés lors de la revente d'actifs amortissables lorsqu'il y a fermeture de la classe d'amortissement selon les trois situations qui peuvent se produire touchant l'importance de la *VR* obtenue lors de la disposition :

1) Si $VR < FNACC$, il faut considérer :
   - – la *VAVR* de l'actif (+),
   - – la *VAPEIACC* (–),
   - – la *VAEIPT* (+).

2) Si *VR* > *FNACC*, il faut considérer :
   - la *VAVR* de l'actif (+),
   - la *VAPEIACC* (–),
   - la *VAIRA* (–).

3) Si *VR* > *C*, il faut considérer :
   - la *VAVR* de l'actif (+),
   - la *VAPEIACC* (–),
   - la *VAIGC* (–),
   - la *VAIRA* (–).

Lorsqu'il y a fermeture de la classe d'amortissement, l'incidence fiscale de la revente d'actifs dépend de l'ordre de grandeur de la valeur de revente et de la fraction non amortie du coût en capital de la catégorie d'actifs (*FNACC*), comme nous l'avons illustré dans l'exemple qui suit.

Exemple 2

L'entreprise XYZ envisage l'achat d'un équipement de 100 000 $ nécessaire au lancement d'un nouveau produit. Une fois sur le marché, ce produit devrait générer des ventes annuelles de 10 000 unités à 12 $ chacune, et des dépenses annuelles d'entretien et de main-d'œuvre de 5 $ par unité. La durée de vie de ce projet est de trois ans et l'actif requis fait partie d'une classe d'amortissement de 20 % sur le solde dégressif. L'entreprise est imposée à un taux de 30 %.

Sachant que le taux d'actualisation est de 10 %, calculons les différents flux monétaires qui entrent dans le calcul de la *VAN* en supposant qu'il y a fermeture de la classe d'amortissement.

Pour résoudre ce problème, nous allons adopter une démarche conviviale qui nous permet de classer les flux monétaires selon l'étape du projet où ils ont lieu.

Pour débuter, identifions les données disponibles fournies sur le projet :

C (coût d'acquisition)	= 100 000 $
R (recettes)	= 120 000 $

D (dépenses)	=	50 000 $
k (taux d'actualisation)	=	10 %
T (taux d'imposition)	=	30 %
d (taux d'amortissement dégressif)	=	20 %
n (durée de vie du projet)	=	3 ans

Ensuite, pour chaque étape du projet, il faut établir les flux monétaires pertinents et les actualiser.

Étape 1 : Au début du projet

Coût d'achat de l'équipement −100 000 $

Étape 2 : En cours de projet

- Nous savons déjà que :

$$FMGOP_t = (R_t - D_t)(1 - T) \quad \text{Éq. 8.3}$$

d'où :

$$FMGOP_1 = (120\,000 - 50\,000)(1 - 0{,}3)$$
$$FMGOP_1 = 70\,000 \times 0{,}7$$
$$FMGOP_1 = 49\,000\ \$$$

$$FMGOP_2 = (120\,000 - 50\,000)(1 - 0{,}3)$$
$$FMGOP_2 = 70\,000 \times 0{,}7$$
$$FMGOP_2 = 49\,000\ \$$$

$$FMGOP_3 = (120\,000 - 50\,000)(1 - 0{,}3)$$
$$FMGOP_3 = 70\,000 \times 0{,}7$$
$$FMGOP_3 = 49\,000\ \$$$

Compte tenu du fait que nous sommes en présence d'un flux monétaire périodique constant de fin de période, nous pouvons donc déterminer comme suit la valeur actuelle des *FMGOP* :

$$VAFMGOP = PMT\left[\frac{1-(1+k)^{-n}}{k}\right]$$

$$VAFMGOP = 49\,000\left[\frac{1-(1,10)^{-3}}{0,10}\right]$$

$$VAFMGOP = 121\,855{,}75\ \$ \qquad \underline{121\,855{,}75}\ \$$$

- Détermination de la *VAEIACC*

$$VAEIACC = \left[\frac{C\times d\times T}{k+d}\right]\left[\frac{1+0,5k}{1+k}\right]$$

$$VAEIACC = \left[\frac{100\,00\times 0,2\times 0,3}{0,1+0,2}\right]\left[\frac{1+(0,5\times 0,1)}{1,10}\right]$$

$$VAEIACC = 19\,090{,}91\ \$ \qquad \underline{19\,090{,}91}\ \$$$

Étape 3 : À la fin du projet

À la fin du projet, il peut y avoir une revente d'actifs. L'incidence fiscale de la revente d'actifs et le type de flux monétaires qui vont en résulter dépendront de la valeur de revente de ce matériel. Nous allons donc considérer dans ce qui suit les trois cas alors possibles :

1) la valeur de revente de l'actif est inférieure à la *FNACC*;

2) la valeur de revente de l'actif est supérieure à la *FNACC*;

3) la valeur de revente de l'actif est supérieure au coût d'acquisition.

- Si la valeur de revente de l'actif est inférieure à la *FNACC* (*VR* = 50 000 $), on doit considérer trois flux monétaires, soit :

1) $VAVR = 50\,000(1{,}10)^{-3} =$ $\underline{37\,565{,}74}$ $

2) $VAPEIACC = \dfrac{FNACC\times d\times T}{(k+d)}(1+k)^{-n}$

Il faut donc, à partir de l'équation 8.7.2, déterminer la *FNACC* à la fin de l'année 3. En tenant compte de la règle de la demi-année, on a :

$$S_n = FNACC_1 \times (1-d)^{n-1} \quad \text{Éq.8.7.2}$$

$$FNACC_1 = C \times (1-0{,}5d)$$
$$FNACC_1 = 100\,000 \times (1-0{,}1)$$
$$FNACC_1 = 90\,000\ \$$$

d'où :

$$S_n = 90\,000(0{,}8)^2$$
$$S_n = 57\,600\ \$$$

Donc :

$$VAPEIACC = \frac{FNACC \times d \times T}{(k+d)}(1+k)^{-n}$$

$$VAPEIACC = \frac{57\,600 \times 0,2 \times 0,3}{(0,1+0,2)}(1,10)^{-3}$$

$$VAPEIACC = 8\,655{,}15\ \$$$

– 8 655,15 $

3) Valeur actuelle des économies d'impôts sur la perte terminale (*VAEIPT*)

De plus, on sait que :

$$C = 100\,000\ \$$$
$$VR = 50\,000\ \$$$
$$FNACC = 57\,600\ \$$$

Comme $VR < FNACC$, nous réalisons une perte terminale égale à la différence entre la *FNACC* et la *VR*. En effet, l'actif a été amorti trop lentement, ce qui nous a fait perdre des économies d'impôts liées à l'*ACC*. Dans ce cas, nous avons droit à des *EIPT* que l'on doit actualiser.

Catégorie de 20 %

	Débit	*Crédit*	
	100 000 $	10 000 $	An 1
	90 000		
	$(0,8)^2$		
FNACC	57 600	50 000	*VR*
PT	7 600 $		

$$PT = FNACC - VR = 7\,600\ \$$$

$$EIPT = (FNACC - VR) \times T$$
$$EIPT = 7\,600 \times 0{,}3$$
$$= 2\,280\ \$$$

$$VAEIPT = EIPT\,(1 + k)^{-n}$$
$$VAEIPT = 2\,280\,(1{,}10)^{-3}$$
$$VAEIPT = 1\,713\ \$ \qquad \underline{1\,713\ \$}$$

La *VAN*, dans ce cas, est donc égale à :

$$VAN = -\,100\,000 + 121\,855{,}75 + 19\,090{,}91 + 37\,565{,}74 - 8\,655{,}15 + 1\,713$$

$$VAN = 71\,570{,}25\ \$ \qquad \underline{\underline{71\,570{,}25\ \$}}$$

Le projet peut donc être accepté.

- Si la valeur de revente de l'actif ($VR = 60\,000\ \$$) est supérieure à la *FNACC*, on doit considérer trois flux monétaires, soit :

1) $VAVR = 60\,000\,(1{,}10)^{-3} =$ $\underline{45\,078{,}89\ \$}$

2) $VAPEIACC = \dfrac{FNACC \times d \times T}{(k + d)}(1 + k)^{-n}$

Donc :

$$VAPEIACC = \frac{57\,600 \times 0,2 \times 0,3}{(0,1 + 0,2)}(1,10)^{-3}$$

$VAPEIACC = 8\,655{,}15\ \$$ — 8 655,15 $

3) Valeur actuelle de l'impôt à payer sur la récupération d'amortissement (VAIRA)

De plus, on sait que :

$C = 100\,000\ \$$

$VR = 60\,000\ \$$

$FNACC = 57\,600\ \$$

Comme *VR* > *FNACC*, nous réalisons une récupération d'amortissement égale à la différence entre la *FNACC* et la *VR*. Il y a récupération d'amortissement lorsque la valeur de revente est supérieure à la *FNACC*. En effet, l'actif a été amorti trop rapidement, ce qui nous a fait bénéficier de trop d'économies d'impôts liées à l'*ACC* au fil du temps. Cette récupération d'amortissement est imposable, ce qui donne lieu à des impôts à payer que l'on doit actualiser.

Catégorie de 20 %

	Débit	*Crédit*	
	100 000 $	10 000	An 1
	90 000		
	$(0,8)^2$		
FNACC	57 600	60 000	*VR*
		2 400 $	*RA*

$RA = VR - FNACC$

$RA = 60\,000 - 57\,600$

$RA = 2\,400\ \$$

$IRA = RA \times T$

$IRA = 2\,400 \times 0{,}3$

$IRA = 720\ \$$

$VAIRA = IRA\,(1 + k)^{-n}$

$VAIRA = 720\,(1{,}10)^{-3}$

$VAIRA = 540{,}95\ \$$ — $-\,540{,}95\ \$$

La *VAN* dans ce cas est égale à :

$VAN = 40\,946{,}66 + 45\,078{,}89 - 8\,655{,}15 - 540{,}95$

$VAN = 76\,829{,}45\ \$$ — $76\,829{,}45\ \$$

Le projet peut donc, ici aussi, être accepté.

- Si la valeur de revente (VR = 120 000 $) est supérieure au coût initial, on doit considérer quatre flux monétaires, soit :

1) $VAVR = 120\,000(1{,}10)^{-3} =$ — $90\,157{,}78\ \$$

2) $$VAPEIACC = \frac{FNACC \times d \times T}{(k + d)}(1 + k)^{-n}$$

Donc :

$$VAPEIACC = \frac{57\,600 \times 0{,}2 \times 0{,}3}{(0{,}1 + 0{,}2)}(1{,}10)^{-3}$$

$VAPEIACC = 8\,655{,}15\ \$$ — $-\,8\,655{,}15\ \$$

3) Valeur actuelle de l'impôt sur le gain en capital (*VAIGC*)

De plus, on sait que :

$C = 100\,000\ \$$

$VR = 120\,000\ \$$

$FNACC = 57\,600\ \$$

Donc, $C < VR$. Nous réalisons un *gain en capital*, car $C < VR$, et une *récupération*, car $VR > FNACC$. *Ces deux montants sont imposables* et donnent lieu à un paiement d'impôts dont la valeur actuelle est la suivante :

Catégorie de 20 %

	Débit	*Crédit*	
	100 000 $	10 000	An 1
	90 000		
	$(0,8)^2$		
FNACC	57 600	100 000	*VR*
		42 400 $	*RA*

$$\text{Gain en capital} = VR - C$$

$$IGC = (VR - C) \times 0{,}75 \times T$$

$$IGC = 20\,000 \times 0{,}75 \times 0{,}3$$

$$IGC = 4\,500 \text{ \$}$$

$$VAIGC = IGC\,(1 + k)^{-n}$$

$$VAIGC = 4\,500\,(1{,}10)^{-3}$$

$$VAIGC = 3\,380{,}91 \text{ \$} \qquad -3\,380{,}91 \text{ \$}$$

4) *VAIRA*

$$RA = C - FNACC$$

$$IRA = (C - FNACC) \times T$$

$$IRA = 42\,400 \times 0{,}3$$

$$IRA = 12\,720 \text{ \$}$$

$$VAIRA = IRA\,(1 + k)^{-n}$$

$$VAIRA = 12\,720\,(1{,}10)^{-3}$$

$$VAIRA = 9\,556{,}72 \text{ \$} \qquad -9\,556{,}72 \text{ \$}$$

La *VAN*, dans ce cas, est égale à :

VAN = 40 946,66 + 90 157,78 – 8 655,15 – 3 380,91 – 9 556,72

VAN = 109 511,64 $ 109 511,64 $

Le projet peut donc être accepté.

Conclusion

Ce chapitre nous a permis de faire l'analyse d'un projet d'investissement en tenant compte de l'impact fiscal créé par la revente d'un actif. Nous avons ainsi identifié les flux monétaires qui entrent en jeu dans le cas où il y a fermeture de la classe d'amortissement qui correspond à l'actif revendu, de même que dans le cas où il n'y a pas de fermeture. Or, dans la réalité, l'investisseur peut se retrouver dans une situation telle qu'il ne peut attendre la fin du projet pour revendre ses actifs. En effet, il peut vouloir procéder au remplacement d'un actif ou souhaiter faire des investissements durant la réalisation du projet. Dans le chapitre suivant, nous allons étudier ces situations particulières de la gestion des projets d'investissement.

Les activités d'apprentissage

Questions

1. Quels sont les flux monétaires occasionnés par la revente d'actifs à la fin d'un projet?

2. Identifiez les incidences fiscales qui se rattachent à la revente d'actifs à la fin d'un projet.

Problèmes

1. La compagnie Oméga désire acquérir une nouvelle machine dont le coût total est de 180 000 $. Grâce à cette machine, Oméga pourrait économiser annuellement 45 000 $ en main-d'œuvre et 25 000 $ en matières premières. On prévoit utiliser cette nouvelle machine pendant cinq ans, après quoi on la revendra à sa valeur marchande. Le taux d'imposition de la compagnie est de 38 % et son taux d'actualisation est de 16 %.

a) Oméga doit-elle accepter ou refuser ce projet, en supposant que la machine est amortie à 20 % sur le solde dégressif et qu'elle n'ait aucune valeur de revente en fin de projet?

b) Même question qu'en a), mais en considérant une valeur de revente de 200 000 $, sans fermeture de la classe d'amortissement.

c) Même question qu'en a), mais en considérant une valeur de revente de 25 000 $, sans fermeture de la classe d'amortissement.

d) Même question qu'en a), mais en considérant une valeur de revente de 200 000 $ avec fermeture de la classe d'amortissement.

e) Même question qu'en a), mais en considérant une valeur de revente de 35 000 $, avec fermeture de la classe d'amortissement.

f) Même question qu'en a), mais en considérant une valeur de revente de 75 000 $, avec fermeture de la classe d'amortissement.

2. Vous envisagez de créer une toute nouvelle compagnie que vous appellerez Ajax inc., afin de réaliser un projet qui durera sept ans. Ce projet nécessitera des investissements répartis sur deux ans. Voici les coûts de ces investissements :

	Début du projet	**Fin de l'année 1**	**Fin de l'année 2**
Terrain	750 000 $		
Immeuble		2 000 000 $	
Équipements			1 500 000 $

L'immeuble est amortissable à 5 % et les équipements, à 20 % sur le solde dégressif. On prévoit, pour les années 3 à 7 inclusivement, des flux monétaires de 2 000 000 $ par année. Il s'agit de flux monétaires avant impôts et avant amortissement. À la toute fin du projet, vous cesserez les activités de Ajax inc. et liquiderez tous les actifs à leur valeur marchande, que vous estimez comme suit :

	Valeur à la fin de l'année 7
Terrain	1 000 000 $
Immeuble	2 200 000 $
Équipements	110 000 $

Comme il s'agit d'un projet risqué, vous en exigez 18 % de rendement; votre taux d'imposition sera de 42 %. Devriez-vous accepter ou refuser ce projet?

3. Il y a peu de temps, B. Alpha enr. demandait à son comptable d'analyser la rentabilité d'un projet nécessitant l'acquisition d'équipements électroniques sophistiqués au coût de 500 000 $, frais d'installation compris. Après avoir consulté quelques experts, le comptable de B. Alpha enr. prévoit le bénéfice comptable suivant pour chacune des trois années que durera le projet :

	Fin de l'année 1	**Fin de l'année 2**	**Fin de l'année 3**
Revenus	483 334 $	496 667 $	521 667 $
Dépenses d'exploitation et d'administration	200 000	225 000	240 000
Amortissement	100 000	100 000	100 000
Frais financiers	50 000	30 000	15 000
Profit avant impôts	133 334 $	141 667 $	166 667 $
Impôts(40 %)	53 334	56 667	66 667
Profit net	80 000 $	85 000 $	100 000 $

Notes :

1. Tous les revenus seront encaissés et toutes les dépenses seront déboursées au moment de leur réalisation. Seule la dépense d'amortissement n'occasionnera aucun débours.
2. L'amortissement comptable est linéaire sur trois ans et est basé sur une valeur de revente de 200 000 $, à la fin de la troisième année.

À la demande de son patron, le comptable n'a fait de prévisions que sur trois ans, car on prévoit revendre les équipements après ce temps au prix estimé de 200 000 $. Notez que cette vente entraînera la fermeture de la classe d'amortissement à laquelle appartiennent les équipements et que le taux d'allocation du coût en capital prescrit par le fisc pour cette catégorie d'actifs est de 20 % sur le solde dégressif. Voici la lettre envoyée par le comptable à son patron :

> *Cher monsieur,*
>
> *Vous trouverez jointes à cette lettre mes prévisions concernant le projet envisagé. À la lumière des chiffres exposés, il m'apparaît très clair que vous devriez abandonner votre projet. D'une part, les profits générés par le projet, incluant la revente des équipements, ne permettront pas de recouvrer l'investissement (80 000 + 85 000 + 100 000 + 200 000 < 500 000). D'autre part, le taux de rendement comptable, qui n'est que de 17,7 %, se situe bien en dessous du taux historique de 20 %. Je recommande donc le rejet du projet dans les plus brefs délais.*

Le propriétaire de B. Alpha enr. reste surpris après avoir lu cette lettre, car plusieurs concurrents ont déjà acquis ce type d'équipement et semblent très satisfaits. Il demande donc à un analyste financier, vous pour la circonstance, de vérifier les chiffres du comptable. À votre demande, votre patron vous confie que le taux d'actualisation qu'il utilise pour analyser ce type de projet est de 15 %. Que recommanderiez-vous au propriétaire de B. Alpha enr.?

ANNEXE 9.1
Les équations

L'intérêt simple

Montant total d'intérêts accumulés

$$TOT\,i = PV \times I \times N \quad \text{Éq. 2.1}$$

FV d'un montant placé à intérêt simple

$$FV_N = PV + TOT\,i \quad \text{Éq. 2.2}$$

$$FV_N = PV(1 + I \times N) \quad \text{Éq. 2.3}$$

L'intérêt composé

FV d'un montant placé à intérêt composé

$$FV_N = PV(1 + I)^N \quad \text{Éq. 2.4}$$

Taux périodique (i)

$$i = I/m \quad \text{Éq. 2.5}$$

Transposition du taux périodique au taux effectif

$$(1 + i_r) = (1 + i)^m \quad \text{Éq. 2.6}$$

$$(1 + i_r) = (1 + I/m)^m$$

Taux effectif quand la fréquence de capitalisation est infinie

$$i_r = e^I - 1 \quad \text{Éq. 2.7}$$

Équivalence entre des taux nominaux

$$(1 + I_1 / m_1)^{m1} = (1 + I_2 / m_2)^{m2} \quad \text{Éq. 2.8}$$

Valeur future d'un montant unique

$$FV_n = PV(1 + i)^n \quad \text{Éq. 2.9}$$

$$FV_{N \times m} = PV(1 + I/m)^{N \times m}$$

Valeur actuelle d'un montant unique

$$PV = FV_n(1 + i)^{-n} \quad \text{Éq. 2.10}$$

$$PV = FV_{N \times m}(1 + I/m)^{-N \times m}$$

Valeur future d'une annuité de fin de période

$$FV_n = PMT\left[\frac{(1 + i)^n - 1}{i}\right] \quad \text{Éq. 3.1}$$

$$FV_n = PMT\left[\frac{(1 + I/m)^{N \times m} - 1}{I/m}\right]$$

$$FV_n = PMT \times S_{i,n} \quad \text{Éq. 3.2}$$

Valeur future d'une annuité de début de période

$$FV_n = PMT\left[\frac{(1 + i)^n - 1}{i}\right](1 + i) \quad \text{Éq. 3.3}$$

$$FV_n = PMT\left[\frac{(1 + I/m)^{N \times m} - 1}{I/m}\right](1 + I/m)$$

$$FV_n = PMT(S^1_{i,n}) \quad \text{Éq. 3.4}$$

Valeur actuelle d'une annuité de fin de période

$$PV = PMT\left[\frac{1-(1+i)^{-n}}{i}\right] \qquad \text{Éq. 3.5}$$

$$PV = PMT\left[\frac{1-(1+I/m)^{-N\times m}}{I/m}\right]$$

$$PV = PMT \times A_{i,n} \qquad \text{Éq. 3.6}$$

Valeur actuelle d'une annuité de début de période

$$PV = PMT\left[\frac{1-(1+i)^{-n}}{i}\right](1+i) \qquad \text{Éq. 3.7}$$

$$PV = PMT\left[\frac{1-(1+I/m)^{-N\times m}}{I/m}\right](1+I/m)$$

$$PV = PMT \times A^{1}_{i,n} \qquad \text{Éq. 3.8}$$

Valeur actuelle d'une série de flux monétaires variables

$$PV = \sum_{t=1}^{n} FM_t(1+i)^{-t} \qquad \text{Éq. 3.9}$$

Valeur future d'une série de flux monétaires variables

$$FV = \sum_{t=1}^{n} FM_t(1+i)^{n-t} \qquad \text{Éq. 3.10}$$

Valeur actuelle d'une perpétuité de fin de période

$$PV = \frac{PMT}{i} \qquad \text{Éq. 4.1}$$

Valeur actuelle d'une perpétuité de début de période

$$PV = \frac{PMT}{i}(1+i) \qquad \text{Éq. 4.2}$$

$$PV = \frac{PMT}{i} + PMT \qquad \text{Éq. 4.3}$$

La valeur des coupons

$$C = VN \times I_c \qquad \textbf{Éq. 6.1}$$

Le prix d'une obligation

$$P_0 = C\left[\frac{1-(1+i)^{-n}}{i}\right] + VN(1+i)^{-n} \qquad \textbf{Éq. 6.2}$$

Les intérêts courus

intérêts courus = (*coupon*/6) × *nombre de mois écoulés depuis le dernier coupon* **Éq. 6.3**

Le prix d'une action ordinaire

$$P_0 = \sum_{t=1}^{\alpha} \frac{D_t}{(1+k)^t} \qquad \textbf{Éq. 6.4}$$

Le prix d'une action avec dividende à croissance nulle

$$P_0 = \frac{D_0}{k} \qquad \textbf{Éq. 6.5}$$

Le prix d'une action avec dividende à croissance stable

$$P_0 = \frac{D_1}{k-g} \qquad \textbf{Éq. 6.6}$$

Le délai de récupération

$$DR = \frac{C}{FM} \qquad \textbf{Éq. 7.1}$$

Le taux de rendement comptable

$$RC = \frac{\left[\frac{\sum_{t=1}^{N} BNAI_t}{N}\right]}{C} \qquad \text{Éq. 7.2}$$

La valeur actuelle nette

$$VAN = VAE - VAS \qquad \text{Éq. 7.3}$$

$$VAN = \sum_{t=1}^{N} FM_t(1+i)^{-t} - C \qquad \text{Éq. 7.4}$$

L'indice de rentabilité

$$IR = \frac{VAE}{VAS} \qquad \text{Éq. 7.5}$$

$$IR = \frac{VAN}{C} + 1 \qquad \text{Éq. 7.6}$$

Le taux de rendement interne

$$VAS = VAE \qquad \text{Éq. 7.7}$$

$$C = \sum_{t=1}^{N} FM_t(1+TRI)^{-t} \qquad \text{Éq. 7.8}$$

Le revenu annuel équivalent

$$RAE = VAN\left[\frac{i}{1-(1+i)^{-n}}\right] \qquad \text{Éq. 7.9}$$

Les flux monétaire marginal d'un projet

FM marginal d'un projet = *FM de l'entreprise si le projet est accepté*
− *FM de l'entreprise si le projet n'est pas accepté* **Éq. 8.1**

Le coût marginal d'une dépense non capitalisable

$$\textit{coût marginal d'une dépense non capitalisable} = Dép\,(1 - T)$$ **Éq. 8.2**

Les flux monétaires générés par les opérations d'un projet (*FMGOP*)

$$FMGOP_t = (R_t - D_t)\,(1 - T)$$ **Éq. 8.3**

Les économies d'impôts liées à l'*ACC* (*EIACC*)

$$EIACC_t = ACC_t \times T$$ **Éq. 8.4**

Les économies d'impôts dues à une perte terminale (*EIPT*)

$$EIPT = PT \times T$$ **Éq. 8.5**

L'impôt à payer sur la récupération d'amortissement

$$IRA = RA \times T$$ **Éq. 8.6**

Le solde non amorti de la catégorie

$$S_n = C \times (1 - d)^n$$ (sans la règle de la demi-année) **Éq. 8.7.1**

$$S_n = FNACC_1 \times (1 - d)^{n-1}$$ (avec la règle de la demi-année) **Éq. 8.7.2**

La valeur actuelle des économies d'impôts liées à l'*ACC* (*VAEIACC*)

$$VAEIACC = \left[\frac{C \times d \times T}{k+d}\right]\left[\frac{1+0,5k}{1+k}\right] \qquad \text{Éq. 8.8}$$

Les pertes d'économies d'impôts liées à l'*ACC* (*PEIACC*) sans fermeture de la classe d'amortissement et lorsque $VR < C$

$$PEIACC = \frac{VR \times d \times T}{k+d} \qquad \text{Éq. 8.9.1}$$

Les pertes d'économies d'impôts liées à l'*ACC* (*PEIACC*) sans fermeture de la classe d'amortissement et lorsque $VR > C$

$$PEIACC = \frac{C \times d \times T}{k+d} \qquad \text{Éq. 8.9.2}$$

Les pertes d'économies d'impôts liées à l'*ACC* (*PEIACC*) avec fermeture de la classe d'amortissement

$$PEIACC = \frac{FNACC \times d \times T}{k+d} \qquad \text{Éq. 8.9.3}$$

Les pertes d'économies d'impôts liées à l'*ACC* (*PEIACC*) sans fermeture de la classe d'amortissement (équation générale)

$$PEIACC = \frac{MIN(VR,C) \times d \times T}{k+d} \qquad \text{Éq. 9.1}$$

La valeur actuelle des pertes d'économies d'impôts liées à l'*ACC* (*VAPEIACC*) (équation générale)

$$VAPEIACC = \frac{MIN(VR,C) \times d \times T}{k+d}(1+k)^{-n} \qquad \text{Éq. 9.2}$$

Chapitre 10

La gestion des investissements et ses particularités

Schéma d'intégration des contenus

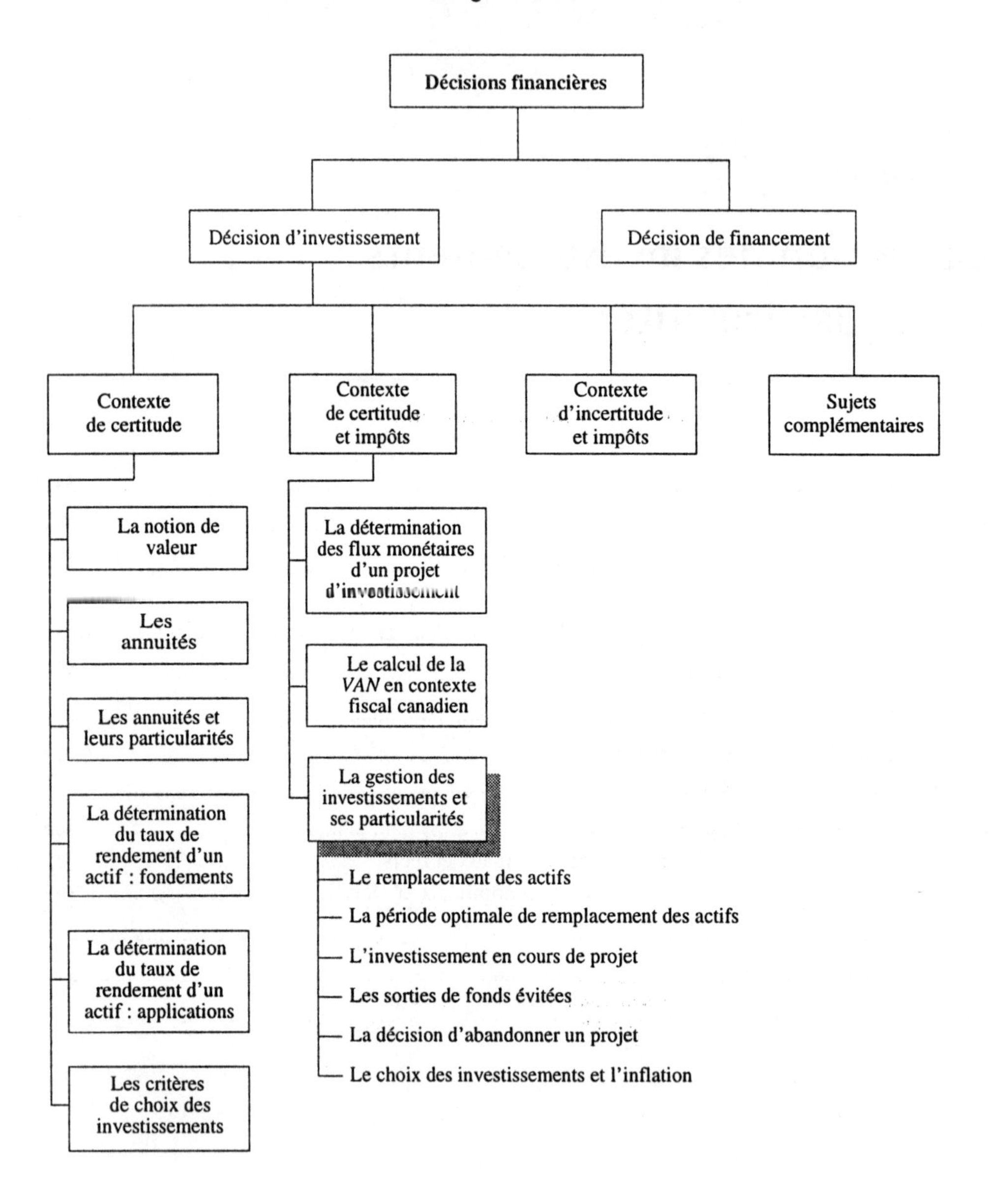

La gestion des investissements conduit à des situations particulières. Le chapitre 10 présente différentes situations comme le remplacement des actifs, l'investissement en cours de projet, les sorties de fonds évitées, la décision d'abandonner un projet et le choix des investissements en fonction de l'inflation. Afin de prendre les meilleures décisions possible, il faut :

- analyser les critères qui s'appliquent au remplacement des actifs;
- déterminer la période optimale de remplacement en fonction de la valeur actuelle nette (*VAN*) et du flux monétaire annuel équivalent (*FMAE*);
- comprendre la nature des sorties de fonds lors de la répartition des investissements en cours de projet;
- comprendre la notion de sorties de fonds évitées et ses implications;
- déterminer le moment optimal de l'abandon d'un projet;
- analyser l'impact de l'inflation sur un projet d'investissement.

Introduction

Jusqu'à présent, nous avons considéré des projets d'investissement relativement simples où l'acquisition des actifs s'effectuait au début du projet et où leur revente se produisait en fin de projet. Or, la gestion des investissements comprend plusieurs situations particulières. Parmi ces situations particulières, nous retrouvons, par exemple, le remplacement d'un actif, l'investissement en cours de projet, les sorties de fonds évitées ou encore l'abandon d'un projet qui s'est avéré peu rentable. De plus, on peut être amené à se questionner sur le moment le plus opportun pour procéder au remplacement d'un actif ou sur l'impact que peut avoir l'inflation sur nos choix lors de l'analyse d'un projet d'investissement.

Le présent chapitre traite de ces situations particulières et de la façon de les considérer lors de nos choix d'investissement.

1. Le remplacement des actifs

Le remplacement d'actifs est une situation qui se présente assez fréquemment à l'investisseur. Procéder au remplacement d'un actif peut être considéré comme une décision d'investissement dans la mesure où l'investisseur doit savoir, avant d'effectuer le remplacement, si ce dernier va lui être profitable. Par conséquent, les critères de choix des investissements développés jusqu'ici, et plus particulièrement la *VAN*, s'appliquent également dans la décision de remplacer des actifs.

Comme nous venons de le mentionner, cette situation constitue un choix d'investissement assez courant auquel le gestionnaire doit faire face. En effet, les actifs ont une durée de vie limitée et l'usure les rend moins productifs à mesure que le temps passe et qu'ils sont de plus en plus utilisés. Par conséquent, pour la continuité des activités de l'entreprise, le gestionnaire doit envisager la possibilité de remplacer les anciens actifs par de nouveaux. Or, ce remplacement ne se fait pas nécessairement en fin de projet. En effet, dès qu'il aura constaté qu'un actif est désuet et que son remplacement s'impose, le gestionnaire devra agir immédiatement. Habituellement, lors du remplacement, deux événements ont lieu simultanément : l'achat du nouvel actif et la revente de l'ancien.

La décision de remplacer un actif peut avoir plusieurs incidences au chapitre des flux monétaires :

1. Tout d'abord, nous devons tenir compte du coût d'acquisition du nouvel actif et de la valeur de revente de l'ancien actif.
2. Ensuite, nous devons tenir compte des flux monétaires liés à la fiscalité. En effet, l'achat et la revente d'actifs donnent lieu également à des entrées et à des sorties de fonds qui se matérialisent sous la forme d'économies ou de pertes d'économies d'impôts liées à l'amortissement.
3. De plus, le remplacement d'actifs désuets par d'autres plus performants peut entraîner des changements dans les flux monétaires générés par les opérations du projet (*FMGOP*).

La décision de remplacer ou non un actif n'étant rien de moins qu'une décision d'investissement, le critère choisi pour prendre une telle décision est la *VAN* qui, comme nous l'avons vu précédemment, constitue le meilleur critère de choix des investissements. Afin d'évaluer la pertinence du remplacement des actifs, il faut déterminer l'apport marginal de cet investissement pour l'entreprise, faisant ainsi intervenir l'analyse marginale, développée dans le cadre du chapitre 8. La détermination de la *VAN* marginale du projet de remplacement devra, en outre, tenir compte de tous les flux monétaires décrits ci-dessus.

Il y a deux façons de procéder selon l'analyse marginale pour déterminer si, oui ou non, nous devons procéder au remplacement des actifs :

Première façon

1. Il faut d'abord calculer la *VAN* du projet *avec* remplacement et la *VAN* du projet *sans* remplacement des actifs.

2. On doit ensuite établir la différence entre la *VAN* avec remplacement et la *VAN* sans remplacement des actifs. Si cette différence est positive, nous pouvons procéder au remplacement des actifs.

Deuxième façon

1. On doit d'abord établir les *flux monétaires marginaux* (*FMm*) du projet, soit :

   FMm = *FM de l'entreprise avec remplacement – FM de l'entreprise sans remplacement*

2. Il faut ensuite calculer le coût net du projet (*Cn*), soit :

   Cn = *coût du nouvel actif – valeur de revente de l'ancien actif*

3. Il faut finalement calculer la *VAN marginale* (*VANm*) telle que :

$$VANm = \sum_{1}^{n} \frac{FMm}{(1+k)^t} - Cn$$

où :

Cn	=	le coût net du projet
VANm	=	la *VAN* marginale
FMm	=	les flux monétaires marginaux
k	=	le taux d'actualisation

Le remplacement est effectué si la *VAN* marginale du projet de remplacement est *positive.*

Nous allons illustrer, dans l'exemple suivant, le calcul de la *VAN* pour un projet de remplacement d'un actif.

Exemple 1

Supposons qu'une entreprise s'apprête à acheter une nouvelle machine de 10 000 $ pour remplacer l'ancienne qu'elle possède déjà. Cet investissement permettra d'augmenter les recettes nettes de l'entreprise de 6 000 $ à 8 500 $ annuellement, pendant toute la durée restante du projet, soit trois ans. *En faisant abstraction des FM liés à la fiscalité* et en sachant que la valeur de revente actuelle de l'ancienne machine est de 5 000 $ et que le taux d'actualisation est de 10 %, pensez-vous qu'il faille procéder au remplacement de cette machine?

Nous pouvons résoudre ce problème de deux façons :

Première façon

On doit établir la *VAN* avec remplacement et la *VAN* sans remplacement :

$$VAN\ avec\ remplacement = \sum_{1}^{n} \frac{FM}{(1+k)^t} - C$$

$$VAN\ avec\ remplacement = 8\,500\left[\frac{1-1{,}10^{-3}}{0{,}10}\right] - 10\,000$$

$$VAN\ avec\ remplacement = 11\,138\ \$$$

Et

$$VAN\ sans\ remplacement = \sum_{1}^{n} \frac{FM}{(1+k)^t} - C$$

$$VAN\ sans\ remplacement = 6\,000\left[\frac{1-1{,}10^{-3}}{0{,}10}\right] - 5\,000$$

$$VAN\ sans\ remplacement = 9\,921\ \$$$

D'où :

VAN avec remplacement – VAN sans remplacement = 11 138 – 9 921 = 1 217 $

La différence étant positive, le remplacement devrait être effectué.

Deuxième façon

On détermine les flux monétaires marginaux :

FM marginaux = FM avec remplacement – FM sans remplacement = 8 500 – 6 000 = 2 500 $

Le coût net du projet de remplacement est égal à :

$$Cn = \text{coût de la nouvelle machine} - \text{valeur de revente de l'ancienne}$$

$$Cn = 10\,000 - 5\,000 = 5\,000\ \$$$

D'où la *VAN* marginale du projet établie comme suit :

$$VANm = \sum_{1}^{n} \frac{FMm}{(1+k)^t} - Cn$$

$$VANm = 2\,500\left[\frac{1 - 1{,}10^{-3}}{0{,}10}\right] - 5\,000$$

$$VANm = 1\,217\ \$$$

La *VAN* marginale étant positive, le remplacement devrait être effectué.

Nous n'avons pas tenu compte dans cet exemple de la fiscalité. En tenant compte de la fiscalité, l'analyse devient un petit peu plus complexe, comme le démontre l'exemple 2. Pour les fins de l'exercice, seule l'approche marginale a été développée.

Exemple 2

Une compagnie agricole veut remplacer un ancien tracteur dont la valeur de revente aujourd'hui est de 15 000 $ (il a été acheté il y a cinq ans au coût de

19 000 $). Le prix du nouveau tracteur est de 20 000 $ (catégorie de 20 %) et sa durée de vie est de cinq ans (sa valeur de revente dans cinq ans sera de 16 000 $ alors que celle de l'ancien sera de 6 000 $). La compagnie est imposée à 30 % et le taux d'actualisation est de 10 %. En supposant que l'utilisation du nouveau tracteur génère des flux monétaires additionnels de 28 000 $ par an et que son coût d'entretien et de fonctionnement soit plus élevé que l'ancien de 15 000 $ par an, cherchez la *VAN* du remplacement de ce tracteur s'il n'y a pas de fermeture de la catégorie d'actifs.

Au début du projet

– Le coût initial net du projet :

$$Cn = \textit{coût du nouveau tracteur} - \textit{valeur de revente de l'ancien}$$

$$Cn = 20\,000 - 15\,000$$

$$Cn = 5\,000\ \$$$

En cours de projet

– La valeur actuelle des flux monétaires marginaux générés par les opérations du projet (*VAFMGOP*) :

$$FMGOP = (RM_t - DM_t)(1 - T)$$

$$FMGOP = (28\,000 - 15\,000)(1 - 0{,}3)$$

$$FMGOP = 9\,100$$

$$VAFMGOP = \left[\sum_{t=1}^{n} \frac{(RM_t - DM_t)(1 - T)}{(1 + k)^t}\right]$$

$$VAFMGOP = \sum_{t=1}^{5} \left[\frac{9\,100}{1{,}1^t}\right]$$

$$VAFMGOP = \frac{9\,100}{(1{,}1)^1} + \frac{9\,100}{(1{,}1)^2} + \frac{9\,100}{(1{,}1)^3} + \frac{9\,100}{(1{,}1)^4} + \frac{9\,100}{(1{,}1)^5}$$

$$VAFMGOP = 34\,496{,}16\ \$$$

- La valeur actuelle des *EIACC* marginales (économies d'impôts liées à l'*ACC*) dues à l'achat du nouveau tracteur :

  On a :

  Cm = *coût marginal*

  Cm = *coût du nouveau tracteur – MIN (VR ancien, coût de l'ancien)*

  Cm = *variation marginale de la classe d'amortissement*

  Alors :

  $$Cm = 20\,000 - MIN(15\,000,\ 19\,000)$$

  $$Cm = 5\,000\ \$$$

  d'où :

  $$VAEIACCm = \left[\frac{Cm \times d \times T}{k+d}\right]\left[\frac{1+0,5k}{1+k}\right]$$

  $$VAEIACCm = \left[\frac{5\,000 \times 0,2 \times 0,3}{0,1+0,2}\right]\left[\frac{1+(0,5 \times 0,1)}{1,10}\right]$$

  $$VAEIACCm = 954,55\ \$$$

À la fin du projet

- La valeur actuelle des *PEIACC* marginales (pertes d'économies d'impôts liées à l'*ACC*) dues à la vente de l'ancien tracteur :

  $$VAPEIACCm = \left[\frac{\Delta MIN(VR,C) \times d \times T}{k+d}\right](1+k)^{-n}$$

  avec :

  $$\Delta MIN(VR,C) = MIN\ (16\,000,\ 20\,000) - MIN\ (6\,000,\ 19\,000)$$

  $$\Delta MIN(VR,C) = 16\,000 - 6\,000$$

  $$\Delta MIN(VR,C) = 10\,000\ \$$$

d'où :

$$VAPEIACCm = \left[\frac{10\ 000 \times 0,2 \times 0,3}{0,1 + 0,2}\right](1 + 0,1)^{-5}$$

$$VAPEIACCm = 1\ 241,84\ \$$$

– La valeur de revente marginale actualisée (VRm) :

$$VRm = VR\ nouveau - VR\ ancien$$

Nous savons qu'à la fin du projet, la valeur résiduelle du nouveau tracteur sera de 16 000 $ alors que celle de l'ancien tracteur aurait été de 6 000 $. Il faut donc actualiser la valeur résiduelle marginale ($VAVRm$) des deux actifs en fin de projet :

$$VAVRm = 10\ 000\ (1,10)^{-5}$$

$$VAVRm = 6\ 209,21\ \$$$

Donc :

$$VAN = \text{valeur actuelle des entrées de fonds} - \text{valeur actuelle des sorties de fonds}$$

$$VAN = 34\ 496,16 + 954,55 + 6\ 209,21 - 5\ 000 - 1\ 241,84$$

$$VAN = 35\ 418,08\ \$$$

Le remplacement sera effectué.

2. La période optimale de remplacement des actifs

En même temps que l'investisseur décide de procéder ou non au remplacement d'actifs, il doit déterminer quel est le meilleur moment pour le faire. En effet, il a le choix entre remplacer ses actifs aujourd'hui ou reporter ce remplacement à plus tard. Ceci peut être le cas de certains investissements où l'investisseur peut réaliser des gains considérables s'il reporte à plus tard la réalisation de ceux-ci. Comment déterminer, dans ce cas, la période optimale durant laquelle l'investisseur devrait remplacer les anciens actifs par de nouveaux?

Nous savons que le remplacement d'un actif peut donner lieu à des encaissements (c.-à-d. la valeur de revente de l'actif) et à des décaissements (c.-à-d. les frais de fonctionnement et le coût initial à débourser). La période optimale de remplacement serait donc celle qui maximiserait l'écart entre les encaissements et les décaissements. Autrement dit, la période optimale de remplacement est celle durant laquelle la valeur actualisée des sorties de fonds est la plus petite possible et la valeur actualisée des entrées de fonds, la plus grande possible, ce qui, du même coup, maximise la *VAN* du projet de remplacement.

Il existe deux critères qui peuvent nous aider à déterminer la période optimale de remplacement, à savoir la *VAN* et le flux monétaire annuel équivalent, que nous traitons dans les sections qui suivent.

2.1 La *VAN*

Déterminer la période optimale de remplacement d'un actif peut être considéré comme la comparaison de plusieurs projets d'investissement différents portant tous sur un même objectif, soit le remplacement d'un actif spécifique mais à des moments différents (chaque moment de remplacement envisagé constitue un projet d'investissement en soi). Par conséquent, le critère de la *VAN* peut nous permettre d'évaluer les différents projets de remplacement considérés et de choisir le moment ayant obtenu la *VAN* la plus élevée comme étant la période optimale de remplacement de l'actif. La détermination de la période optimale de remplacement selon la *VAN* se fait en trois étapes :

- identifier les différents moments envisagés pour la réalisation du projet;
- calculer la valeur actuelle nette du projet qui correspond à chacun de ces moments;
- choisir le moment optimal auquel il faut réaliser le projet comme étant le moment auquel la valeur actuelle nette du projet de remplacement est la plus élevée.

Or, comme nous l'avons vu précédemment, le calcul de la *VAN* dans le contexte fiscal canadien est assez laborieux. Afin de simplifier la démarche, nous avons retenu une approche plus conviviale et directe qui nous permettra d'arriver au même résultat et qui consiste à calculer le flux monétaire annuel équivalent ou coût annuel équivalent. Seule cette approche sera développée à partir d'un exemple dans la section suivante.

2.2 Le flux monétaire annuel équivalent (*FMAE*)

Le deuxième critère pour déterminer la période optimale de remplacement consiste à choisir le moment auquel le coût de remplacement est à son minimum. Si les coûts sont à leur minimum, toutes choses étant égales par ailleurs, la *VAN*, elle, sera à son maximum. Pour ce faire, nous devons calculer la valeur actuelle des dépenses pour chaque moment, et choisir le moment auquel ce coût est le moindre. Nous utilisons dans ce cas le critère du flux monétaire annuel équivalent ou coût annuel équivalent. Celui-ci est défini de la même façon que le revenu annuel équivalent, que nous avons vu dans le chapitre 7, et correspond, pour la période de remplacement considérée, aux dépenses annuelles occasionnées par le remplacement de l'équipement.

Algébriquement :

$$FMAE = VA\ des\ coûts\left[\frac{k}{1-(1+k)^{-n}}\right] \qquad \textbf{Éq. 10.1}$$

$$FMAE = CAE$$

L'exemple suivant illustre cette procédure de détermination de la période optimale de remplacement.

Exemple 3

Un investisseur envisage de remplacer une pièce d'équipement de forage dont la durée de vie est de seize ans. L'entretien de cette pièce d'équipement coûte 500 $ la première année, dépense qui s'accroîtra annuellement de 500 $ par la suite. Sachant que le taux d'actualisation est de 10 % et que le coût d'acquisition de la pièce d'équipement est de 2 000 $, et en faisant abstraction de l'impact fiscal de chacun des flux monétaires, déterminez la période optimale de remplacement de cette pièce.

Si la durée de vie est de seize ans, alors nous pouvons envisager chaque année comme un moment éventuel pour remplacer l'équipement. Nous pouvons donc envisager les périodes de remplacement suivantes :

- projet 1 : remplacement chaque année;
- projet 2 : remplacement tous les deux ans;

- projet 3 : remplacement tous les quatre ans;
- projet 4 : remplacement tous les seize ans, soit à la fin du projet.

Chaque moment correspond alors à un projet spécifique et isolé pour lequel il faut estimer la valeur actuelle des coûts.

	Période de remplacement = 1 an	**Période de remplacement = 2 ans**	**Période de remplacement = 4 ans**	**Période de remplacement = 16 ans**
Sorties de fonds :				
Coût	2 000 $	2 000 $	2 000 $	2 000 $
Entretien				
Année 1	500	500	500	500
Année 2	–	1 000	1 000	1 000
Année 3	–	–	1 500	1 500
Année 4	–	–	2 000	2 000
...				...
Année 16				8 000

D'où :

	Période de remplacement = 1 an	**Période de remplacement = 2 ans**	**Période de remplacement = 4 ans**	**Période de remplacement = 16 ans**
Sorties de fonds :				
Coût	2 000 $	2 000 $	2 000 $	2 000 $
Entretien				
Année 1	500	500	500	500
Année 2	–	1 000	1 000	1 000
Année 3	–	–	1 500	1 500
Année 4	–	–	2 000	2 000
...				...
Année 16				8 000
VA des coûts	2 455 *	3 281 **	5 774	27 620

* $2\,455 = 2\,000 + 500\,(1{,}10)^{-1}$

** $3\,281 = 2\,000 + 500\,(1{,}10)^{-1} + 1\,000\,(1{,}10)^{-2}$

D'après l'équation 10.1, le flux monétaire annuel équivalent s'établit comme suit :

$$FMAE = VA\ des\ coûts\left[\frac{k}{1-(1+k)^{-n}}\right]$$

$$FMAE\,1 = 2\,455\left[\frac{0{,}1}{1-(1+0{,}1)^{-1}}\right]$$

$$FMAE\,1 = 2\,700\ \$$$

$$FMAE\,2 = 3\,281\left[\frac{0{,}1}{1-(1+0{,}1)^{-2}}\right]$$

$$FMAE\,2 = 1\,890\ \$$$

$$FMAE\,4 = 5\,774\left[\frac{0{,}1}{1-(1+0{,}1)^{-4}}\right]$$

$$FMAE\,4 = 1\,822\ \$$$

$$FMAE\,16 = 27\,620\left[\frac{0{,}1}{1-(1+0{,}1)^{-16}}\right]$$

$$FMAE\,16 = 3\,530\ \$$$

Nous voyons donc que la période optimale de remplacement serait de quatre ans puisqu'elle correspond au coût annuel équivalent le plus bas.

3. L'investissement en cours de projet

Jusqu'à présent, nous avons toujours supposé que les investissements se faisaient en début de projet, mais en réalité, les investissements peuvent être répartis sur plusieurs années. À titre d'illustration, supposons qu'une entreprise de concassage désire s'implanter dans la région des Laurentides. Ce projet nécessite que l'usine procède à l'achat de machines et de matériel de transport mais, vu l'envergure du projet, l'entreprise envisage d'échelonner les achats sur deux ans. Ainsi, elle achètera les machines la première année et le matériel de transport la deuxième année. Cette situation, qui consiste à investir par étapes, est surtout commune aux investissements de grande taille, qui nécessitent des sorties de fonds énormes et qui peuvent, par conséquent, rendre difficile leur réalisation sur une seule période.

Les sorties de fonds générées en cours de projet, tout comme celles de début de projet, peuvent être de deux natures : elles peuvent être capitalisables ou non capitalisables.

Les sorties de fonds capitalisables

On appelle sorties de fonds capitalisables les sorties de fonds réalisées pour des actifs amortissables. Ces dépenses ont une incidence fiscale et donnent lieu à des économies d'impôts liées à l'*ACC* dont il faut tenir compte dans le calcul de la *VAN*.

Les sorties de fonds non capitalisables

Les sorties de fonds non capitalisables sont traitées comme des dépenses. Elles donnent lieu à des économies d'impôts liées à leur déductibilité dans le cadre des opérations courantes de l'entreprise qui doivent être considérées lors du calcul de la *VAN*.

L'exemple suivant illustre une situation d'investissement en cours de projet.

Exemple 4

Une entreprise envisage l'achat d'une nouvelle machine au coût de 250 000 $ (catégorie de 20 %) et dont la durée de vie est de dix ans. Cet investissement occasionnera la construction d'un hangar à la troisième année du projet au coût de 15 000 $ (catégorie de 10 %). Les flux monétaires additionnels attendus avec l'exploitation de la nouvelle machine sont estimés à 25 000 $ annuellement pour toute la durée du projet. En supposant que, dans dix ans, la machine ait une valeur de revente de 30 000 $ et le hangar, une valeur de revente de 5 000 $, établissez la *VAN* du projet d'achat si les catégories ne sont pas fermées à la revente des actifs. Le taux d'imposition de l'entreprise est de 40 % et le taux d'actualisation, de 10 %.

Au début du projet

Achat de la machine : 250 000 $ — 250 000,00 $

Construction du hangar à la 3e année :

$15\,000(1{,}10)^{-3} = 11\,269{,}72$ $ — 11 269,72 $

En cours de projet

– La valeur actuelle des flux monétaires générés par les opérations du projet (*VAFMGOP*) :

$$FMGOP = (RM_t - DM_t)(1 - T)$$

$$FMGOP = 25\,000(1 - 0{,}4)$$

$$FMGOP = 15\,000$$

$$VAFMGOP = \sum_{t=1}^{n}\left[\frac{(RM_t - DM_t)(1 - T)}{(1 + k)^t}\right]$$

$$VAFMGOP = \sum_{t=1}^{10}\left[\frac{15\,000}{(1{,}1)^t}\right]$$

$$VAFMGOP = \frac{15\,000}{(1{,}1)^1} + \frac{15\,000}{(1{,}1)^2} + \ldots + \frac{15\,000}{(1{,}1)^{10}}$$

$$VAFMGOP = 92\,168{,}50\ \$$$ 92 168,50 $

– La valeur actuelle des économies d'impôts liées à *l'ACC* (*VAEIACC*) :

Sur la machine :

$$VAEIACC = \left[\frac{C \times d \times T}{k + d}\right]\left[\frac{1 + 0{,}5k}{1 + k}\right]$$

$$VAEIACC = \left[\frac{250\,000 \times 0{,}2 \times 0{,}4}{0{,}1 + 0{,}2}\right]\left[\frac{1 + (0{,}5 \times 0{,}1)}{1 + 0{,}1}\right]$$

$$VAEIACC = 63\,636{,}35\ \$$$ 63 636,35 $

Sur le hangar :

$$VAEIACC = \left[\frac{C \times d \times T}{k+d}\right]\left[\frac{1+0{,}5k}{1+k}\right](1+k)^{-3}$$

$$VAEIACC = \left[\frac{15\,000 \times 0{,}1 \times 0{,}4}{0{,}1+0{,}1}\right]\left[\frac{1+(0{,}5 \times 0{,}1)}{1+0{,}1}\right](1+0{,}1)^{-3}$$

$$VAEIACC = 2\,151{,}49\ \$$$

2 151,49 $

À la fin du projet

– La valeur actuelle de la valeur de revente (*VAVR*) :

La machine : $30\,000(1{,}10)^{-10} = 11\,566{,}30$ $ — 11 566,30 $

Le hangar : $5\,000(1{,}10)^{-10} = 1\,927{,}71$ $ — 1 927,71 $

– La valeur actuelle de la perte d'économies d'impôts liées à l'*ACC* (*VAPEIACC*) :

Sur la machine :

$$VAPEIACC = \left[\frac{MIN(VR,C) \times d \times T}{k+d}\right](1+k)^{-n}$$

$$VAPEIACC = \left[\frac{MIN(30\,000,\ 250\,000) \times 0,2 \times 0,4}{0,1+0,2}\right](1+0{,}1)^{-10}$$

$$VAPEIACC = 3\,084{,}35\ \$$$

– 3 884,35 $

Sur le hangar :

$$VAPEIACC = \left[\frac{MIN(VR,C) \times d \times T}{k+d}\right](1+k)^{-n}$$

$$VAPEIACC = \left[\frac{MIN(5\,000,15\,000) \times 0,1 \times 0,4}{0,1+0,1}\right](1+0{,}1)^{-10}$$

$$VAPEIACC = 385{,}54\ \$$$

– 385,54 $

La *VAN* du projet est égale à la valeur actuelle des entrées de fonds moins la valeur actuelle des sorties de fonds, soit – 93 289 $.

La *VAN* étant négative, le projet devrait être rejeté.

4. Les sorties de fonds évitées

Les sorties de fonds évitées représentent une application particulière des différentes notions vues jusqu'à présent lors de l'analyse d'un projet d'investissement.

Certains investissements sont réalisés dans le but d'éviter des sorties de fonds ultérieures. Par exemple, acheter de nouvelles machines pour remplacer les anciennes peut permettre d'éviter des frais de réparation ou d'entretien éventuel occasionnés par les anciennes machines. Dans ce cas, l'investissement ou le remplacement est réalisé aujourd'hui dans le but d'éviter des sorties de fonds actuelles ou futures. Prenons le cas, par exemple, d'une entreprise qui remplace trois de ses camions par de nouveaux, car si elle gardait les anciens, elle devrait assumer des dépenses annuelles d'entretien supplémentaires pendant les quatre prochaines années. En investissant dans l'achat de nouveaux camions aujourd'hui, l'entreprise évite les dépenses d'entretien occasionnées par les anciens camions.

Les sorties de fonds évitées (*SFE*) peuvent être de deux natures : elles peuvent être capitalisables ou non capitalisables.

Les sorties de fonds évitées capitalisables

Une sortie de fonds évitée capitalisable génère au moins deux flux monétaires, l'un positif et l'autre négatif. En effet, une sortie de fonds évitée amène un flux monétaire positif puisqu'elle nous permet d'éviter un débours. Cependant, comme cette sortie de fonds aurait été capitalisable, elle nous aurait permis d'obtenir des *EIACC* dont nous ne pourrons bénéficier puisque la sortie de fonds a été évitée, d'où son caractère négatif.

Les sorties de fonds évitées non capitalisables

Une sortie de fonds évitée non capitalisable génère également au moins deux flux monétaires, l'un positif et l'autre négatif. Tout comme dans le cas de la sortie de fonds évitée capitalisable, une sortie de fonds évitée non capitalisable amène un flux monétaire positif puisqu'elle nous permet d'éviter un débours. Toutefois, ce flux monétaire aurait permis à l'entreprise de bénéficier d'économies d'impôts dues à sa déductibilité comme dépense, avantage perdu compte tenu de l'absence de sortie de fonds.

L'exemple suivant illustre le traitement des sorties de fonds évitées selon qu'elles sont capitalisables ou non capitalisables.

Exemple 5

Une entreprise cherche à remplacer ses ordinateurs par de nouveaux. Cet achat permettrait d'éviter une dépense de mise à niveau de 10 000 $ dans quatre ans. Supposons que le taux d'amortissement dégressif est de 0,20, le taux d'imposition de l'entreprise de 30 % et que le taux d'actualisation est de 10 %. Déterminez la valeur actualisée de la sortie de fonds évitée (*VASFE*) :

– si la sortie de fonds évitée est capitalisable

Cette sortie de fonds évitée ne sera pas comptabilisée dans le bilan de l'entreprise telle qu'elle l'aurait été sans l'achat des nouveaux ordinateurs. L'actif ne sera pas amorti et nous ne bénéficierons pas des économies d'impôts liées à l'*ACC*. La *VASFE* est établie en retranchant la valeur actuelle des pertes d'économies d'impôts de la valeur actuelle de la sortie de fonds évitée de 10 000 $, soit :

$$VASFE = 10\,000(1+0{,}10)^{-4} - \left[\frac{10\,000 \times 0{,}2 \times 0{,}3}{0{,}1\ + 0{,}2} \times \frac{1+(0{,}5 \times 0{,}1)}{1{,}10}\right](1+0{,}10)^{-4}$$

$$VASFE = 5\,526{,}20\ \$$$

Dans ce cas, la valeur actualisée de la sortie de fonds évitée (*VASFE*) est positive.

– si la sortie de fonds évitée est non capitalisable

Cette sortie de fonds évitée ne sera pas comptabilisée dans l'état des résultats de l'entreprise telle qu'elle l'aurait été sans l'achat des nouveaux ordinateurs. Dans ce cas, la sortie de fonds évitée ne permettra pas à l'entreprise de bénéficier des économies d'impôts auxquelles elle aurait droit si cette dépense avait été effectuée.

Ainsi, la valeur actuelle de la sortie de fonds évitée (*VASFE*) est de :

$$VASFE = [10\,000 \times (1-0{,}3)] \times (1{,}1\ )^{-4}$$

$$VASFE = 4\,781{,}09\ \$$$

Dans ce cas également, la valeur actualisée de la sortie de fonds évitée est positive.

5. La décision d'abandonner un projet

Si un projet d'investissement s'avère peu rentable et engendre des flux monétaires inférieurs à ceux qui étaient anticipés, l'investisseur peut juger optimal d'arrêter l'exploitation du projet et de mettre en vente ses actifs. Cette décision d'abandonner le projet s'appuie sur un flux monétaire qu'il est important de considérer, soit la valeur marchande de liquidation du projet.

La décision d'abandonner un projet d'investissement est en général basée sur le calcul d'une *VAN* révisée, qui consiste à établir, au moment de la décision d'abandonner le projet, la différence entre la valeur actuelle des flux monétaires non encore réalisés et la valeur marchande des actifs du projet. L'abandon d'un projet donne lieu généralement à une entrée de fonds qui est la valeur de récupération des actifs. Pour décider d'abandonner (ou ne pas abandonner) un projet d'investissement, nous nous basons sur la valeur actuelle des flux monétaires prévus révisés que nous comparons à la valeur de revente des actifs.

Nous illustrons cette procédure dans l'exemple suivant.

Exemple 6

Une entreprise réalise, trois ans après avoir mis en œuvre un projet d'investissement, que les flux monétaires réalisés sont inférieurs aux flux monétaires attendus. Si elle revend ses actifs aujourd'hui, elle obtiendra 22 000 $. Afin de décider si elle doit abandonner ou non le projet, elle se base sur les flux monétaires prévus pour les quatre années restantes, soit :

Année	*FM* prévus	Valeur actuelle des *FM* prévus révisés
Année 4	8 000 $	$8\,000(1{,}10)^{-1}$ = 7 272,72 $
Année 5	12 500	$12\,500(1{,}10)^{-2}$ = 10 330,58
Année 6	7 800	$7\,800(1{,}10)^{-3}$ = 5 860,25
Année 7	2 000	$2\,000(1{,}10)^{-4}$ = 1 366,03
	VAN révisée	24 829,58 $

Nous voyons que, pour les quatre dernières années du projet, la *VAN* révisée du projet est de 24 829,57 $, ce qui est supérieur à la valeur de revente des actifs (22 000 $); il est donc plus profitable de poursuivre l'exploitation du projet, la règle de décision étant la suivante :

- si la valeur actuelle des *FM* à recevoir > *VR* des actifs, on continue le projet;
- si la valeur actuelle des *FM* à recevoir < *VR* des actifs, on abandonne le projet.

5.1 Le moment optimal d'abandon

Dans les situations où il peut s'avérer préférable d'abandonner le projet, il faut déterminer le moment optimal d'abandon. Cette situation s'apparente à la situation de remplacement d'un actif où il a fallu déterminer la période optimale de remplacement.

Avant d'abandonner le projet, il faut :

- d'abord estimer, aux différents moments envisagés pour l'abandon, les valeurs de récupération susceptibles d'être obtenues;
- par la suite calculer la valeur actualisée des flux monétaires prévus pour ces différents moments, en tenant compte de la valeur de revente ou de récupération;
- finalement, choisir le moment optimal d'abandon comme étant celui où le coût annuel équivalent est à son minimum ou celui où la *VAN* est à son maximum.

La détermination du moment optimal d'abandon peut être basée soit sur le calcul de la *VAN*, soit sur l'approche du coût annuel équivalent. Nous nous limiterons ici à la détermination du moment optimal d'abandon d'un projet par un exemple simplifié (puisqu'il ne tient pas compte des flux monétaires générés par la fiscalité) basé sur le calcul de la *VAN*.

Exemple 7

Un entrepreneur envisage un projet d'investissement de trois ans. Le coût de l'équipement pour ce projet est de 40 000 $. Les revenus additionnels attendus pour les trois prochaines années sont de 100 000 $ pour la première année, 70 000 $ pour la deuxième année et 50 000 $ pour la troisième année. Les frais de fonctionnement additionnels de l'équipement pour les trois prochaines années sont estimés à 50 000 $ pour la première année, 60 000 $ pour la deuxième et 70 000 $ pour la troisième. La valeur de revente de l'équipement est estimée à 10 000 $ et ce, quel que soit le moment où la revente aura lieu. Sachant que le taux d'actualisation est de 10 %, déterminez la période optimale d'abandon.

Comme le projet est d'une durée de trois ans, nous pouvons décider de l'abandonner immédiatement ou après une ou deux années d'opération. Nous devons donc calculer trois *VAN* pour le projet.

La première *VAN* (VAN_A) sera calculée de manière conventionnelle et sera basée sur les flux monétaires des trois années du projet. La valeur de cette *VAN* déterminera s'il est rentable ou non d'entreprendre le projet.

La seconde *VAN* (VAN_B) sera basée uniquement sur les flux monétaires des deuxième et troisième années du projet; elle déterminera s'il est rentable de poursuivre le projet au-delà de sa première année.

La troisième *VAN* (VAN_C) sera basée uniquement sur les flux monétaires de la troisième année du projet; elle déterminera s'il est rentable de poursuivre le projet au-delà de sa deuxième année.

On a :

Flux monétaires du projet				
Année	0	1	2	3
Coût	– 40 000			
Revenus additionnels		100 000	70 000	50 000
Frais de fonctionnement additionnels		50 000	60 000	70 000
Revente de l'équipement				
Après 1 an		10 000		
Après 2 ans			10 000	
Après 3 ans				10 000

Graphiquement, on peut représenter le moment où sont calculées ces $VAN_{A,B,C}$ et les flux monétaires considérés dans leur calcul de la manière suivante :

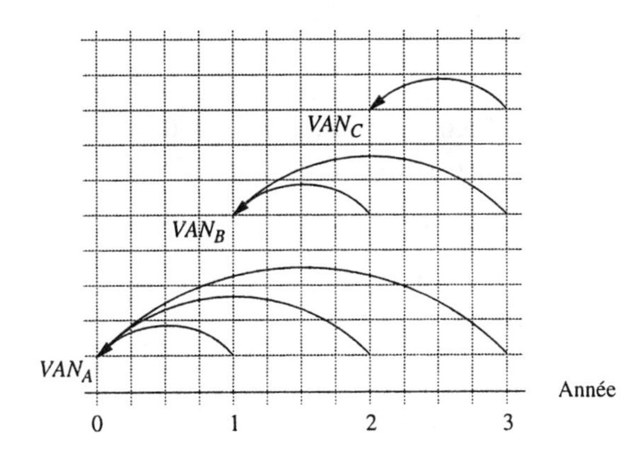

VAN_A du projet

$$\text{Coût} = -40\,000\ \$$$

$$VAFMGOP = \left[\sum_{t=1}^{n} \frac{(RM_t - DM_t)}{(1+k)^t}\right]$$

$$VAFMGOP = (100\,000 - 50\,000)(1{,}10)^{-1} + (70\,000 - 60\,000)(1{,}10)^{-2} + (50\,000 - 70\,000)(1{,}10)^{-3}$$

$$VAFMGOP = 50\,000(1{,}10)^{-1} + 10\,000(1{,}10)^{-2} - 20\,000(1{,}10)^{-3}$$

$$VAFMGOP = 38\,693\ \$$$

$$VAVR = VR(1+k)^{-n}$$

$$VAVR = 10\,000(1{,}10)^{-3}$$

$$VAVR = 7\,513\ \$$$

On a une *VAN* positive de 6 206 $. Il est donc rentable d'entreprendre le projet.

VAN_B du projet après une année d'opération

$$\text{Coût} = 0\ \$$$

$$VAFMGOP = \left[\sum_{t=1}^{n} \frac{(RM_t - DM_t)}{(1+k)^t}\right]$$

$$VAFMGOP = (70\,000 - 60\,000)(1{,}10)^{-1} + (50\,000 - 70\,000)(1{,}10)^{-2}$$

$$VAFMGOP = 10\,000(1{,}10)^{-1} - 20\,000(1{,}10)^{-2}$$

$$VAFMGOP = -7\,438\ \$$$

$$VAVR = VR(1+k)^{-n}$$

$$VAVR = 10\,000(1{,}10)^{-2}$$

$$VAVR = 8\,264\ \$$$

On a une *VAN* positive de 826 $. Il est donc rentable de poursuivre le projet au-delà de sa première année.

VAN_C du projet après deux années d'opération

$$\text{Coût} = 0\ \$$$

$$VAFMGOP = \left[\sum_{t=1}^{n} \frac{(RM_t - DM_t)}{(1+k)^t}\right]$$

$$VAFMGOP = (50\,000 - 70\,000)(1{,}10)^{-1}$$

$$VAFMGOP = -20\,000(1{,}10)^{-1}$$

$$VAFMGOP = -18\,182\ \$$$

$$VAVR = VR(1+k)^{-n}$$

$$VAVR = 10\,000(1{,}10)^{-1}$$

$$VAVR = 9\,091\ \$$$

On a une *VAN* négative de 9 091 $. Il n'est donc pas rentable de poursuivre le projet au-delà de sa deuxième année d'opération.

Nous pouvons conclure que le moment optimal d'abandon devrait être dans deux ans, c'est-à-dire à la période où la *VAN* est la plus élevée. Remarquez que, étant donné que le *FMGOP* associé à la dernière année du projet est négatif, il est clair que la poursuite du projet n'est pas à l'avantage de l'entreprise.

6. Le choix des investissements et l'inflation

L'*inflation*, telle qu'elle a été définie dans le chapitre 2, est la perte du pouvoir d'achat de l'argent. Par définition, la perte du pouvoir d'achat de l'argent va donc affecter les flux monétaires. De plus, l'inflation affecte le taux d'actualisation par le biais de la prime pour la perte du pouvoir d'achat qui, comme nous l'avons vu au chapitre 2, est l'une des composantes des taux d'intérêt.

Étant donné cette sensibilité des flux monétaires et du taux d'actualisation pour tenir compte de l'inflation, nous pouvons en tenir compte lors de l'évaluation des projets d'investissement. En effet, l'évaluation des investissements repose sur le critère de la *VAN*, dont le calcul est justement basé sur le taux d'actualisation et les flux monétaires. Pour que la *VAN* soit la plus exacte possible, elle peut être ajustée de manière à tenir compte de la perte du pouvoir d'achat.

Lorsque le taux d'actualisation ou les flux monétaires sont ajustés de manière à refléter l'inflation, on dit qu'ils sont exprimés en termes réels. Par contre, lorsque les flux monétaires ou le taux d'actualisation ne sont pas ajustés pour tenir compte de l'inflation, on dit qu'ils sont exprimés en termes nominaux.

Dans ce qui suit, nous allons étudier la relation entre les flux monétaires nominaux et réels et la relation entre les taux d'actualisation nominaux et réels.

6.1 La relation entre les flux monétaires nominaux et réels

Il est important de tenir compte de l'inflation, car elle constitue une donnée incontournable dans l'environnement de la prise de décision financière. L'inflation modifie les coûts et les revenus d'un projet et tend à sous-estimer les flux monétaires. En effet, le taux d'actualisation nominal est relativement plus élevé par rapport au taux réel puisque ce dernier ne tient pas compte de la prime pour la perte du pouvoir d'achat. Par conséquent, les flux monétaires actualisés à ce taux nominal vont être inférieurs à leur valeur actualisée au taux réel. Évidemment, cette situation s'aggrave en période de forte inflation.

L'exemple qui suit illustre l'importance de travailler en tenant compte de l'inflation :

Exemple 8

Supposons qu'un investissement engendrerait des entrées de fonds additionnelles de 1 000 $ par année s'il était réalisé, et cela pour les trois années à venir. En supposant que le taux de rendement annuel est de 15 % et que le taux d'inflation est de 10 % par année, quelle est la valeur actuelle des flux monétaires ajustés et non ajustés pour tenir compte de l'inflation?

Calculons la valeur actuelle des flux monétaires ajustés et non ajustés pour tenir compte de l'inflation.

a) La valeur actuelle des flux monétaires (réels) ajustés pour tenir compte de l'inflation :

Année	*FM* non ajustés	Facteur d'ajustement pour tenir compte de l'inflation	*FM* ajustés	Valeur actuelle des *FM* (k = 15 %)
1	1 000 $	$(1{,}10)^1 =$ 1,10	1 000 × 1,10 = 1 100 $	$1\,100(1{,}15)^{-1}$ = 956,52 $
2	1 000	$(1{,}10)^2 =$ 1,21	1 000 × 1,21 = 1 210	$1\,210(1{,}15)^{-2}$ = 914,93
3	1 000	$(1{,}10)^3 =$ 1,331	1 000 × 1,331 = 1 331	$1\,331(1{,}15)^{-3}$ = 875,15
Valeur actuelle				2 746,60 $

b) La valeur actuelle des flux monétaires (nominaux) non ajustés pour tenir compte de l'inflation :

Année	*FM* non ajustés	Valeur actuelle des *FM* (k = 15 %)	
1	1 000 $	$1\ 000(1{,}15)^{-1}$ =	869,56 $
2	1 000	$1\ 000(1{,}15)^{-2}$ =	756,14
3	1 000	$1\ 000(1{,}15)^{-3}$ =	657,51
Valeur actuelle			2 283,21 $

Il apparaît que la valeur actuelle des flux monétaires réels (2 746,60 $) est supérieure à la valeur actuelle des flux monétaires nominaux (2 283,21 $). Par conséquent, une *VAN* calculée en fonction des flux monétaires réels est différente d'une *VAN* calculée en fonction des flux monétaires nominaux, ce qui pourrait engendrer des erreurs lors du choix des investissements. En effet, le gestionnaire pourrait avoir tendance à rejeter plus facilement des projets dont la *VAN* est calculée en fonction des flux monétaires nominaux, d'où l'importance de tenir compte de l'inflation.

6.2 La relation entre les taux d'actualisation nominaux et réels

Au lieu d'ajuster les flux monétaires comme nous l'avons vu précédemment, il est possible d'ajuster le taux d'actualisation en transformant le taux nominal en taux réel, et de l'utiliser pour actualiser les flux monétaires. Cet ajustement se fait comme suit :

$$taux\ réel = \left[\frac{(1 + taux\ nominal)}{(1 + taux\ d'inflation)}\right] - 1 \qquad \textbf{Éq. 10.2}$$

L'exemple suivant illustre cette procédure d'ajustement pour tenir compte de l'inflation.

Exemple 9

Supposons qu'un investissement engendre des entrées de fonds additionnelles de 1 000 $ par année s'il est adopté, et cela pour les trois années à venir. En supposant que le taux de rendement annuel est de 15 % et que le taux d'inflation est de 10 % par année, quelle est la valeur actuelle des flux monétaires?

Il est possible de calculer la valeur actuelle des *FM* de deux manières.

a) Nous pouvons ajuster les flux monétaires au taux d'inflation comme nous venons de le faire :

Année	*FM* non ajustés	Facteur d'ajustement	*FM* ajustés	Valeur actuelle des *FM* (k = 15 %)
1	1 000 $	$(1{,}10)^1 = 1{,}10$	1 000 × 1,10 = 1 100 $	$1000(1{,}15)^{-1} =$ 956,52 $
2	1 000	$(1{,}10)^2 = 1{,}21$	1 000 × 1,21 = 1 210	$1\,210(1{,}15)^{-2} =$ 914,93
3	1 000	$(1{,}10)^3 = 1{,}331$	1 000 × 1,331 = 1 331	$1\,331(1{,}15)^{-3} =$ 875,15
Valeur actuelle				2 746,60 $

b) Nous pouvons aussi ajuster le taux d'actualisation avant d'actualiser les flux monétaires, comme suit :

$$\textit{taux réel} = \left[\frac{(1 + \textit{taux nominal})}{(1 + \textit{taux d'inflation})}\right] - 1 \qquad \text{Éq. 10.2}$$

$$= \left[\frac{(1{,}15)}{(1{,}10)}\right] - 1$$

$$= 0{,}0454 \text{ ou, si vous préférez, } 4{,}54\ \%.$$

La valeur actuelle des flux monétaires est calculée sur la base du taux d'actualisation réel :

$$\textit{valeur actuelle} = 1\,000(1{,}0454)^{-1} + 1\,000(1{,}0454)^{-2} + 1\,000(1{,}0454)^{-3}$$

$$= 2\,746{,}60\ \$$$

Nous voyons donc que les deux méthodes d'ajustement donnent le même résultat.

À partir de maintenant, et dans tous les chapitres à venir, nous allons considérer que tous les flux monétaires avec lesquels nous aurons à travailler sont implicitement ajustés pour tenir compte de l'inflation.

Conclusion

Nous avons examiné, dans le cadre de ce chapitre, les situations particulières de la gestion des investissements, plus particulièrement lors du remplacement des actifs, de l'investissement en cours de projet et de l'abandon d'un projet. Lors du remplacement d'actifs ou de l'abandon d'un projet, une autre décision vient se greffer à cette situation : celle de choisir le moment optimal pour remplacer un actif ou abandonner un projet. Par ailleurs, lors de l'investissement en cours de projet, il est essentiel de tenir compte de la nature des sorties de fonds, à savoir si elles sont capitalisables ou non, étant donné que le traitement de ces flux monétaires peut différer.

Nous avons mis en évidence l'importance d'ajuster les flux monétaires qui composent la *VAN* en fonction de l'inflation. Mais outre l'inflation, une autre composante doit être prise en compte lors de la détermination des flux monétaires d'un projet d'investissement. Il s'agit de l'incertitude. En effet, jusqu'à présent, nous avons supposé que les flux monétaires étaient connus avec certitude, alors qu'ils vont se produire dans le futur. L'objectif du prochain chapitre est d'introduire les procédures d'ajustement au risque lors du choix des investissements.

Les activités d'apprentissage

Questions

1. Identifiez les flux monétaires dont il faut tenir compte avant de prendre la décision de remplacer un actif.

2. Expliquez comment déterminer la période optimale de remplacement des actifs.

3. Expliquez les deux critères qui peuvent aider à déterminer la période optimale de remplacement des actifs.

4. Distinguez les sorties de fonds capitalisables des sorties de fonds non capitalisables.

5. Expliquez quels sont les flux monétaires produits par les sorties de fonds évitées capitalisables et ceux qui sont générés par les sorties de fonds évitées non capitalisables.

6. Quels sont les principaux facteurs à envisager avant d'abandonner un projet?

7. Expliquez les deux critères qui peuvent aider à déterminer le moment optimal d'abandon d'un projet.

8. Expliquez en quoi l'inflation peut influer sur le choix des investissements.

Problèmes

1. La compagnie forestière Bûche inc. envisage de remplacer une partie de sa chaîne de production. Un investissement de 450 000 $ serait requis pour acquérir de la nouvelle machinerie. L'acquisition de cet équipement, d'origine allemande, nécessiterait des frais de transport de 75 000 $. L'installation coûterait pour sa part 15 000 $. Ces nouvelles machines ont une durée de vie de dix ans. Les vieilles pièces d'équipement avaient été acquises il y a cinq ans à un coût de 250 000 $ (transport et installation inclus).

Les avantages de la réalisation de ce projet sont liés aux frais de fabrication, qui connaîtront une baisse substantielle. La capacité de production demeurera inchangée.

	Avant le projet ($)	**Après le projet** ($)
Dépenses annuelles		
Salaires	150 000	45 000
Électricité/chauffage	55 000	40 000
Assurances	10 000	6 000

Les actifs acquis se situent dans la même classe d'amortissement que ceux qui sont déjà détenus par l'entreprise. Un taux de 20 % sur le solde dégressif est accepté sur le plan fiscal. Le taux d'actualisation pour ce genre de projet est de 14 %. L'entreprise est imposée à un taux de 45 %.

La compagnie devrait-elle procéder aux changements prévus, sachant que :

a) les vieilles ainsi que les nouvelles pièces d'équipement n'ont aucune valeur de revente?

b) les vieilles pièces d'équipement n'ont aucune valeur de revente et que les nouvelles pourraient être vendues à la fin du projet pour 225 000 $ (sans fermeture de la classe d'amortissement)?

c) les vieilles pièces d'équipement ont aujourd'hui une valeur de revente de 150 000 $, aucune valeur de revente à la fin du projet et que les nouvelles pourraient être vendues à la fin du projet pour 225 000 $ (sans fermeture de la classe d'amortissement)?

d) les vieilles pièces d'équipement ont aujourd'hui une valeur de revente de 275 000 $, aucune valeur de revente à la fin du projet et que les nouvelles pourraient être vendues à la fin du projet pour 225 000 $ (sans fermeture de la classe d'amortissement)?

e) les vieilles pièces d'équipement ont aujourd'hui une valeur de revente de 150 000 $, qu'elles auraient dans 10 ans une valeur de revente de 25 000 $ et que les nouvelles pourraient être vendues à la fin du projet pour 225 000 $ (avec fermeture de la classe d'amortissement)? (Il n'y avait aucun actif dans cette catégorie avant l'achat des vieilles machines.)

2. Vous êtes engagé en tant qu'analyste financier, durant la saison estivale, par une entreprise manufacturière de la région. Cette entreprise est spécialisée dans le domaine des matériaux composites. Vous avez comme objectif d'étudier la faisabilité de différents projets. Le premier projet qui vous est soumis concerne la fabrication d'un moule qui permettra à la compagnie d'implanter un nouveau produit sur le marché. Les coûts de fabrication de ce moule sont estimés à 325 000 $ et seraient amortis au point de vue fiscal au taux de 35 % sur le solde dégressif.

Les ventes générées par ce nouveau produit seraient de 325 000 $ par année. Le coût de la main-d'œuvre, des matières premières et les frais généraux seraient d'environ 150 000 $ par an. La durée de vie de ce moule est de cinq ans, mais pourrait être prolongée de trois ans si des réparations majeures étaient réalisées au début de la quatrième année à un coût de 200 000 $. Cette réfection serait considérée sur le plan fiscal comme une dépense capitalisable. Au terme de sa vie utile, la valeur résiduelle du moule sera nulle.

En sachant que le taux d'imposition de l'entreprise est de 40 % et que l'on vous suggère d'utiliser un taux d'actualisation de 15 %, déterminez si l'entreprise devrait réaliser le projet si :

a) les réparations ne sont pas effectuées et qu'il n'y a pas de fermeture de la classe d'amortissement.

b) les réparations ne sont pas effectuées et qu'il y a fermeture de la classe d'amortissement.

c) les réparations sont effectuées et qu'il y a fermeture de la classe d'amortissement.
d) les réparations sont effectuées et qu'il s'agit d'une sortie de fonds non capitalisable (sans fermeture de la classe d'amortissement).

3. Un pépiniériste envisage la possibilité de construire une toute nouvelle serre d'une superficie de 55 000 pi^2 au coût de 775 000 $. Cette serre servirait à produire des roses rouges et remplacerait les trois serres actuellement assignées à cette production. La capacité de production ne serait pas accrue, mais les nouvelles installations auraient des avantages énergétiques indéniables. Les coûts d'énergie diminueraient de 78 à 28 cents par rose, ce qui est considérable étant donné le niveau de production de 250 000 roses par année.

La nouvelle serre serait efficace durant huit ans. Les trois serres actuellement détenues par l'entreprise ont un certain âge. Elles devraient être remises en bon état (capitalisables) dans trois ans au coût de 375 000 $, pour leur permettre d'être encore productives durant cinq ans.

L'entreprise est imposée à un taux de 35 % et un taux d'actualisation de 15 % doit être utilisé pour analyser un tel projet. Les serres sont amorties sur le plan fiscal à un taux de 25 %. Ce type de biens de production n'a aucune valeur de revente.

a) Le pépiniériste devrait-il réaliser le projet (sans fermeture de la classe d'amortissement)?
b) Quel niveau de production annuelle minimal de roses devrait-on atteindre afin de justifier la réalisation du projet (sans fermeture de la classe d'amortissement)?
c) Si la réfection des serres était non capitalisable, serait-il avantageux de réaliser le projet (sans fermeture de la classe d'amortissement)?
d) Compte tenu que le pépiniériste désire prendre sa retraite dans huit ans et ainsi fermer son entreprise (fermeture de la classe avec $VR = 0$), devrait-il réaliser le projet si la *FNACC* de la classe d'amortissement est actuellement de 200 000 $?
   i) Si la réfection est non capitalisable?
   ii) Si la réfection est capitalisable?

4. La compagnie Océan inc. possède une flotte de 28 navires ayant une capacité de tonnage de 15 tonnes. Le coût d'achat de chaque navire est de 3,5 millions de dollars.

Les navires ont une durée de vie de dix ans. Le contrôleur de la compagnie estime que la durée de vie optimale des navires pourrait être inférieure à dix ans. Le contrôleur vous fournit les renseignements suivants, par navire et après impôts :

Année	**Valeur de revente** (en millions de dollars)	**Dépréciation** (en millions de dollars)	**Frais d'entretien pour l'année** (en milliers de dollars)
1	3	0,5	550
2	2,6	0,4	600
3	2,3	0,3	650
4	2,0	0,3	700
5	1,75	0,25	725
6	1,5	0,25	790
7	1,3	0,2	875
8	1,1	0,2	990
9	0,9	0,2	1 100
10	0,7	0,2	1 225

a) Compte tenu uniquement des chiffres qui apparaissent ci-dessus et d'un taux d'actualisation de 13 %, déterminez les coûts totaux, en valeur actuelle, pour exploiter un navire selon chacun des cycles.

b) La compagnie Océan inc. devrait-elle utiliser chaque navire durant toute sa vie utile ou serait-il préférable de les changer plus régulièrement (selon le *CAE*)?

5. Alcan envisage le projet suivant :

Année	Flux monétaires réels (sans inflation) ($)
0	– 6 000 000
1	2 625 000
2	11 025 000

Vous êtes analyste financier et le vice-président aux finances d'Alcan vous demande d'évaluer la rentabilité de ce projet en utilisant le critère de la *VAN*. Il ajoute également que vous *devez* utiliser un taux de rendement *nominal* de 10,25 % pour actualiser les flux monétaires *réels* espérés qu'il vous a soumis. Sachant que les " spécialistes " anticipent un taux annuel moyen d'inflation de 5 % pour les quatre prochaines années, calculez la *VAN* de deux façons équivalentes.

ANNEXE 10.1
Les équations

L'intérêt simple

Montant total d'intérêts accumulés

$$TOT\,i = PV \times I \times N$$ **Éq. 2.1**

FV d'un montant placé à intérêt simple

$$FV_N = PV + TOT\,i$$ **Éq. 2.2**

$$FV_N = PV\,(1 + I \times N)$$ **Éq. 2.3**

L'intérêt composé

FV d'un montant placé à intérêt composé

$$FV_N = PV\,(1 + I\,)^N$$ **Éq. 2.4**

Taux périodique (i)

$$i = I/m$$ **Éq. 2.5**

Transposition du taux périodique au taux effectif

$$(1 + i_r) = (1 + i)^m$$ **Éq. 2.6**

$$(1 + i_r) = (1 + I\,/m)^m$$

Taux effectif quand la fréquence de capitalisation est infinie

$$i_r = e^I - 1$$ **Éq. 2.7**

Équivalence entre des taux nominaux

$$(1 + I_1 / m_1)^{m1} = (1 + I_2 / m_2)^{m2} \quad \text{Éq. 2.8}$$

Valeur future d'un montant unique

$$FV_n = PV(1 + i)^n \quad \text{Éq. 2.9}$$

$$FV_{N \times m} = PV(1 + I/m)^{N \times m}$$

Valeur actuelle d'un montant unique

$$PV = FV_n (1 + i)^{-n} \quad \text{Éq. 2.10}$$

$$PV = FV_{N \times m} (1 + I/m)^{-N \times m}$$

Valeur future d'une annuité de fin de période

$$FV_n = PMT\left[\frac{(1 + i)^n - 1}{i}\right] \quad \text{Éq. 3.1}$$

$$FV = PMT\left[\frac{(1 + I/m)^{N \times m}}{I/m} - 1\right]$$

$$FV_n = PMT \times S_{i,\,n} \quad \text{Éq. 3.2}$$

Valeur future d'une annuité de début de période

$$FV_n = PMT\left[\frac{(1 + i)^n - 1}{i}\right](1 + i) \quad \text{Éq. 3.3}$$

$$FV = PMT\left[\frac{(1 + I/m)^{N \times m} - 1}{I/m}\right](1 + I/m)$$

$$FV_n = PMT(S^1_{i,\,n}) \quad \text{Éq. 3.4}$$

Valeur actuelle d'une annuité de fin de période

$$PV = PMT\left[\frac{1-(1+i)^{-n}}{i}\right] \quad \textbf{Éq. 3.5}$$

$$PV = PMT\left[\frac{1-(1+I/m)^{-N\times m}}{I/m}\right]$$

$$PV = PMT \times A_{i,n} \quad \textbf{Éq. 3.6}$$

Valeur actuelle d'une annuité de début de période

$$PV = PMT\left[\frac{1-(1+i)^{-n}}{i}\right](1+i) \quad \textbf{Éq. 3.7}$$

$$PV = PMT\left[\frac{1-(1+I/m)^{-N\times m}}{I/m}\right](1+I/m)$$

$$PV = PMT \times A^{1}{}_{i,n} \quad \textbf{Éq. 3.8}$$

Valeur actuelle d'une série de flux monétaires variables

$$PV = \sum_{t=1}^{n} FM_t(1+i)^{-t} \quad \textbf{Éq. 3.9}$$

Valeur future d'une série de flux monétaires variables

$$FV = \sum_{t=1}^{n} FM_t(1+i)^{n-t} \quad \textbf{Éq. 3.10}$$

Valeur actuelle d'une perpétuité de fin de période

$$PV = \frac{PMT}{i} \quad \textbf{Éq. 4.1}$$

Valeur actuelle d'une perpétuité de début de période

$$PV = \frac{PMT}{i}(1+i) \quad \textbf{Éq. 4.2}$$

$$PV = \frac{PMT}{i} + PMT \quad \textbf{Éq. 4.3}$$

La valeur des coupons

$$C = VN \times I_c \qquad \text{Éq. 6.1}$$

Le prix d'une obligation

$$P_0 = C\left[\frac{1-(1+i)^{-n}}{i}\right] + VN(1+i)^{-n} \qquad \text{Éq. 6.2}$$

Les intérêts courus

$$\textit{intérêts courus} = (\textit{coupon}/6) \times \textit{nombre de mois écoulés depuis le dernier coupon} \qquad \text{Éq. 6.3}$$

Le prix d'une action ordinaire

$$P_0 = \sum_{t=1}^{\alpha} \frac{D_t}{(1+k)^t} \qquad \text{Éq. 6.4}$$

Le prix d'une action avec dividende à croissance nulle

$$P_0 = \frac{D_0}{k} \qquad \text{Éq. 6.5}$$

Le prix d'une action avec dividende à croissance stable

$$P_0 = \frac{D_1}{k-g} \qquad \text{Éq. 6.6}$$

Le délai de récupération

$$DR = \frac{C}{FM} \qquad \text{Éq. 7.1}$$

Le taux de rendement comptable

$$RC = \frac{\left[\frac{\sum_{t=1}^{N} BNAI_t}{N}\right]}{C} \qquad \textbf{Éq. 7.2}$$

La valeur actuelle nette

$$VAN = VAE - VAS \qquad \textbf{Éq. 7.3}$$

$$VAN = \sum_{t=1}^{N} FM_t(1+i)^{-t} - C \qquad \textbf{Éq. 7.4}$$

L'indice de rentabilité

$$IR = \frac{VAE}{VAS} \qquad \textbf{Éq. 7.5}$$

$$IR = \frac{VAN}{C} + 1 \qquad \textbf{Éq. 7.6}$$

Le taux de rendement interne

$$VAS = VAE \qquad \textbf{Éq. 7.7}$$

$$C = \sum_{t=1}^{N} FM_t(1+TRI)^{-t} \qquad \textbf{Éq. 7.8}$$

Le revenu annuel équivalent

$$RAE = VAN\left[\frac{i}{1-(1+i)^{-n}}\right] \qquad \textbf{Éq. 7.9}$$

Les flux monétaire marginal d'un projet

FM marginal d'un projet = *FM de l'entreprise si le projet est accepté* − *FM de l'entreprise si le projet n'est pas accepté* **Éq. 8.1**

Le coût marginal d'une dépense non capitalisable

coût marginal d'une dépense non capitalisable = $Dép\,(1 - T)$ **Éq. 8.2**

Les flux monétaires générés par les opérations d'un projet (*FMGOP*)

$$FMGOP_t = (R_t - D_t)(1 - T)$$ **Éq. 8.3**

Les économies d'impôts liées à l'*ACC* (*EIACC*)

$$EIACC_t = ACC_t \times T$$ **Éq. 8.4**

Les économies d'impôts dues à une perte terminale (*EIPT*)

$$EIPT = PT \times T$$ **Éq. 8.5**

L'impôt à payer sur la récupération d'amortissement

$$IRA = RA \times T$$ **Éq. 8.6**

Le solde non amorti de la catégorie

$$S_n = C \times (1 - d)^n$$ (sans la règle de la demi-année) **Éq. 8.7.1**

$$S_n = FNACC_1 \times (1 - d)^{n-1}$$ (avec la règle de la demi-année) **Éq. 8.7.2**

La valeur actuelle des économies d'impôts liées à l'*ACC* (*VAEIACC*)

$$VAEIACC = \left[\frac{C \times d \times T}{k + d}\right]\left[\frac{1 + 0,5k}{1 + k}\right]$$ **Éq. 8.8**

Les pertes d'économies d'impôts liées à l'*ACC* (*PEIACC*) sans fermeture de la classe d'amortissement et lorsque $VR < C$

$$PEIACC = \frac{VR \times d \times T}{k + d} \qquad \text{Éq. 8.9.1}$$

Les pertes d'économies d'impôts liées à l'*ACC* (*PEIACC*) sans fermeture de la classe d'amortissement et lorsque $VR > C$

$$PEIACC = \frac{C \times d \times T}{k + d} \qquad \text{Éq. 8.9.2}$$

Les pertes d'économies d'impôts liées à l'*ACC* (*PEIACC*) avec fermeture de la classe d'amortissement

$$PEIACC = \frac{FNACC \times d \times T}{k + d} \qquad \text{Éq. 8.9.3}$$

Les pertes d'économies d'impôts liées à l'*ACC* (*PEIACC*) sans fermeture de la classe d'amortissement (équation générale)

$$PEIACC = \frac{MIN(VR,C) \times d \times T}{k + d} \qquad \text{Éq. 9.1}$$

La valeur actuelle des pertes d'économies d'impôts liées à l'*ACC* (*VAPEIACC*) (équation générale)

$$VAPEIACC = \frac{MIN(VR,C) \times d \times T}{k + d}(1 + k)^{-n} \qquad \text{Éq. 9.2}$$

Le flux monétaire annuel équivalent

$$FMAE = VA\ des\ coûts \left[\frac{k}{1 - (1 + k)^{-n}}\right] \qquad \text{Éq. 10.1}$$

Le taux réel

$$taux\ réel = \left[\frac{(1 + taux\ nominal)}{(1 + taux\ d'inflation)}\right] - 1 \qquad \text{Éq. 10.2}$$

Chapitre 11

Introduction à l'incertitude

Schéma d'intégration des contenus

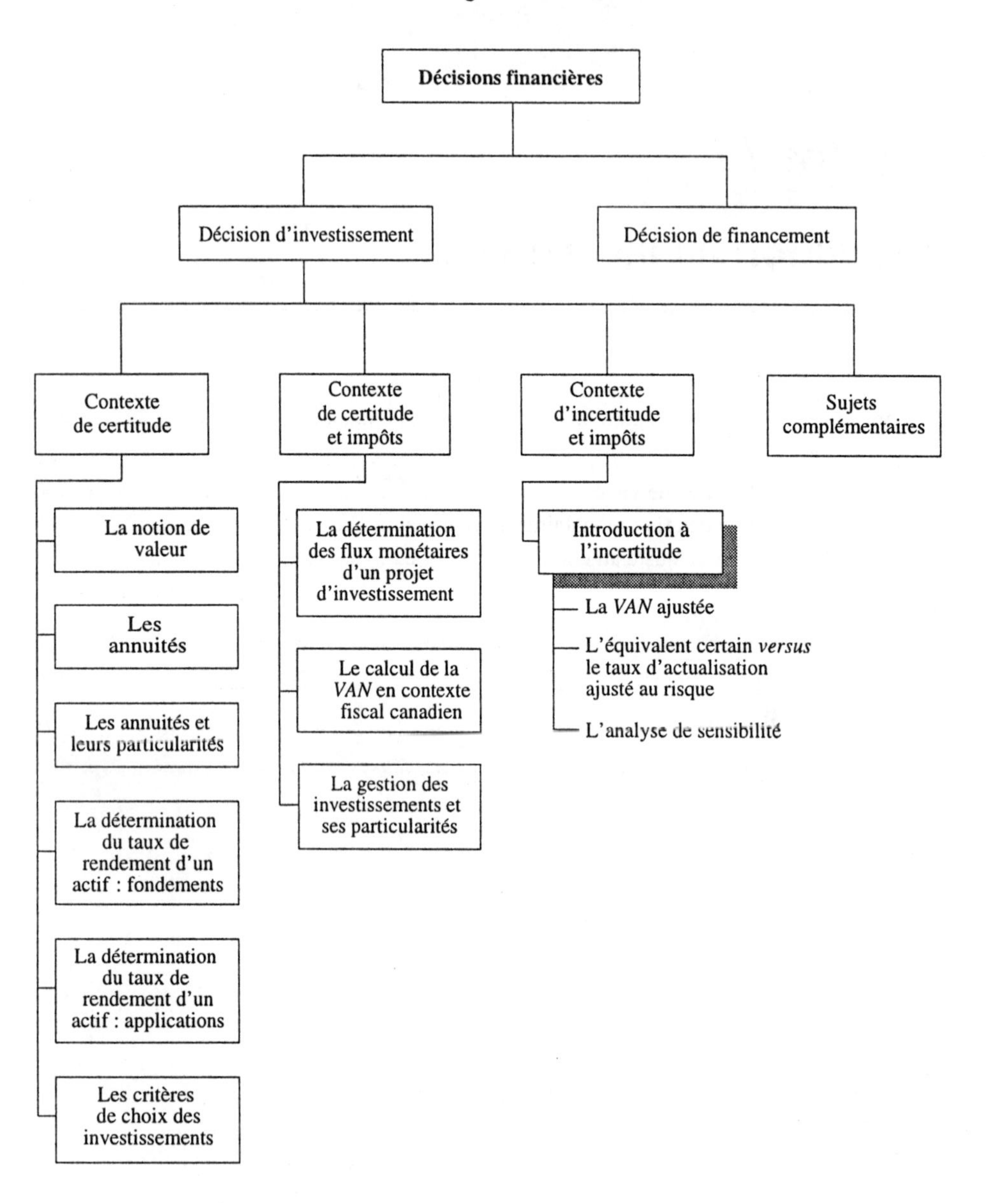

Ce chapitre présente un survol des outils permettant d'analyser un projet d'investissement en contexte d'incertitude. Les objectifs sont les suivants :

- définir l'incertitude;
- connaître les différentes méthodes d'ajustement au risque à partir du critère de la *VAN*;
- connaître la méthode de l'analyse de sensibilité.

Introduction

Jusqu'à présent, nous avons étudié le choix des investissements et l'évaluation des projets dans un contexte de certitude. On définit la *certitude* comme la *connaissance préalable du seul résultat possible* de la décision de l'entreprise. Il est toutefois bien évident que, dans la réalité, chaque décision envisagée se traduit par *plusieurs résultats possibles*. Lorsqu'on ne peut évaluer la probabilité associée à chacun de ces résultats, on dit que la décision comporte de l'*incertitude*. Lorsque ces probabilités sont connues, on dit plutôt que la décision comporte un *risque*.

Ainsi définis, le risque et l'incertitude doivent être intégrés à la décision de l'entreprise en matière de choix d'investissement, car ignorer les risques et l'incertitude lors du choix des projets peut conduire à des décisions erronées et s'avérer catastrophique pour l'entreprise. Notons qu'en pratique, toutefois, on se trouve rarement en situation pure de risque ou d'incertitude et l'usage veut qu'on traite indifféremment de l'un ou de l'autre.

Le présent chapitre nous introduit à la notion de risque (ou d'incertitude) et aux différentes méthodes pour en tenir compte lors du choix des investissements. Notre principale préoccupation en tant que décideur financier consiste à incorporer le risque à l'analyse des projets soumis à notre évaluation. Le risque étant le reflet de l'incertitude des événements futurs, un bon décideur doit s'assurer d'en tenir compte dans le choix de ses investissements. Pour ce faire, le gestionnaire doit établir les flux monétaires en demeurant conscient que, plus ils sont éloignés, plus ils sont risqués.

La démarche que nous suivrons dans ce chapitre consiste à présenter les différentes méthodes d'ajustement au risque qui permettent de prendre la décision la plus judicieuse possible, à partir du critère de la *VAN*.

1. La *VAN* ajustée

La *VAN*, telle que nous l'avons utilisée jusqu'ici, est essentiellement basée sur des flux monétaires et un taux d'actualisation non ajustés au risque ou à l'incertitude. Or, il est impératif que les décisions liées au choix des investissements tiennent compte de la notion de risque. En effet, les flux monétaires espérés des projets sont incertains et ne permettent pas de déterminer avec exactitude l'apport d'un projet.

Il existe différentes façons d'ajuster la *VAN* d'un projet au risque. Nous pouvons :

1. soit ajuster les flux monétaires du projet qui entrent dans le calcul de la *VAN* :
   - par la réduction de la durée de vie d'un projet,
   - par l'utilisation d'équivalents certains des flux monétaires d'un projet;
2. soit ajuster le taux d'actualisation utilisé pour les actualiser lors du calcul de la *VAN*.

1.1 La réduction de la durée de vie d'un projet

Comme nous l'avons vu plus tôt, l'incertitude est liée à l'avenir. Par conséquent, un projet dont *la durée de vie est plus longue* est caractérisé par *plus d'incertitude*, donc *plus de risque*. En effet, plus l'horizon du projet est éloigné et moins nous avons d'informations pour caractériser ce dernier, d'où une incertitude accrue lors de la détermination des flux monétaires qu'il doit générer. Comme le risque associé aux flux monétaires s'accroît avec l'éloignement de l'échéance, nous pouvons en déduire que *les flux monétaires les plus éloignés sur l'horizon de vie d'un projet sont aussi les plus risqués.* Une façon de tenir compte du risque consiste à réduire la durée de vie du projet, en amputant les flux monétaires les plus éloignés, donc les plus risqués. La figure 11.1, par exemple, représente un projet d'une durée de vie initiale de sept ans, auquel on a amputé les deux derniers flux monétaires.

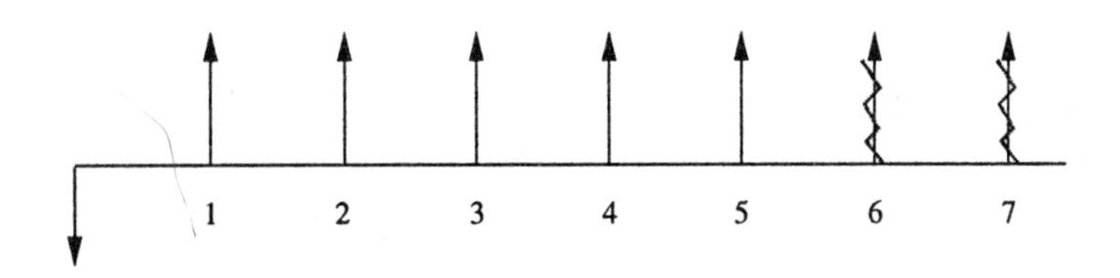

FIGURE 11.1
Réduction de la durée de vie d'un projet

La *VAN* ajustée ($VAN_{(A)}$), lorsque la procédure d'ajustement au risque consiste à amputer de la série de flux monétaires espérés les flux monétaires les plus éloignés, se présente comme suit :

$$VAN_{(A)} = \sum_{t=1}^{n-a} \frac{FME_t}{(1+r)^t} - C \qquad \text{Éq. 11.1}$$

où :

FME_t = le flux monétaire annuel espéré pour l'année t
r = le taux d'actualisation
n = la durée de vie du projet en années
a = le nombre d'années exclues pour tenir compte du risque
C = le coût du projet

Il n'y a pas de règle quant au nombre d'années qui doit être amputé de l'horizon de vie du projet. Cette décision reste arbitraire, entièrement du ressort du gestionnaire et dépend essentiellement de son expérience. Plus le risque est grand et plus le gestionnaire retranche d'années. Une autre façon de procéder consiste à exclure des années jusqu'au moment où la *VAN* devient négative. Cependant, il faut garder à l'esprit que, plus le gestionnaire retranchera de flux monétaires et raccourcira la durée de vie du projet, moins la *VAN* du projet sera élevée.

L'exemple suivant illustre le type d'ajustement au risque par la réduction de la durée de vie du projet.

Exemple 1

Supposons que l'achat d'une imprimerie de 50 000 $ donne droit à des flux monétaires annuels espérés de 9 000 $. Sachant que la durée de vie de cette imprimerie est de treize ans et que le taux d'actualisation est de 12 %, décidez si le projet a été un bon investissement.

Étant donné que la durée de vie du projet est longue, il y a beaucoup d'incertitude liée aux flux monétaires espérés les plus éloignés. Le gestionnaire peut donc décider, arbitrairement, qu'au-delà de la huitième année, les conditions de l'industrie et de la technologie peuvent varier. Par conséquent, les flux monétaires espérés entre la huitième et la treizième année sont considérés comme trop risqués. L'évaluation du projet sera donc uniquement basée sur les flux monétaires espérés *entre la première et la huitième année*. L'horizon du projet sera dans ce cas amputé de cinq ans. La *VAN* ajustée correspondante est déterminée comme suit :

$$VAN_{(A)} = \sum_{t=1}^{n-a} \frac{FME_t}{(1+r)^t} - C$$

$$VAN_{(A)} = 9\,000/1{,}12 + 9\,000/(1{,}12)^2 + ... + 9\,000/(1{,}12)^8 - 50\,000$$

$$VAN_{(A)} = -5\,291{,}24\ \$$$

Compte tenu du caractère arbitraire de l'ajustement effectué, la *VAN* ajustée obtenue est négative, donc le projet n'est pas un bon investissement.

Ce type d'ajustement au risque peut s'avérer problématique, en particulier pour les investissements dont les flux monétaires les plus importants sont aussi ceux qui se produisent le plus tard. L'exemple 2 illustre cette situation.

Exemple 2

Vous envisagez d'acheter une machine agricole au coût de 110 000 $, laquelle devrait vous rapporter des revenus additionnels de 20 000 $ par année. Votre horizon d'investissement est de neuf ans, au terme duquel vous pensez pouvoir revendre votre machine au prix de 35 000 $. Avec un taux d'actualisation de 10 %, la *VAN* correspondante est dès lors déterminée de cette façon :

$$VAN = \sum_{t=1}^{n-a} \frac{FME_t}{(1+r)^t} - C$$

$$VAN = 20\,000/1{,}10 + 20\,000/(1{,}10)^2 + \ldots + 20\,000/(1{,}10)^8 + 55\,000/(1{,}10)^9 - 110\,000$$

$$VAN = 20\,023{,}89\ \$$$

On remarque que le flux monétaire le plus important est de 55 000 $ (20 000 + 35 000) et qu'il se réalise à la fin du projet. Si le gestionnaire décidait arbitrairement d'amputer les flux monétaires des deux dernières années, la *VAN* ajustée serait alors déterminée de cette manière :

$$VAN_{(A)} = \sum_{t=1}^{n-a} \frac{FME_t}{(1+r)^t} - C$$

$$VAN_{(A)} = 20\,000/1{,}10 + 20\,000/(1{,}10)^2 + \ldots + 20\,000/(1{,}10)^7 - 110\,000$$

$$VAN_{(A)} = -\,12\,631{,}62\ \$$$

La *VAN* deviendrait donc négative même si l'amputation ne concerne que les deux dernières années.

1.2 L'équivalent certain des flux monétaires d'un projet

Le *principe de l'équivalent certain* consiste à déterminer le flux monétaire certain que l'investisseur serait prêt à recevoir à la place d'un flux monétaire incertain.

L'équivalent certain est une méthode indirecte d'ajustement au risque. La *VAN* d'un projet ajustée pour le risque est établie sur la base de flux monétaires pondérés de coefficients d'équivalence de certitude. Ces coefficients, qui tentent d'apprécier le degré de risque des flux monétaires, sont attribués de manière individuelle : à chaque flux monétaire correspond un coefficient de pondération. Dans ce cas aussi, les coefficients d'équivalence de certitude sont déterminés par le gestionnaire selon sa propre perception du risque du projet.

Par exemple, vous devez recevoir un flux incertain de 10 000 $ dans un an. Si vous considérez ce flux comme équivalent à une rentrée assurée de 8 000 $, alors l'équivalent certain correspondant est de 8 000 $, tandis que le coefficient d'équivalence de certitude, représenté par α_t, est de 0,8 puisque :

$$8\,000 = 10\,000\,\alpha_t$$

$$8\,000 = 10\,000(0{,}8)$$

Le coefficient d'équivalence de certitude, α_t, varie entre 0 et 1. Plus on s'éloigne dans le temps, plus les flux monétaires deviennent incertains et risqués, et plus α_t diminue jusqu'à un minimum de 0. En d'autres mots, *le risque est d'autant plus élevé que* α_t est petit. Si α_t est égal à zéro, alors le risque du flux monétaire est si élevé que sa valeur est presque nulle. Si α_t est unitaire, alors le risque du flux monétaire est nul.

Pour estimer un projet d'investissement, la procédure d'ajustement consiste d'abord à établir les flux monétaires espérés (attendus). Il faut ensuite les pondérer avec les coefficients d'équivalence de certitude et, finalement, calculer la *VAN*.

La formule de la *VAN* ajustée ($VAN_{(A)}$) qui incorpore le risque sous la forme de l'équivalent certain des flux monétaires est alors la suivante :

$$VAN_{(A)} = \sum_{t=1}^{n} \frac{FME_t \times \alpha_t}{(1+r_F)^t} - C \qquad \textbf{Éq. 11.2}$$

où :

FME_t = le flux monétaire annuel espéré pour l'année t

r_F = le taux d'actualisation sans risque

n = la durée de vie du projet en années

C = le coût du projet

α_t = le coefficient d'équivalence de certitude

L'exemple suivant illustre la procédure de détermination de l'équivalent certain des flux monétaires d'un projet.

Exemple 3

Supposons que nous devions analyser un projet d'investissement dont le coût initial est de 700 $. Les flux monétaires espérés et les coefficients d'équivalence de certitude, établis par le gestionnaire, sont donnés par le tableau suivant :

Année	Flux monétaires espérés	α_t
0	– 700 $	1
1	200	0,9
2	300	0,8
3	900	0,7

En supposant que le taux d'actualisation sans risque des flux monétaires est de 12 %, quelle est la *VAN* du projet, ajustée au risque?

On a :

$$VAN_{(A)} = \sum_{t=1}^{n} \frac{FME_t \times \alpha_t}{(1 + r_F)^t} - C$$

$$VAN_{(A)} = (200 \times 0{,}9)/(1{,}12) + (300 \times 0{,}8)/(1{,}12)^2 + (900 \times 0{,}7)/(1{,}12)^3 - 700$$

$$VAN_{(A)} = 100{,}46\ \$$$

À la suite de l'ajustement effectué, la *VAN* ajustée obtenue ici est positive. Le projet devrait donc être retenu.

1.3 Le taux d'actualisation ajusté au risque

Une autre possibilité pour tenir compte du risque dans l'analyse du choix des investissements consiste à actualiser les flux monétaires espérés avec *un taux d'actualisation ajusté au risque* (TAAR). Les flux monétaires ainsi ajustés au risque sont ensuite utilisés pour calculer la *VAN* du projet. Cette manière d'ajuster la *VAN* est indirecte, via le taux d'actualisation. Elle repose sur le postulat que, toutes choses étant égales par ailleurs, un individu exigera un taux de rendement plus élevé sur les investissements et les placements qu'il juge plus risqués ou plus incertains.

Par exemple, pour un billet sans risque émis par le gouvernement canadien et devant verser 110 000 $ dans un an, un individu pourrait exiger un taux de rendement de seulement 10 % et donc payer 100 000 $ pour l'obtenir, sachant que 100 000 = 110 000/1,10.

En revanche, pour un billet semblable émis par une nouvelle entreprise, le même individu devrait exiger un taux de rendement plus élevé, s'il considère qu'il est moins certain d'être payé. Il pourrait, par exemple, exiger 14 % et ainsi payer 96 491,23 $, sachant cette fois que 96 491,23 = 110 000/1,14. Il exigera donc un taux de rendement plus élevé pour le billet de la nouvelle entreprise afin d'être rémunéré pour le risque qu'il prend.

Afin de déterminer le TAAR, le gestionnaire doit d'abord évaluer la compensation à réclamer pour le risque du projet. Cette prime de risque correspond à la perception qu'a le gestionnaire du risque du projet et rémunère l'investisseur pour le risque du projet qu'il est prêt à subir. *Plus le projet est considéré comme risqué, plus le taux d'actualisation est élevé en raison de la prime de risque exigée*. De ce fait, la *VAN* du projet sera plus faible. Nous voyons donc que, dans ce cas aussi, la prime de risque est déterminée de façon arbitraire et qu'elle dépend directement de la perception qu'a le gestionnaire du risque du projet.

Le TAAR (r_A) correspond au taux sans risque (r_F) ajusté pour la prime de risque normal de l'entreprise ($p1$) et pour la prime de risque spécifique au projet ($p2$). On appelle *coût moyen pondéré du capital de l'entreprise* le taux sans risque (r_F) plus la prime de risque normal de l'entreprise ($p1$).

En d'autres termes,

$$r_A = r_F + p1 + p2 \qquad \textbf{Éq. 11.3}$$

où :

r_A	=	le taux d'actualisation ajusté au risque (TAAR)
$p1$	=	la prime de risque normal de l'entreprise
$p2$	=	la prime de risque spécifique au projet
r_F	=	le taux sans risque

Les premiers termes de cette égalité, à savoir le taux sans risque et la prime de risque normal de l'entreprise, sont toujours les mêmes. C'est donc le troisième élément de l'égalité, soit $p2$, qui change.

On peut donc écrire :

$$r_A = cmpc + p2$$ **Éq. 11.3.1**

où :

$cmpc = r_F + p1$ (le coût moyen pondéré du capital de l'entreprise)

Une fois déterminé le taux d'actualisation ajusté au risque, on l'utilise dans la formule de la *VAN* ajustée ($VAN_{(A)}$) comme suit :

$$VAN_{(A)} = \sum_{t=1}^{n} \frac{FME_t}{(1 + r_A)^t} - C$$ **Éq. 11.4**

Vous remarquerez que, dans ce chapitre, la prime de risque qui sert à ajuster le taux d'actualisation est fixée de façon *arbitraire selon la perception qu'a le gestionnaire du risque du projet*. Il existe cependant des modèles pour déterminer cette prime de risque spécifique, qui sortent toutefois du cadre de ce cours.

Nous illustrons, dans l'exemple suivant, la manière de calculer le TAAR.

Exemple 4

Supposons que l'ouverture d'un kiosque à journaux nécessite un investissement de 14 000 $, ce qui va donner lieu à des flux monétaires de 2 540 $ pour les cinq années à venir et des flux monétaires de 3 140 $ pour les années 6 à 10. Le coût moyen pondéré du capital de l'entreprise est de 10 %, (soit 7 % de taux sans risque et 3 % comme prime de risque normal de l'entreprise). En supposant que la prime de risque spécifique au projet est de 4 %, calculez la $VAN_{(A)}$.

Il y a deux étapes à suivre :

- Il faut d'abord déterminer le taux d'actualisation ajusté au risque (TAAR) :

$$r_A = 10\,\% + 4\,\%$$

$$r_A = 14\,\%$$

- Il faut ensuite déterminer la valeur actuelle des flux monétaires en les actualisant au TAAR, soit :

$$VAN_{(A)} = 2\,540/1{,}14 + 2\,540/(1{,}14)^2 + ... + 2\,540/(1{,}14)^5 + 3\,140/(1{,}14)^6 + ... + 3\,140/(1{,}14)^{10} - 14\,000$$

$$VAN_{(A)} = 318{,}73\,\$$$

La *VAN* ajustée étant ici positive, le projet devrait être retenu.

2. L'équivalent certain *versus* le taux d'actualisation ajusté au risque

Nous avons développé précédemment trois méthodes d'ajustement au risque, à savoir la réduction de la durée de vie d'un projet, l'équivalent certain et le TAAR. Les deux dernières méthodes reposent sur des hypothèses différentes concernant le taux d'actualisation. Ceci peut donc donner lieu à une incohérence entre ces deux méthodes d'ajustement lorsqu'elles sont appliquées à un même projet d'investissement.

A priori, ces deux méthodes, appliquées à un projet d'investissement donné, devraient donner une même *VAN*, où les termes de la sommation seraient équivalents, soit :

$$\sum \frac{\alpha_t \times FME_t}{(1+r_F)^t} - C = \sum \frac{FME_t}{(1+r_A)^t} - C$$

avec

$$\frac{\alpha_t \times FME_t}{(1+r_F)^t} = \frac{FME_t}{(1+r_A)^t}$$

De cette façon, on peut écrire que :

$$\alpha_t FME_t = \left[\frac{FME_t \times (1+r_F)^t}{(1+r_A)^t}\right]$$

$$\alpha_t = \left[\frac{FME_t(1+r_F)^t}{FME_t(1+r_A)^t}\right]$$

$$\alpha_t = \left[\frac{1+r_F}{1+r_A}\right]^t \qquad \textbf{Éq. 11.5}$$

Ainsi, le coefficient d'équivalence de certitude met en relation le taux d'actualisation ajusté au risque (r_A) et le taux sans risque (r_F). Lorsque le coefficient d'équivalence de certitude est ainsi défini, la *VAN* calculée avec l'équivalent certain est la même que celle qui est calculée avec le TAAR.

L'exemple suivant illustre, pour un investissement donné, le calcul de la *VAN* selon les deux méthodes.

Exemple 5

La rénovation d'un atelier coûte 900 $. Les flux monétaires espérés (*FME*) ainsi que les coefficients d'équivalence de certitude sont regroupés dans le tableau suivant. La dernière colonne donne les flux monétaires en équivalents certains, ajustés au risque au moyen des coefficients d'équivalence de certitude.

Année	*FME*	α_t	*FM* ajusté = $FME \times \alpha_t$
0	– 900 $	1	– 900 $
1	200	0,95	190
2	300	0,90	270
3	400	0,85	340
4	500	0,80	400

En supposant que le taux sans risque est donné par $r_F = 8\ \%$, et que le taux ajusté au risque est donné par $r_A = 12\ \%$, nous allons déterminer la *VAN* de ce projet de deux façons différentes :

1. La *VAN* en équivalent certain :

$$VAN_{(A)} = \sum \frac{\alpha_t \times FME_t}{(1 + r_F)^t} - C$$

$$VAN_{(A)} = 190/1{,}08 + 270/(1{,}08)^2 + 340/(1{,}08)^3 + 400/(1{,}08)^4 - 900$$

$$VAN_{(A)} = 71{,}32\ \$$$

2. La *VAN* avec le taux d'actualisation ajusté au risque (TAAR) :

$$VAN_{(A)} = \sum \frac{FME_t}{(1 + r_A)^t} - C$$

$$VAN_{(A)} = 200/1{,}12 + 300/(1{,}12)^2 + 400/(1{,}12)^3 + 500/(1{,}12)^4 - 900$$

$$VAN_{(A)} = 120{,}20\ \$$$

Nous voyons ici que les deux méthodes donnent une *VAN* différente pour un même projet d'investissement. Toutefois, en déterminant les coefficients d'équivalence de certitude d'après l'équation 11.5, qui met en relation le taux sans risque et le taux ajusté au risque, cette incohérence est éliminée.

En effet,

$$\alpha_1 = \left[\frac{1+0{,}08}{1+0{,}12}\right] = 0{,}9643$$

$$\alpha_2 = \left[\frac{1+0{,}08}{1+0{,}12}\right]^2 = 0{,}9298$$

$$\alpha_3 = \left[\frac{1+0{,}08}{1+0{,}12}\right]^3 = 0{,}8966$$

$$\alpha_4 = \left[\frac{1+0{,}08}{1+0{,}12}\right]^4 = 0{,}8646$$

Dans ce cas,

$$VAN_{(A)} = \sum \frac{\alpha_t \times FME_t}{(1+r_F)^t} - C$$

$$VAN_{(A)} = (200 \times 0{,}9643)/1{,}08 + (300 \times 0{,}9298)/(1{,}08)^2 + (400 \times 0{,}8966)/(1{,}08)^3 + (500 \times 0{,}8646)/(1{,}08)^4 - 900$$

$$VAN_{(A)} = 120{,}20\ \$$$

Nous voyons que la *VAN* en équivalent certain devient elle aussi égale à 120,20 $.

3. L'analyse de sensibilité

L'analyse de sensibilité est une méthode de traitement du risque. Elle permet d'identifier les facteurs qui ont un impact sur la *VAN* d'un projet, ce qui permet à l'investisseur de prendre une meilleure décision.

La procédure se base sur l'étude de la réaction de la *VAN* d'un projet à la suite d'un changement dans une variable donnée (par exemple, une augmentation des ventes de 5 %, toutes choses étant égales par ailleurs). Cette analyse se fait au moyen d'un chiffrier comme Excel ou Lotus et permet à l'analyste d'établir différents scénarios concernant la valeur que prendra la *VAN* chaque fois que l'une des variables identifiées par l'analyste varie.

En général, le gestionnaire établit, à l'aide d'une analyse de sensibilité, trois scénarios possibles : un scénario *pessimiste ou conservateur*, un scénario *réaliste en supposant que la situation actuelle est réaliste et un scénario optimiste*. Ces scénarios sont obtenus en imposant, aux variables dont il cherche à tester l'impact sur la *VAN*, des changements de nature pessimiste, réaliste et optimiste, et ce, de manière individuelle, tour à tour, toutes choses étant égales par ailleurs. Pour chaque scénario obtenu, le gestionnaire établit de nouveau la *VAN* .

Parmi les variables considérées dans une analyse de sensibilité, nous pouvons citer la part de marché de l'entreprise, les ventes prévues, le coût des matières premières, le taux d'inflation, etc. Ainsi, si une hausse du taux d'inflation engendre une diminution importante de la *VAN* du projet, le gestionnaire saura que le projet est particulièrement sensible à l'inflation. Dans ce cas, il devra en faire un suivi constant afin d'essayer de prendre les moyens qui s'imposent, si cela s'avère nécessaire.

Exemple 6

Une entreprise prévoit lancer un nouveau produit de haute technologie sur le marché au coût de 100 000 $, et entreprend une analyse de sensibilité pour déterminer l'impact de certaines variables sur le succès ou l'échec du projet. Ces variables sont le prix unitaire de vente du produit, le coût unitaire du produit et la part de marché de l'entreprise. L'analyste établit trois scénarios : un pessimiste, un réaliste et un optimiste. Pour chaque variable et chaque scénario pris tour à tour, il établit les données suivantes :

Variable	Scénario pessimiste	Scénario réaliste	Scénario optimiste
Prix unitaire de vente	150 $	165 $	182 $
Coût unitaire	194 $	176 $	160 $
Part de marché	2 %	3 %	4 %

Pour des fins de simplification, la *VAN* du projet selon ces trois scénarios vous est donnée dans le tableau suivant :

Variable	*VAN* selon le scénario pessimiste	*VAN* selon le scénario réaliste	*VAN* selon le scénario optimiste
Prix unitaire de vente	– 5 000 $	15 000 $	30 000 $
Coût unitaire	10 000 $	15 000 $	18 000 $
Part de marché	13 500 $	15 000 $	16 000 $

Nous pouvons donc voir que la *VAN* est particulièrement sensible aux variables prix unitaire de vente et coût unitaire.

En effet, lorsque le *prix unitaire de vente* augmente de 10 % entre le scénario pessimiste et le scénario réaliste (soit de 150 $ à 165 $), et *en supposant que les autres variables restent constantes*, la *VAN* augmente de 400 %, soit de – 5 000 $ à 15 000 $. Pour cette même variable, si l'on passe du scénario réaliste au scénario optimiste (c'est-à-dire à une augmentation de 10 % du prix unitaire de vente, soit de 165 $ à 182 $), la *VAN* augmente de 100 % soit de 15 000 $ à 30 000 $, *en supposant toujours que les autres variables restent constantes*. Les variations de la *VAN* sont donc importantes dans le cas d'un changement de 10 % du prix unitaire de vente.

Par ailleurs, si le *coût unitaire* diminue de 10 % (soit de 194 $ à 176 $), et *en supposant que les autres variables restent constantes*, la *VAN* augmente de 50 %, soit de 10 000 $ à 15 000 $. Lors du passage du scénario réaliste au scénario optimiste, une diminution du coût unitaire de 10 % (soit de 176 $ à 160 $) entraîne une augmentation de la *VAN* de 20 %, soit de 15 000 $ à 18 000 $, en supposant que les autres variables restent constantes.

Par contre, si *la part de marché de l'entreprise* augmente de 1 % (si l'on passe du scénario pessimiste au scénario réaliste), la *VAN* n'augmente que de 10 %, soit de 13 500 $ à 15 000 $, en supposant que les autres variables restent constantes. De même, pour le passage du scénario réaliste au scénario optimiste, si la part de marché augmente de 1 %, elle n'entraîne qu'une augmentation de 6,66 % de la *VAN* (soit de 15 000 $ à 16 000 $). La *VAN* est donc *relativement* moins sensible à une variation de la variable part de marché.

Malgré son utilité, la méthode de l'analyse de sensibilité souffre cependant de quelques faiblesses :

1. Pour commencer, elle est approximative et ne permet pas de déterminer avec exactitude le changement de la *VAN* à la suite d'un changement dans les variables considérées. En effet, l'ampleur de ces changements est *hypothétique* et les probabilités qu'ils se produisent sont difficiles à établir.
2. En outre, les variables que l'on analyse ne sont pas nécessairement indépendantes, les unes pouvant être reliées aux autres. Dans ce cas, il est *difficile d'isoler l'impact* du changement dans chaque variable sur la *VAN* d'un projet.

Conclusion

La plupart des projets d'investissement sont caractérisés par des horizons de vie plus ou moins longs. Comme les investissements demandent une mobilisation de ressources pour des périodes de durée variable, le *risque inhérent aux flux monétaires espérés* représente un facteur essentiel qui doit être considéré lors des décisions d'investissement. En effet, plus on s'éloigne dans le temps, moins les flux monétaires espérés ou attendus sont sûrs et, par conséquent, leur détermination devient de moins en moins exacte.

Afin de tenir compte de l'incertitude et d'ajuster la *VAN* des projets que nous cherchons à évaluer, nous avons développé deux façons d'ajuster les flux monétaires des projets, d'une part, et le taux d'actualisation, d'autre part. De cette manière, la décision d'investissement reflétera le risque des projets et n'en sera que plus juste.

Les activités d'apprentissage

Questions

1. Pourquoi est-il important de tenir compte de l'incertitude lorsqu'une entreprise doit prendre une décision d'investissement?

2. Décrivez les différentes façons d'ajuster la *VAN* d'un projet pour le risque.

3. Expliquez en quoi consiste l'analyse de sensibilité.

Problèmes

1. La compagnie Delta inc. veut acquérir un brevet qui lui permettra de fabriquer sous licence un nouveau produit. Le coût du brevet est de 50 000 $. Actuellement, le taux sans risque sur le marché est de 8 %. Le coût de capital de l'entreprise est présentement de 11 % et, compte tenu du risque rattaché au présent projet, le taux d'actualisation ajusté de ce dernier est de 13 %. En tant que vice-président aux finances, vous devez déterminer s'il serait approprié d'acquérir ce brevet selon les données qui suivent.

Les coefficients d'équivalence de certitude sont les suivants :

Année	α_t
0	1,00
1	0,93
2	0,89
3	0,85
4	0,70

Les flux monétaires espérés sont les suivants :

Année	FME_t ($)
0	(50 000)
1	20 000
2	25 000
3	31 000
4	38 000

a) Calculez la valeur actuelle nette de ce projet si on utilise la méthode de l'équivalent certain.

b) Calculez la valeur actuelle nette de ce projet si on utilise la méthode du taux d'actualisation ajusté.

c) Calculez les valeurs des coefficients d'équivalence de certitude pour que les deux méthodes donnent la même valeur actuelle nette.

d) Si le projet n'a qu'une durée de vie de trois ans, est-il profitable pour l'entreprise d'acquérir le brevet?

2. Une entreprise envisage la possibilité d'investir 75 000 $ pour l'acquisition d'une nouvelle pièce d'équipement. Les économies d'exploitation prévues (après impôts) pour les cinq prochaines années se détaillent comme suit :

Année	Économies d'exploitation prévues ($)
1	27 000
2	29 000
3	33 000
4	40 000
5	12 000

Selon le contrôleur, le taux d'actualisation ajusté pour tenir compte du risque du projet est de 13 %. De plus, ce dernier a établi les coefficients d'équivalence de certitude suivants :

Année	α_t
1	1,05
2	1,11
3	1,17
4	1,22
5	1,30

a) Sachant que le taux sans risque est de 8 %, effectuez l'analyse de ce projet selon la technique du taux d'actualisation ajusté et selon la méthode de l'équivalent certain.

b) Sachant que le coût du capital de l'entreprise est de 11 %, déterminez les valeurs des coefficients d'équivalence de certitude afin que les deux méthodes soient cohérentes.

c) Était-il nécessaire d'effectuer les calculs de a) et de b) pour constater une anomalie dans les coefficients d'équivalence de certitude présentés par le contrôleur?

3. La compagnie Epsilon inc. veut lancer sur le marché une nouvelle cigarette moins nocive pour la santé. Elle a réalisé à cet effet une étude de marché afin d'analyser la rentabilité d'un tel projet. Trois scénarios ont été établis quant aux projections possibles. Le coût du projet est de 23 000 000 $, comprenant une campagne publicitaire nationale de 7 000 000 $. Le reste de l'investissement pourra être amorti à un taux de 30 % sur le solde dégressif. La viabilité du projet devra être étudiée sur une période de cinq ans. Le taux d'imposition marginal de Epsilon inc. est de 47 % et le taux d'actualisation d'un tel projet est de 14 %. Si le projet est abandonné à la fin de la cinquième année, la valeur résiduelle des actifs sera nulle, mais n'entraînera pas de fermeture de classe. Voici les scénarios envisagés :

	SCÉNARIOS		
Variables	**Pessimiste**	**Réaliste**	**Optimiste**
Taille du marché (unités)	12 000 000	20 000 000	35 000 000
Prix unitaire ($)	4,25	4,75	5,25
Frais variables/unité ($)	3,50	3,75	4,00
Frais fixes nécessitant des sorties de fonds ($)	4 000 000	7 000 000	12 000 000

a) Calculez pour chacun des scénarios la valeur actuelle nette du projet.

b) Dans le cas du scénario réaliste, effectuez une analyse de sensibilité de 1 % pour chacune des variables mentionnées ci-dessus et classez ces dernières par ordre de sensibilité.

ANNEXE 11.1
Les équations

L'intérêt simple

Montant total d'intérêts accumulés

$$TOT\,i = PV \times I \times N \quad \textbf{Éq. 2.1}$$

FV d'un montant placé à intérêt simple

$$FV_N = PV + TOT\,i \quad \textbf{Éq. 2.2}$$

$$FV_N = PV\,(1 + I \times N) \quad \textbf{Éq. 2.3}$$

L'intérêt composé

FV d'un montant placé à intérêt composé

$$FV_N = PV\,(1 + I\,)^N \quad \textbf{Éq. 2.4}$$

Taux périodique (i)

$$i = I/m \quad \textbf{Éq. 2.5}$$

Transposition du taux périodique au taux effectif

$$(1 + i_r) = (1 + i)^m \quad \textbf{Éq. 2.6}$$

$$(1 + i_r) = (1 + I\,/m)^m$$

Taux effectif quand la fréquence de capitalisation est infinie

$$i_r = e^I - 1 \quad \textbf{Éq. 2.7}$$

Équivalence entre des taux nominaux

$$(1 + I_1 / m_1)^{m1} = (1 + I_2 / m_2)^{m2} \quad \textbf{Éq. 2.8}$$

Valeur future d'un montant unique

$$FV_n = PV(1 + i)^n \quad \textbf{Éq. 2.9}$$

$$FV_{N \times m} = PV(1 + I/m)^{N \times m}$$

Valeur actuelle d'un montant unique

$$PV = FV_n (1 + i)^{-n} \quad \textbf{Éq. 2.10}$$

$$PV = FV_{N \times m} (1 + I/m)^{-N \times m}$$

Valeur future d'une annuité de fin de période

$$FV_n = PMT\left[\frac{(1 + i)^n - 1}{i}\right] \quad \textbf{Éq. 3.1}$$

$$FV_n = PMT\left[\frac{(1 + I/m)^{N \times m} - 1}{I/m}\right]$$

$$FV_n = PMT \times S_{i,n} \quad \textbf{Éq. 3.2}$$

Valeur future d'une annuité de début de période

$$FV_n = PMT\left[\frac{(1 + i)^n - 1}{i}\right](1 + i) \quad \textbf{Éq. 3.3}$$

$$FV_n = PMT\left[\frac{(1 + I/m)^{N \times m} - 1}{I/m}\right](1 + I/m)$$

$$FV_n = PMT(S^1_{i,n}) \quad \textbf{Éq. 3.4}$$

Valeur actuelle d'une annuité de fin de période

$$PV = PMT\left[\frac{1-(1+i)^{-n}}{i}\right] \quad \text{Éq. 3.5}$$

$$PV = PMT\left[\frac{1-(1+I/m)^{-N\times m}}{I/m}\right]$$

$$PV = PMT \times A_{i,n} \quad \text{Éq. 3.6}$$

Valeur actuelle d'une annuité de début de période

$$PV = PMT\left[\frac{1-(1+i)^{-n}}{i}\right](1+i) \quad \text{Éq. 3.7}$$

$$PV = PMT\left[\frac{1-(1+I/m)^{-N\times m}}{I/m}\right](1+I/m)$$

$$PV = PMT \times A^{1}_{i,n} \quad \text{Éq. 3.8}$$

Valeur actuelle d'une série de flux monétaires variables

$$PV = \sum_{t=1}^{n} FM_t(1+i)^{-t} \quad \text{Éq. 3.9}$$

Valeur future d'une série de flux monétaires variables

$$FV = \sum_{t=1}^{n} FM_t(1+i)^{n-t} \quad \text{Éq. 3.10}$$

Valeur actuelle d'une perpétuité de fin de période

$$PV = \frac{PMT}{i} \quad \text{Éq. 4.1}$$

Valeur actuelle d'une perpétuité de début de période

$$PV = \frac{PMT}{i}(1+i) \quad \text{Éq. 4.2}$$

$$PV = \frac{PMT}{i} + PMT \quad \text{Éq. 4.3}$$

La valeur des coupons

$$C = VN \times I_c$$ **Éq. 6.1**

Le prix d'une obligation

$$P_0 = C\left[\frac{1-(1+i)^{-n}}{i}\right] + VN(1+i)^{-n}$$ **Éq. 6.2**

Les intérêts courus

intérêts courus = (*coupon*/6) × *nombre de mois écoulés depuis le dernier coupon* **Éq. 6.3**

Le prix d'une action ordinaire

$$P_0 = \sum_{t=1}^{\alpha} \frac{D_t}{(1+k)^t}$$ **Éq. 6.4**

Le prix d'une action avec dividende à croissance nulle

$$P_0 = \frac{D_0}{k}$$ **Éq. 6.5**

Le prix d'une action avec dividende à croissance stable

$$P_0 = \frac{D_1}{k-g}$$ **Éq. 6.6**

Le délai de récupération

$$DR = \frac{C}{FM}$$ **Éq. 7.1**

Le taux de rendement comptable

$$RC = \frac{\left[\dfrac{\sum_{t=1}^{N} BNAI_t}{N}\right]}{C} \qquad \textbf{Éq. 7.2}$$

La valeur actuelle nette

$$VAN = VAE - VAS \qquad \textbf{Éq. 7.3}$$

$$VAN = \sum_{t=1}^{N} FM_t(1+i)^{-t} - C \qquad \textbf{Éq. 7.4}$$

L'indice de rentabilité

$$IR = \frac{VAE}{VAS} \qquad \textbf{Éq. 7.5}$$

$$IR = \frac{VAN}{C} + 1 \qquad \textbf{Éq. 7.6}$$

Le taux de rendement interne

$$VAS = VAE \qquad \textbf{Éq. 7.7}$$

$$C = \sum_{t=1}^{N} FM_t(1+TRI)^{-t} \qquad \textbf{Éq. 7.8}$$

Le revenu annuel équivalent

$$RAE = VAN\left[\frac{i}{1-(1+i)^{-n}}\right] \qquad \textbf{Éq. 7.9}$$

Les flux monétaire marginal d'un projet

$$FM \text{ marginal d'un projet} = FM \text{ de l'entreprise si le projet est accepté} - FM \text{ de l'entreprise si le projet n'est pas accepté} \quad \textbf{Éq. 8.1}$$

Le coût marginal d'une dépense non capitalisable

$$\text{coût marginal d'une dépense non capitalisable} = Dép\,(1 - T) \quad \textbf{Éq. 8.2}$$

Les flux monétaires générés par les opérations d'un projet (*FMGOP*)

$$FMGOP_t = (R_t - D_t)(1 - T) \quad \textbf{Éq. 8.3}$$

Les économies d'impôts liées à l'*ACC* (*EIACC*)

$$EIACC_t = ACC_t \times T \quad \textbf{Éq. 8.4}$$

Les économies d'impôts dues à une perte terminale (*EIPT*)

$$EIPT = PT \times T \quad \textbf{Éq. 8.5}$$

L'impôt à payer sur la récupération d'amortissement

$$IRA = RA \times T \quad \textbf{Éq. 8.6}$$

Le solde non amorti de la catégorie

$$S_n = C \times (1 - d)^n \quad \text{(sans la règle de la demi-année)} \quad \textbf{Éq. 8.7.1}$$

$$S_n = FNACC_1 \times (1 - d)^{n-1} \quad \text{(avec la règle de la demi-année)} \quad \textbf{Éq. 8.7.2}$$

La valeur actuelle des économies d'impôts liées à l'*ACC* (*VAEIACC*)

$$VAEIACC = \left[\frac{C \times d \times T}{k + d}\right]\left[\frac{1 + 0,5k}{1 + k}\right] \quad \text{Éq. 8.8}$$

Les pertes d'économies d'impôts liées à l'*ACC* (*PEIACC*) sans fermeture de la classe d'amortissement et lorsque $VR < C$

$$PEIACC = \frac{VR \times d \times T}{k + d} \quad \text{Éq. 8.9.1}$$

Les pertes d'économies d'impôts liées à l'*ACC* (*PEIACC*) sans fermeture de la classe d'amortissement et lorsque $VR > C$

$$PEIACC = \frac{C \times d \times T}{k + d} \quad \text{Éq. 8.9.2}$$

Les pertes d'économies d'impôts liées à l'*ACC* (*PEIACC*) avec fermeture de la classe d'amortissement

$$PEIACC = \frac{FNACC \times d \times T}{k + d} \quad \text{Éq. 8.9.3}$$

Les pertes d'économies d'impôts liées à l'*ACC* (*PEIACC*) sans fermeture de la classe d'amortissement (équation générale)

$$PEIACC = \frac{MIN(VR, C) \times d \times T}{k + d} \quad \text{Éq. 9.1}$$

La valeur actuelle des pertes d'économies d'impôts liées à l'*ACC* (*VAPEIACC*) (équation générale)

$$VAPEIACC = \frac{MIN(VR, C) \times d \times T}{k + d}(1 + k)^{-n} \quad \text{Éq. 9.2}$$

Le flux monétaire annuel équivalent

$$FMAE = VA\ des\ coûts\left[\frac{k}{1 - (1 + k)^{-n}}\right] \quad \text{Éq. 10.1}$$

Le taux réel

$$\text{taux réel} = \left[\frac{(1 + \text{taux nominal})}{(1 + \text{taux d'inflation})}\right] - 1 \qquad \text{Éq. 10.2}$$

La *VAN* ajustée (réduction de la durée de vie d'un projet)

$$VAN_{(A)} = \sum_{t=1}^{n-a} \frac{FME_t}{(1+r)^t} - C \qquad \text{Éq. 11.1}$$

La *VAN* ajustée (l'équivalent certain des *FM* d'un projet)

$$VAN_{(A)} = \sum_{t=1}^{n} \frac{FME_t \times \alpha_t}{(1+r_F)^t} - C \qquad \text{Éq. 11.2}$$

Le taux d'actualisation ajusté au risque (TAAR)

$$r_A = r_F + p1 + p2 \qquad \text{Éq. 11.3}$$

La *VAN* ajustée (le taux d'actualisation ajusté pour le risque)

$$VAN_{(A)} = \sum_{t=1}^{n} \frac{FME_t}{(1+r_A)^t} - C \qquad \text{Éq. 11.4}$$

Le coefficient d'équivalence de certitude

$$\alpha_t = \left[\frac{1+r_F}{1+r_A}\right]^t \qquad \text{Éq. 11.5}$$

Chapitre 12

Le budget de caisse

Schéma d'intégration des contenus

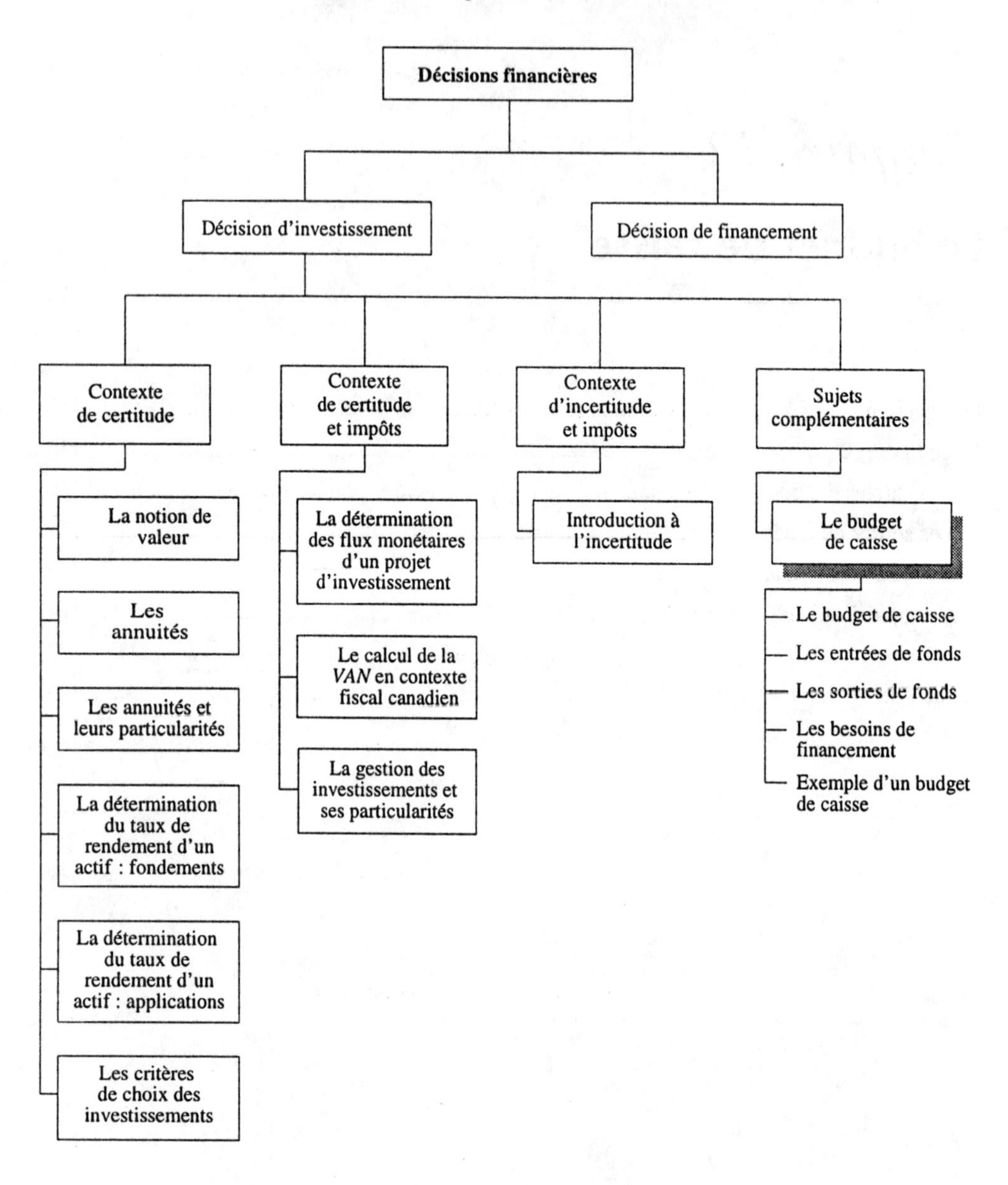

Le budget de caisse constitue un outil de base pour prévoir les flux monétaires d'une entreprise. Le chapitre 12 vous présente les différentes composantes nécessaires à l'établissement de ce budget. Après la lecture de ce chapitre, vous serez en mesure :

- de prévoir les entrées et sorties de fonds d'une entreprise pour une période donnée;
- d'élaborer le budget de caisse correspondant.

Introduction

Une des tâches les plus importantes du gestionnaire consiste à prévoir les flux monétaires d'une entreprise par l'estimation des *entrées de fonds* (c.-à-d. les ventes et les recettes générées par l'entreprise) et des *sorties de fonds* (c.-à-d. les achats de l'entreprise et les divers frais de production et d'exploitation à assumer) à venir. Une fois les flux monétaires futurs déterminés, le gestionnaire est en mesure d'évaluer la situation de l'entreprise en ce qui a trait à ses besoins de fonds et de prendre les décisions qui s'imposent. L'outil de base pour évaluer une telle situation est appelé *budget de caisse* et regroupe les entrées et sorties de fonds prévues. En effet, si les entrées de fonds prévues (*EFP*) permettent de couvrir (et de dépasser) les sorties de fonds prévues (*SFP*), l'entreprise est dans une situation confortable et peut faire face à tous ses décaissements. Par contre, si les *EFP* ne permettent pas de couvrir les *SFP*, l'entreprise se retrouve devant un besoin de fonds à combler et devra prendre les décisions qui s'imposent pour le faire.

Nous étudierons dans ce chapitre les différentes composantes nécessaires à l'établissement d'un budget de caisse.

1. Le budget de caisse

Afin d'assumer ses frais, l'entreprise a besoin de garder un minimum de liquidité. Cette liquidité est habituellement appelée *encaisse*. L'encaisse est composée de billets de banque, de chèques, de traites, de pièces de monnaie ainsi que des soldes de tous les comptes bancaires de l'entreprise. En général, les dépôts bancaires constituent la plus grande partie de l'encaisse détenue par les entreprises.

L'encaisse est détenue pour les trois raisons principales suivantes :

1. L'encaisse représente *un instrument de transaction et un moyen de paiement pour les sorties de fonds régulières*. L'encaisse est donc détenue pour des fins de transaction.
2. L'encaisse est aussi détenue *par précaution contre les dépenses imprévues*. En d'autres mots, l'encaisse constitue *une réserve de valeur* et une *épargne* pour faire face aux sorties de fonds irrégulières.
3. L'encaisse est finalement nécessaire *pour des fins de spéculation*. En effet, il peut se présenter des occasions inattendues dont il faut profiter, telle la diminution du coût des matières premières par exemple.

La gestion de l'encaisse a pour but de garantir à l'entreprise les liquidités nécessaires à ses activités. Elle doit donc lui assurer la couverture de ses besoins de fonds, qu'ils soient anticipés ou non. Une gestion efficace de l'encaisse consiste à prendre des décisions dans ce sens et obéit au principe général suivant : *retarder le plus possible les sorties de fonds et accélérer le plus possible les entrées de fonds*.

Pour mettre en application un tel principe, il faut établir les prévisions des entrées de fonds de l'entreprise (ce qu'elle anticipe recevoir) et des sorties de fonds de l'entreprise (ce qu'elle anticipe dépenser). Les prévisions des entrées de fonds (ou encaissements) et des sorties de fonds (ou décaissements) sont regroupées dans un état prévisionnel appelé *budget de caisse* ou *budget de trésorerie*.

L'intervalle de temps choisi pour établir un budget de caisse dépend de l'activité de l'entreprise et peut être plus ou moins long, les prévisions pouvant être construites sur une base mensuelle, hebdomadaire et même journalière. La fréquence mensuelle des prévisions est cependant la plus couramment utilisée.

Le budget de caisse a deux objectifs principaux :

1. évaluer les *besoins de fonds* de l'entreprise durant cette période (si les sorties de fonds sont supérieures aux entrées de fonds) ou les *surplus de fonds* qu'elle est susceptible de réaliser (si les sorties de fonds sont inférieures aux entrées de fonds);

2. fixer un point de repère qui permettra de mesurer la performance future de l'entreprise. En effet, les prévisions des flux monétaires peuvent être comparées aux flux monétaires effectivement réalisés afin de déterminer si les réalisations sont à la hauteur des prévisions. Si ce n'est pas le cas, le gestionnaire devra chercher les moyens pour améliorer la situation.

L'élaboration d'un budget de caisse se fait généralement en quatre étapes :

1. Il faut d'abord établir la *prévision des ventes à venir*. Ces prévisions sont importantes et constituent la base sur laquelle l'entreprise ajuste ses plans de production.

2. On doit ensuite faire la *prévision des recettes* : en effet, les recettes générées durant une période donnée ne correspondent pas nécessairement aux ventes réalisées puisque certaines ventes ne se font pas au comptant. Dans ce cas, il faut tenir compte des ventes à crédit. De même, on doit considérer toute autre entrée de fonds dont bénéficie l'entreprise, comme les emprunts qu'elle contracte, les revenus de placement qu'elle fait ou les produits de la vente d'actifs qu'elle réalise.

3. Il faut ensuite faire la *prévision des sorties de fonds* : les sorties de fonds sont généralement reliées aux divers frais que l'entreprise doit assumer pour ses activités d'exploitation, en plus de toute autre sortie de fonds, comme le remboursement des emprunts, le paiement des impôts et des dividendes, etc.

4. Il s'agit finalement d'établir la différence entre les *EFP* et les *SFP* afin de déterminer ce qu'on appelle le *flux monétaire net (FMN)*, qui permet de montrer si l'entreprise réalisera un surplus de financement, soit le cas où le *FMN* est positif (quand les entrées sont supérieures aux sorties de fonds), ou un besoin de financement, soit le cas où le *FMN* est négatif (quand les entrées sont inférieures aux sorties de fonds).

Nous allons à présent étudier les principaux éléments nécessaires à l'élaboration d'un budget de caisse, soit les entrées de fonds et les sorties de fonds, qui sont à la base de la détermination du *FMN*.

2. Les entrées de fonds

Dans une gestion efficace de l'encaisse, on doit accélérer les entrées de fonds. Pour ce faire, il faut minimiser le délai d'encaissement, c'est-à-dire le délai qui sépare le moment où l'entreprise effectue la vente de celui où elle reçoit le paiement. Afin de contrôler les retards dans le délai d'encaissement, le gestionnaire peut intervenir dans les délais suivants :

1. *Le délai de facturation* : le gestionnaire peut faire parvenir la facture aux clients le plus rapidement possible de manière à ce qu'ils soient tenus de la payer aussitôt que possible. Un système de facturation efficace est donc essentiel à cette fin.

2. *Le délai de paiement accordé aux clients* : ce délai dépend des conditions de crédit offertes par l'entreprise à ses clients. Pour faire en sorte que ces derniers respectent les échéances et paient le plus rapidement possible, l'entreprise peut offrir un escompte pour les paiements les plus rapides, ce qui constitue une incitation pour les clients à payer le plus tôt possible. Il faut cependant noter qu'il est difficile de modifier de façon importante les délais de paiement lorsqu'il existe une forme de consensus informel à l'intérieur d'un secteur d'activité donné. Par exemple, il serait illusoire de vouloir réduire le délai de paiement qui se pratique dans le secteur des textiles à celui qui a cours dans le secteur de l'alimentation. En effet, comme les stocks, dans le secteur de l'alimentation, sont de nature périssable, le délai de paiement est généralement d'une semaine alors qu'il peut facilement aller jusqu'à un mois dans le domaine du textile.

3. *Le délai postal* : afin de minimiser le délai postal, soit le délai entre le moment où le client poste son paiement et celui où l'entreprise le reçoit, l'entreprise peut utiliser un système de centralisation en collaboration avec sa banque, de manière à ce que les clients paient leurs factures auprès de l'institution financière elle-même ou au moyen de prélèvements automatiques, au lieu d'envoyer leur paiement par courrier postal.

4. *Le délai d'encaissement* : ce délai correspond au temps qui sépare le moment où l'entreprise reçoit le paiement de celui où son compte de banque est crédité. Les prélèvements automatiques constituent un moyen efficace de minimiser ce délai.

Les principales entrées de fonds d'une entreprise sont généralement constituées des recettes des ventes réalisées. Afin de gérer ses opérations de la manière la plus efficace possible, l'entreprise doit établir des estimations de ses ventes et, par conséquent, de ses recettes à court ou à moyen terme. La prévision des ventes concerne en premier lieu les comptes clients puisque la majeure partie des ventes se fait généralement à crédit.

Lorsque les ventes se font au comptant, elles sont directement transformées en encaisse. En revanche, lorsqu'elles sont faites à crédit, elles sont d'abord créditées aux comptes clients (sommes qu'il faut recouvrer). Une fois que les paiements sont effectués par le client, la partie correspondante des comptes clients est transformée en encaisse. Par conséquent, si l'on veut évaluer le solde des comptes clients à la fin d'une année donnée, il faut tenir compte des ventes réalisées pendant l'année auxquelles on ajoute le solde des comptes clients du début de l'année, net des recouvrements faits durant l'année, soit :

$$\textit{solde final des comptes clients (année } t) = \textit{solde initial des comptes clients (année } t) + \textit{ventes (année } t) - \textit{recouvrements (année } t)$$

Nous illustrons dans l'exemple suivant l'établissement du solde final des comptes clients d'une entreprise.

Exemple 1

Les ventes trimestrielles de l'entreprise XYX, exprimées en milliers de dollars, sont données dans le tableau qui suit.

Pour établir le solde final des comptes clients de cette entreprise pour quatre trimestres, on doit tenir compte du solde initial des comptes clients au début de chaque trimestre, auquel il faut ajouter les ventes réalisées et duquel on doit retrancher le montant total des recouvrements effectués, qu'ils concernent le trimestre en question ou un trimestre antécédent.

	Trimestre 1	Trimestre 2	Trimestre 3	Trimestre 4
Solde des comptes clients au début de la période	1 000 $	700 $	620 $	320 $
+ Ventes de la période	200	220	125	100
– Total des recouvrements				
de la période précédente	400	200	300	25
de la période actuelle	100	100	125	25
	500	300	425	50
= Solde des comptes clients à la fin de la période	700 $	620 $	320 $	370 $

Après avoir déterminé les *EFP* nécessaires à l'établissement d'un budget de caisse, nous allons, dans ce qui suit, développer la deuxième composante sur laquelle repose l'établissement d'un budget de caisse, à savoir les sorties de fonds.

3. Les sorties de fonds

Les sorties de fonds d'une entreprise correspondent à l'utilisation que cette dernière fait de ses ressources, nommément les entrées de fonds établies précédemment. Elles proviennent principalement des opérations d'exploitation de l'entreprise, soit des achats qu'elle fait et des frais de toute sorte qu'elle doit assumer, qu'ils soient des frais administratifs, de vente, de fabrication, des frais financiers ou des charges fiscales. Dans les sorties de fonds, sont également inclus les dividendes distribués, les remboursements des dettes et les achats d'éléments d'actif effectués par l'entreprise, etc.

Les sorties de fonds sont généralement regroupées en quatre grandes catégories :

- *le paiement des comptes fournisseurs,* qui consiste à acquitter les factures d'achat de matières premières et de services rendus tels que l'électricité, le téléphone, etc.;
- *les frais administratifs* tels que le paiement des salaires, etc.;
- *les dépenses d'investissement,* c'est-à-dire les coûts liés aux projets d'investissement que l'entreprise envisage de réaliser;
- *le paiement des dividendes, des intérêts et des impôts.*

Comme nous l'avons énoncé plus haut, le principe de gestion de l'encaisse implique qu'il faut retarder les sorties de fonds. Ceci peut être fait en reculant jusqu'à l'échéance les paiements à verser aux fournisseurs, par exemple. Mais, comme nous le verrons plus loin, ce stratagème met en péril la réputation de l'entreprise auprès de ses fournisseurs. De plus, l'entreprise risque de perdre les escomptes consentis par les fournisseurs pour paiement au comptant ou à l'échéance.

Pour déterminer les besoins de financement de l'entreprise ou son surplus financier, on doit déterminer le flux monétaire net tel que nous l'avons défini plus haut, soit en établissant la différence entre les *EFP* et les *SFP*.

a) Si les entrées de fonds prévues sont supérieures aux sorties de fonds prévues, le flux monétaire net pour la période est positif et l'entreprise dispose d'un surplus de financement. Ce surplus peut servir à rembourser une partie des dettes de l'entreprise ou être investi et ainsi rapporter des intérêts. Il peut également être distribué sous forme de dividendes aux actionnaires.

b) Si les entrées de fonds prévues sont inférieures aux sorties de fonds prévues, le flux monétaire net pour la période est négatif et l'entreprise a besoin de financement. Ce besoin de financement, ou découvert, doit être comblé par l'entreprise pour éviter de se retrouver en défaut de paiement. Pour ce faire, elle peut avoir recours à la marge de crédit qu'elle détient auprès de sa banque. Vous comprendrez dans ce cas l'importance d'élaborer un budget de caisse qui puisse établir à l'avance si l'entreprise aura besoin de financement, ce qui permettra aux gestionnaires d'y remédier à l'avance.

Nous illustrons dans l'exemple qui suit l'établissement du flux monétaire net d'une entreprise.

Exemple 2

Soit une entreprise qui se spécialise dans la fabrication du yaourt. Les entrées et sorties de fonds prévues vous sont données dans le tableau suivant :

	Trimestre 1	Trimestre 2	Trimestre 3	Trimestre 4
Comptes clients	3 000 $	700 $	1 800 $	1 225 $
Ventes au comptant	2 500	2 500	1 300	4 000
Entrées de fonds prévues (*EFP*)	5 500	3 200	3 100	5 225
Comptes fournisseurs	900	1 000	800	750
Frais administratifs et autres	1 100	1 100	1 200	1 250
Dépenses d'investissement	-	400	1 000	-
Impôts, dividendes et intérêts	1 000	1 000	1 000	1 000
Sorties de fonds prévues (*SFP*)	3 000	3 500	4 000	3 000
Besoin (–) ou surplus de fonds (+)	+ 2 500 $	– 300 $	– 900 $	+ 2 225 $

Le flux monétaire net correspond à la différence entre les entrées de fonds prévues (*EFP*) et les sorties de fonds prévues (*SFP*), telles que :

EFP = *comptes clients + ventes au comptant*
(Pour des fins de simplification, nous excluons ici toute autre sorte d'entrées de fonds.)

SFP = *comptes fournisseurs + frais administratifs + dépenses d'investissement + (dividendes, intérêts et impôts à payer)*

Nous voyons, d'après ce tableau, que cette entreprise va générer un surplus de fonds le premier trimestre, mais devra chercher un moyen de combler ses besoins de fonds pour le deuxième et le troisième trimestre. Le quatrième trimestre, quant à lui, permettra de générer, selon les prévisions établies, un surplus de 2 225 $.

Pour une entreprise, tout comme pour un individu d'ailleurs, tout besoin de financement doit être comblé le plus rapidement possible pour éviter des situations d'insolvabilité. En effet, les besoins de financement qui s'accumulent peuvent mener à la faillite. Nous allons examiner, dans la section suivante, les différents moyens dont l'entreprise dispose pour combler ses besoins de financement.

4. Les besoins de financement

Dans la vie économique, les entreprises et les banques sont devenues des partenaires indissociables. Les banques jouent un rôle d'*intermédiaire*, d'une part, entre les entreprises et leurs clients, puis, d'autre part, entre les entreprises et leurs fournisseurs. En effet, les entreprises ont généralement recours à un *système de centralisation bancaire*, qui fait en sorte que les clients de l'entreprise effectuent leurs paiements en déposant leurs chèques dans le compte détenu par l'entreprise en question auprès de la banque. De cette manière, le *délai de recouvrement* est réduit au minimum ainsi que le temps requis pour compenser les chèques. Ceci est une application directe du principe de gestion optimale, établi plus haut, selon lequel on doit minimiser les délais.

La banque, qui traite les chèques, agit en quelque sorte comme un *centre de paiement*. En contrepartie, l'entreprise doit *garder un solde d'encaisse suffisant dans son compte, de façon à couvrir les frais bancaires engagés et à indemniser la banque pour les services qu'elle offre.*

En outre, la banque constitue pour l'entreprise *une source de financement à court terme*. En effet, en supposant que l'entreprise soit solvable et qu'elle dispose d'un bon crédit auprès de la banque, elle pourra bénéficier d'une avance de fonds en cas de besoin.

Pour combler ses besoins de fonds ou de financement, l'entreprise a le choix entre trois sources potentielles de financement à court terme, soit :

1. Elle peut demander un emprunt bancaire non garanti, sous la forme d'une marge de crédit auprès de la banque. L'entreprise peut emprunter ou rembourser à même la marge de crédit que la banque met à sa disposition, en autant qu'elle ne dépasse pas sa limite. Le montant de la marge de crédit résulte d'une entente avec la banque

en vertu de laquelle l'entreprise s'engage à maintenir un solde prédéterminé dans son compte bancaire. Ce solde s'appelle solde compensateur et est généralement équivalent à un pourcentage de la marge de crédit (par exemple, le solde peut être égal à 25 % de la marge de crédit accordée).

2. En vertu du principe de gestion précédemment énoncé, l'entreprise peut retarder les paiements à faire aux fournisseurs. En effet, ce faisant, l'entreprise peut dégager des capitaux à court terme pour couvrir ses besoins de fonds. Cependant, on ne peut différer indéfiniment ces paiements, car cela engendre un coût : l'entreprise peut se faire une réputation de « mauvais payeur » et perdre de la crédibilité auprès des fournisseurs. De plus, elle peut perdre les escomptes, dans certains cas substantiels, généralement accordés aux clients qui paient au comptant.
3. L'entreprise peut emprunter auprès de la banque en donnant comme garantie certains des comptes clients qu'elle détient ou des stocks qu'elle possède.

Ces diverses sources de financement à court terme peuvent être utilisées individuellement ou en combinaison. Une fois le budget de caisse établi, le gestionnaire forme plusieurs scénarios pour combler ses besoins de financement et évalue différentes combinaisons de financement à court terme, avant de choisir celle qui minimise les coûts engagés.

Dans la prochaine section nous présentons un exemple pratique d'élaboration d'un budget de caisse.

5. Exemple d'un budget de caisse

Examinons un exemple pratique qui pourrait provenir d'une petite entreprise type. La première information dont nous avons besoin pour dresser le budget de caisse concerne les prévisions de vente pour l'exercice budgétaire. Dans notre exemple, le budget de caisse comporte des intervalles mensuels s'étendant sur six mois, à partir du 1er juillet. L'entreprise en question prévoit vendre pour 20 000 $ par mois en juillet, août et septembre, 24 000 $ en octobre, 30 000 $ en novembre et 24 000 $ en décembre. Les ventes s'élevaient à 16 000 $ en mai dernier et à 18 000 $ en juin. Le tableau 12.1 montre ces prévisions de vente.

TABLEAU 12.1
Prévisions des ventes pour le prochain semestre

	Juillet	Août	Septembre	Octobre	Novembre	Décembre
Ventes*	20 000 $	20 000 $	20 000 $	24 000 $	30 000 $	24 000 $

* Rappelons que les ventes s'élevaient à 16 000 $ en mai dernier et à 18 000 $ en juin.

Afin de déterminer les entrées de fonds liées aux prévisions des ventes, nous devons connaître les dates de recouvrement des comptes à recevoir. Supposons qu'ici, 75 % des ventes sont réglées dans le mois qui suit la transaction et le reste, le mois suivant. Aucune mauvaise créance n'est prévue. Par ailleurs, une entrée de fonds liée à la vente d'actifs est prévue pour septembre (1 500 $). Le tableau 12.2 présente les entrées de fonds prévues pour le prochain semestre. Les détails utiles liés aux sorties de fonds sont présentés quant à eux au tableau 12.3.

TABLEAU 12.2
Entrées de fonds prévues pour le prochain semestre

	Juillet	Août	Septembre	Octobre	Novembre	Décembre
Recouvrement des comptes à recevoir :						
75 %, mois antérieur	13 500 $ *	15 000 $	15 000 $	15 000 $	18 000 $	22 500 $
25 %, 2 mois passés	4 000 **	4 500	5 000	5 000	5 000	6 000
Autres	—	—	1 500	—	—	—
Total	17 500 $	19 500 $	21 500 $	20 000 $	23 000 $	28 500 $

* 13 500 = 0,75 (18 000)
** 4 000 = 0,25 (16 000), etc.

En combinant les entrées et les sorties de fonds des tableaux 12.2 et 12.3, nous obtenons le budget de caisse type qui est présenté au tableau 12.4. Par mesure de prudence, nous avons également supposé que l'entreprise désire maintenir un solde minimal de 2 000 $ dans l'encaisse. L'encaisse, au 1er juillet, s'élève à 2 200 $. Nous constatons que l'entreprise devra donc emprunter 6 500 $ sur la période couverte par le budget de caisse, si cette dernière désire conserver un solde minimal de 2 000 $ dans l'encaisse.

TABLEAU 12.3
Sorties de fonds prévues pour le prochain semestre

	Juillet	Août	Septembre	Octobre	Novembre	Décembre
Achats	14 000 $	14 000 $	14 000 $	16 800 $	21 000 $	16 800 $
Salaires	2 000	2 000	2 000	2 000	2 000	2 000
Divers	3 000	3 000	3 000	3 000	3 000	3 000
Dividendes	—	200	—	—	200	—
Impôts	—	—	2 000	—	—	2 000
Remboursement	200	200	200	200	200	200
Total	19 200 $	19 400 $	21 200 $	22 000 $	26 400 $	24 000 $

TABLEAU 12.4
Budget de caisse

	Juillet	Août	Septembre	Octobre	Novembre	Décembre
Entrées	17 500 $	19 500 $	21 500 $	20 000 $	23 000 $	28 500 $
Sorties	19 200	19 400	21 200	22 000	26 400	24 000
Flux net	(1 700)	100	300	(2 000)	(3 400)	4 500
Encaisse (début)	2 200	500	600	900	(1 100)	(4 500)
Encaisse (fin)	500	600	900	(1 100)	(4 500)	0
Encaisse (minimale)	2 000	2 000	2 000	2 000	2 000	2 000
Surplus (déficit)	(1 500) $	(1 400) $	(1 100) $	(3 100) $	(6 500) $	(2 000) $

Conclusion

L'établissement d'un budget de caisse est primordial pour estimer les besoins de fonds de l'entreprise. En effet, pour mener à bien ses activités, l'entreprise a besoin de déterminer à l'avance si elle dispose des ressources nécessaires pour aller de l'avant. En évaluant les besoins de financement de l'entreprise, le gestionnaire s'assure de déterminer l'encaisse nécessaire pour les couvrir.

Dans ce chapitre, nous avons étudié les principales composantes nécessaires à l'établissement d'un budget de caisse, à savoir les entrées de fonds prévues (*EFP*) et les sorties de fonds prévues (*SFP*). Outre le budget de caisse qui a pour but principal de déterminer les besoins de fonds de l'entreprise, d'autres outils nous permettent d'évaluer la santé de l'entreprise, de suivre son évolution et de juger de la qualité de sa gestion, à savoir les ratios financiers.

Nous allons donc traiter, dans le chapitre suivant, des divers ratios financiers qui nous permettent de réaliser cette tâche.

Les activités d'apprentissage

Questions

1. Expliquez pourquoi l'encaisse est détenue par les entreprises.

2. Qu'est-ce qu'un budget de caisse?

3. À quoi sert le budget de caisse?

4. Comment établit-on un budget de caisse?

5. À quoi correspondent les entrées de fonds d'une entreprise?

6. Quels sont les moyens de contrôler les retards dans les délais d'encaissement?

7. À quoi correspondent les sorties de fonds d'une entreprise?

8. Identifiez les trois sources de financement à court terme qui peuvent répondre aux besoins de fonds d'une entreprise.

Problèmes

1. Sur la base des informations présentées ci-dessous, vous devez préparer un budget de caisse pour la société *Le petit Robert* couvrant les mois d'août, septembre et octobre.

   En ce qui concerne les entrées de fonds, 50 % des ventes sont habituellement payées comptant, 25 % sont réglées dans le mois qui suit la transaction et le reste le mois suivant (les mauvaises créances sont négligeables). Les ventes observées récemment et celles qui sont prévues pour les prochains mois sont données dans les tableaux 12-A et 12-B.

TABLEAU 12-A
Ventes observées

	Avril	Mai	Juin	Juillet
Ventes	200 000 $	200 000 $	240 000 $	240 000 $

TABLEAU 12-B
Ventes prévues

	Août	Septembre	Octobre	Novembre
Ventes	280 000 $	320 000 $	400 000 $	400 000 $

En ce qui concerne maintenant les sorties de fonds, le coût des achats représente 70 % des ventes et l'on règle ordinairement 90 % de la dépense un mois après la transaction puis 10 % le second mois. De plus, les frais de vente sont de 40 000 $ par mois, plus 10 % des ventes mensuelles. Ces frais de vente sont réglés dans le mois. Également, on prévoit verser des intérêts de 36 000 $ en octobre, ainsi que 200 000 $ pour le remboursement de la dette, 40 000 $ de dividendes et 4 000 $ d'impôts. On prévoit aussi immobiliser 160 000 $ en machinerie au mois de septembre.

Par ailleurs, l'encaisse s'élevait à 80 000 $ au 31 juillet, soit le niveau cible (ou minimal) fixé par la société.

2. Quelles seraient les modifications à apporter au budget de caisse de la société *Le petit Robert* (voir le problème 1 ci-dessus) si l'on vous informait que l'amortissement mensuel des installations est de 60 000 $ en août, 56 000 $ en septembre et de 50 000 $ en octobre?

Chapitre 13

Les ratios financiers

Schéma d'intégration des contenus

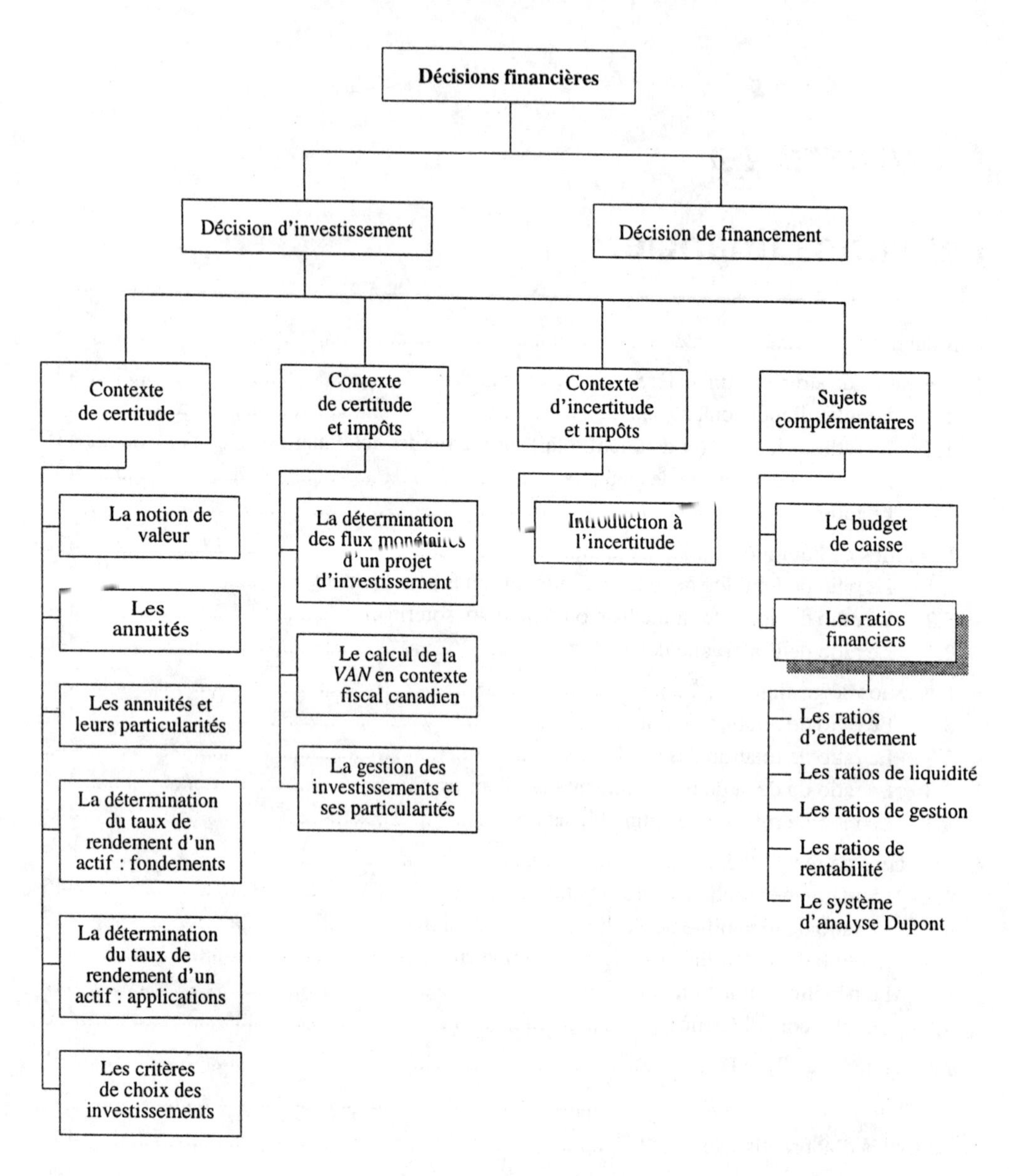

Ce chapitre présente les ratios financiers. Les objectifs à atteindre sont les suivants :

- définir chaque ratio, sa fonction et ses limites;
- maîtriser les différentes catégories de ratios;
- faire une analyse à l'aide des ratios.

Introduction

De manière générale, l'*analyse financière* de l'entreprise consiste à évaluer les multiples facettes de la performance de l'entreprise, principalement en ce qui concerne la solvabilité, l'endettement, la gestion et la rentabilité. Pour répondre à ce besoin, il faut disposer d'outils de traitement de l'information financière disponible comme, par exemple, les ratios financiers.

Les *ratios financiers,* qui permettent de faire une telle analyse, sont des indicateurs de performance dont le calcul est basé sur des chiffres provenant des états financiers de l'entreprise, comme le bilan et l'état des résultats. Les ratios financiers sont utilisés de façon courante, que ce soit par les gestionnaires de l'entreprise qui cherchent à suivre l'évolution de la performance de l'entreprise, ou encore par les investisseurs potentiels, les analystes et les banquiers. Ces derniers cherchent à évaluer la possibilité d'investir dans l'entreprise ou de lui accorder des crédits. Nous pouvons donc en déduire que les ratios financiers choisis par l'un ou l'autre de ces utilisateurs doivent répondre à des objectifs et à des besoins bien spécifiques. Par exemple, autant le banquier est intéressé à déterminer la capacité de l'entreprise à rembourser ses dettes, autant l'investisseur est intéressé à mesurer la rentabilité de l'entreprise dans laquelle il veut injecter des fonds. Par conséquent, et comme nous le verrons tout au long de ce chapitre, selon la question à laquelle on cherche à répondre, le calcul des ratios financiers peut différer.

Les ratios financiers permettent de faire un diagnostic de la situation de l'entreprise de deux manières :

1. En comparant, pour une année donnée, les ratios de l'entreprise aux ratios moyens de l'industrie correspondante, nous pouvons déterminer les forces et les faiblesses de l'entreprise par rapport aux entreprises semblables dans l'industrie. Ce type d'analyse est appelé analyse verticale ou statique.
2. En comparant les ratios de l'entreprise sur un certain nombre d'années, nous sommes en mesure d'en suivre l'évolution et de déterminer si la performance de l'entreprise a tendance à s'améliorer ou à se détériorer. Rapportée graphiquement, la série de ratios sur la période d'étude permet de visualiser clairement l'évolution de la situation de l'entreprise dans le temps. Ce type d'analyse est appelé analyse horizontale ou dynamique.

Comme les rubriques comptables rapportées sur les états financiers sont très nombreuses, le nombre de ratios qui peuvent être calculés sur la base de ces rubriques est aussi très élevé. Nous allons donc, sans être exhaustifs, en choisir quelques-uns, qui sont les plus fréquemment utilisés, pour chaque facette de la performance que nous cherchons à évaluer, soit : la solvabilité (à court et à long terme), la gestion et la rentabilité.

1. Les ratios de structure financière

Les ratios de structure financière visent à mesurer l'importance de l'endettement (à court terme, à moyen terme ou total) par rapport aux ressources dont dispose l'entreprise afin de réaliser ses opérations. Ces ratios sont particulièrement utiles pour porter un jugement sur la manière dont l'entreprise finance ses actifs et permettent donc de sonner l'alarme dès que l'endettement devient excessif par rapport aux capitaux propres de l'entreprise. Différents ratios permettent de mesurer la structure financière de l'entreprise, dont les suivants qui sont les plus couramment utilisés :

- le ratio d'endettement,
- le ratio de la dette (et de l'actif total) sur l'avoir des actionnaires,
- le ratio de couverture des intérêts,
- le ratio de couverture des charges fixes.

1.1 Le ratio d'endettement

Le ratio d'endettement (ou du levier financier) rapporte le passif total sur l'actif total et donne le pourcentage du financement de l'entreprise qui provient d'engagements financiers.

Ce ratio est calculé de la manière suivante :

$$\textit{ratio d'endettement} = \frac{\textit{passif total}}{\textit{actif total}}$$

Plus ce ratio se rapproche de un, plus l'entreprise est endettée et plus sa situation financière devient précaire. Ce ratio peut aussi être comparé à la norme du secteur. Si le ratio d'endettement de l'entreprise est supérieur à celui du secteur, la situation de l'entreprise peut être estimée difficile. En effet, dans ce cas, elle est considérée comme surendettée par rapport aux entreprises qui oeuvrent dans le même secteur d'activité.

Supposons qu'une entreprise ait un ratio d'endettement de 99 %. Cela veut dire que 99 % des fonds nécessaires pour le financement de l'entreprise proviennent des engagements à long terme de l'entreprise : chaque dollar d'actif est financé par 0,99 $ de dette.

Un autre ratio de structure financière mesure la dette de l'entreprise par rapport à l'avoir des actionnaires. Il s'agit du ratio de la dette sur l'avoir des actionnaires.

1.2 Le ratio de la dette (et de l'actif total) sur l'avoir des actionnaires

Le ratio de la dette sur l'avoir des actionnaires mesure la part de la dette financée par la mise de fonds des actionnaires. Il est donc particulièrement important pour les actionnaires. Ce ratio est calculé comme suit :

$$\textit{ratio de la dette sur l'avoir des actionnaires} = \frac{\textit{passif total}}{\textit{avoir des actionnaires}}$$

Ce ratio détermine *l'importance relative de la dette par rapport aux capitaux investis par les actionnaires, qui sont les principaux propriétaires de l'entreprise*. Ainsi, plus ce ratio est élevé, plus la solvabilité de l'entreprise est remise en question et plus la situation devient préoccupante pour les créanciers.

Supposons par exemple qu'une entreprise a un ratio de la dette sur l'avoir des actionnaires égal à 320 %. Dans ce cas, la part des dettes dans la structure financière de l'entreprise est égale à 3,2 fois celle des fonds propres. Autrement dit, pour chaque dollar de capitaux propres apporté par les actionnaires, l'entreprise a accumulé 3,20 $ de dette. Les créanciers devraient donc être préoccupés par la situation et l'entreprise devrait prendre les moyens pour baisser ce ratio de manière à ce que l'entreprise rééquilibre sa structure financière.

Un autre ratio mesure la répartition du capital de l'entreprise entre l'actif, la dette et l'avoir des actionnaires. Il s'agit du ratio de l'actif total sur l'avoir des actionnaires. Ce ratio est important dans la mesure où il est souvent utilisé comme indicateur de base lors de l'analyse du système Dupont que nous verrons plus loin. Ce ratio se calcule comme suit :

$$\text{ratio de l'actif total sur l'avoir des actionnaires} = \frac{\text{actif total}}{\text{avoir des actionnaires}}$$

Ce ratio donne l'importance relative de l'actif total financé par les capitaux propres de l'entreprise. Il peut être considéré comme un complément au ratio de la dette sur l'avoir des actionnaires.

Plus ce ratio est élevé, plus la part des actifs financés par l'avoir des actionnaires (ou les capitaux propres) est faible. Par conséquent, les actifs sont moins financés par le financement interne représenté par l'avoir des actionnaires que par le financement externe représenté par la dette à long terme. Ce ratio évolue dans le même sens que le ratio de la dette sur l'avoir des actionnaires.

1.3 Le ratio de couverture des intérêts

Le ratio de couverture des intérêts détermine le nombre de fois où le bénéfice permet de couvrir les intérêts accumulés sur la dette à long terme de l'entreprise. Ce ratio évalue donc, dans une certaine mesure, le risque que l'entreprise n'ait pas assez d'argent pour payer ses intérêts. Il se calcule comme suit :

$$\textit{ratio de couverture des intérêts} = \frac{\textit{bénéfice avant intérêts et impôts (BAII)}}{\textit{intérêts}}$$

Plus le ratio de couverture des intérêts est élevé, plus le *BAII* permet de couvrir les dépenses d'intérêts de l'entreprise. Par exemple, si ce ratio est égal à 2,2, cela indique que le *BAII* est 2,2 fois plus élevé que les dépenses d'intérêts. Inversement, plus le ratio de couverture des intérêts est bas, plus l'entreprise est dans une situation incertaine en ce qui concerne le paiement des intérêts.

Par ailleurs, ce ratio peut être comparé au ratio moyen des entreprises semblables dans le même secteur d'activité. Ainsi, supposons qu'une entreprise ait un ratio de couverture des intérêts de 4,5 comparativement à 16 pour le secteur. Ceci veut dire que l'entreprise a plus de difficulté à couvrir ses paiements d'intérêts que les autres entreprises du secteur (son *BAII* n'est que de 4,5 fois supérieur aux intérêts à payer contre 16 fois pour les autres entreprises du secteur).

1.4 Le ratio de couverture des charges fixes

En suivant la même logique que pour le ratio de couverture des intérêts, nous pouvons aussi déterminer l'aptitude de l'entreprise à couvrir toutes ses charges fixes (c.-à-d. les intérêts à payer, les remboursements de capital à faire, les versements liés aux contrats de location, etc.). Le calcul du ratio de couverture des charges fixes permet de mesurer l'aptitude de l'entreprise à couvrir ses frais fixes à partir de son bénéfice. Ce ratio est calculé comme suit :

$$\textit{ratio de couverture des charges fixes} = \frac{\textit{bénéfice avant charges fixes}}{\textit{charges fixes}}$$

Plus ce ratio est élevé, plus l'entreprise est à l'abri du risque de non-paiement des charges fixes. De plus, ce ratio peut être comparé à la norme du secteur. Ainsi, si le ratio de couverture des charges fixes est inférieur à celui des entreprises semblables du secteur, l'entreprise peut se considérer en situation difficile, car elle parvient à couvrir ses charges fixes à un rythme inférieur à celui de l'industrie.

Les ratios de structure financière ou de levier financier sont primordiaux, car ils permettent de mesurer l'ampleur de l'endettement de l'entreprise par rapport à ses ressources. Cependant, ces ratios, de même que tous les ratios financiers en général, sont basés sur des rubriques comptables qui sont tributaires, comme nous l'avons vu dans le chapitre 8, des choix comptables effectués. Ainsi, ces ratios peuvent être calculés en excluant les amortissements ou encore sur la base du bénéfice net avant intérêts *mais après impôts.*

Les ratios de structure financière développés ici mesurent l'endettement *à long terme* de l'entreprise. Or, il est aussi important d'établir l'aptitude de l'entreprise à couvrir sa dette *à court terme*, ce qui fera l'objet de la section suivante.

2. Les ratios de liquidité

Les ratios de liquidité ont pour objectif de mesurer et d'évaluer la capacité de l'entreprise à rembourser ses dettes à court terme, qui sont constituées par ses comptes fournisseurs, ses comptes à payer et ses emprunts à court terme. Les ratios de liquidité mesurent la capacité de l'entreprise à rembourser ces dettes en utilisant ses actifs à court terme, soit son encaisse, ses comptes clients ou ses stocks.

Pour faire une analyse de la liquidité de l'entreprise, nous faisons appel à trois ratios de liquidité, soit :

- le ratio de liquidité générale ou ratio du fonds de roulement,
- le ratio de liquidité immédiate ou ratio de trésorerie,
- le ratio de l'intervalle défensif.

2.1 Le ratio de liquidité générale ou ratio du fonds de roulement

Le ratio de liquidité générale, aussi appelé ratio du fonds de roulement, correspond au ratio de l'actif à court terme sur le passif à court terme, soit :

$$\textit{ratio de liquidité générale} = \frac{\textit{actif à court terme}}{\textit{passif à court terme}}$$

où :

actif à court terme = *encaisse + comptes clients + placements + stocks + frais payés d'avance*

passif à court terme = *comptes fournisseurs + emprunts à court terme + part de la dette à long terme à payer durant l'année courante*

Ce ratio mesure la solvabilité de l'entreprise à court terme et indique dans quelle proportion les actifs à court terme garantissent le paiement des dettes à court terme.

Par exemple, supposons qu'une entreprise affiche un ratio de liquidité générale de 2,2. Cela voudrait dire que pour chaque dollar de dette à payer, l'entreprise dispose de 2,20 $ d'actif à court terme. Plus ce ratio est supérieur à 1, plus l'entreprise est en mesure de faire face à ses obligations à court terme.

Ce ratio peut être comparé au ratio moyen ou à la norme établie par l'industrie. En supposant que cette norme soit de 1,5 pour l'industrie, nous pouvons déduire que la solvabilité de cette entreprise est supérieure à celle de l'industrie.

Néanmoins, la définition de l'actif à court terme utilisée dans le calcul du ratio de liquidité générale inclut les stocks qui ne sont pas transformables en encaisse dans un avenir rapproché. Le ratio de liquidité immédiate, tel qu'il est défini dans ce qui suit, est, à cet égard, mieux représentatif de la liquidité à court terme de l'entreprise.

2.2 Le ratio de liquidité immédiate ou ratio de trésorerie

Les actifs ne peuvent être transformés facilement en encaisse, certains étant plus liquides que d'autres. Par exemple, dans l'éventualité où une partie des stocks n'est pas vendue, elle ne peut se transformer en encaisse à court terme. Dans ce cas, les gestionnaires ou les analystes financiers ne tiennent compte que *des actifs les plus liquides*, à savoir l'encaisse, les titres négociables et les comptes clients (on exclut donc les stocks).

Le ratio de liquidité immédiate, appelé aussi ratio de trésorerie, est déterminé sur la base des actifs à court terme facilement convertibles en liquidité. Le calcul de ce ratio ne tient pas compte des stocks qui constituent la partie la moins liquide des actifs à court terme. Il est calculé comme suit :

$$\textit{ratio de liquidité immédiate} = \frac{(\textit{actif à court terme} - \textit{stocks})}{\textit{passif à court terme}}$$

Plus ce ratio est supérieur à 1, plus l'entreprise est solvable à court terme.

Ainsi, si le ratio de liquidité immédiate d'une entreprise est égal à 1,2, cela indique que la liquidité de l'entreprise lui permet de faire face aux remboursements des dettes à court terme dans la proportion suivante : 1,00 $ de dette à court terme peut être couvert immédiatement par 1,20 $ de liquidité immédiate.

Ce ratio peut aussi être comparé à la norme de l'industrie. En supposant que cette norme soit égale à 1,5, nous pouvons conclure que cette entreprise est relativement moins solvable à court terme que les entreprises semblables de l'industrie correspondante.

Ces ratios de liquidité immédiate ne sont pas très représentatifs de la manière dont l'entreprise fait face à ses débours à court terme puisqu'ils ne tiennent pas compte de la façon dont la liquidité immédiate est obtenue. En effet, l'entreprise peut manquer d'encaisse mais quand même faire face aux paiements de ses dettes à court terme en faisant appel à des emprunts à court terme ou à sa marge de crédit. Donc, un ratio de liquidité immédiate faible ne veut pas nécessairement dire que l'entreprise ne peut pas couvrir ses dettes à court terme.

2.3 Le ratio de l'intervalle défensif

Le ratio de l'intervalle défensif sert à mesurer, *en nombre de jours*, la capacité d'une entreprise à faire face à ses *décaissements immédiats*, soit son *autonomie financière à court terme*. Il indique le nombre de jours où l'entreprise peut fonctionner à même ses liquidités. À ce titre, il est calculé sur la base des actifs les plus liquides à la disposition de l'entreprise.

Le ratio de l'intervalle défensif se calcule comme suit :

$$\textit{ratio de l'intervalle défensif} = \frac{\textit{actif à court terme (liquide)}}{\textit{décaissements quotidiens}}$$

où :

$$\textit{actif à court terme (liquide)} = \textit{encaisse + comptes clients + titres négociables}$$

$$\textit{décaissements quotidiens} = \frac{\textit{(coût des marchandises vendues + frais d'administration + intérêts)}}{365}$$

Ce ratio représente donc le nombre de jours pendant lesquels l'entreprise est à l'abri de problèmes d'insolvabilité, soit le nombre de jours où l'entreprise possède une marge de manoeuvre et peut faire face à ses dépenses quotidiennes à même ses liquidités, sans nécessiter aucune entrée de fonds.

Le calcul de l'intervalle défensif peut être problématique dans la mesure où son calcul est basé sur l'actif et le passif à court terme, qui évoluent constamment. Ce ratio peut donc ne pas être représentatif de l'autonomie de l'entreprise d'une période à l'autre.

Outre la solvabilité et l'endettement, une autre facette de la performance de l'entreprise qu'il faut évaluer est son efficacité à gérer les ressources dont elle dispose, ce que nous verrons dans la section qui suit.

3. Les ratios de gestion

Les ratios de gestion ou d'efficacité servent à mesurer la performance des gestionnaires de l'entreprise et à établir si ces derniers ont utilisé de manière efficiente les ressources matérielles dont dispose l'entreprise.

Les ratios de gestion les plus fréquemment utilisés sont les suivants :

- le ratio de rotation de l'actif,
- le ratio de rotation des stocks,
- le ratio du délai de recouvrement des créances,
- le ratio de rotation des immobilisations.

3.1 Le ratio de rotation de l'actif

Le ratio de rotation de l'actif total mesure le volume des ventes produit par chaque dollar d'actif et détermine ainsi l'efficacité de la gestion des actifs. Il se calcule de la manière suivante :

$$\textit{ratio de rotation de l'actif} = \frac{\textit{ventes}}{\textit{actif total}}$$

Plus ce ratio est élevé, plus les actifs de l'entreprise sont mis à profit. Supposons que le ratio de rotation de l'actif d'une entreprise est égal à 3,6. Ceci veut dire que l'entreprise génère 3,60 $ en ventes pour chaque dollar d'actif.

Ce ratio peut aussi être comparé à la norme de l'industrie (il est même important de le faire). En supposant que la norme du secteur est égale à 3, nous pouvons conclure que l'entreprise analysée se trouve dans une situation enviable puisqu'elle génère plus de ventes par dollar d'actif que les entreprises de son secteur.

Le ratio peut être calculé sur l'actif moyen afin de tenir compte des fluctuations de l'actif d'une année à l'autre. L'actif moyen correspond à la moyenne entre la valeur de l'actif sur deux années consécutives, soit :

$$\textit{actif moyen} = \frac{(\textit{actif}_{t-1} + \textit{actif}_t)}{2}$$

Ainsi défini, ce ratio se calcule sur la base de l'actif total. Or, il peut s'avérer utile d'identifier quel type d'actif (immobilisations, stock ou créances) génère le plus de ventes. D'où les ratios qui seront développés dans les sections suivantes.

3.2 Le ratio de rotation des stocks

Le ratio de rotation des stocks mesure l'efficacité de la gestion des stocks de l'entreprise et la rapidité avec laquelle les stocks sont renouvelés. Il se calcule comme suit :

$$\textit{ratio de rotation des stocks} = \frac{\textit{coût des marchandises vendues}}{\textit{stocks}}$$

Lorsque ce ratio est élevé, nous pouvons déduire que la gestion des stocks est bien planifiée. Un ratio élevé est un signe d'efficacité, puisqu'il indique qu'une plus grande part des stocks a été vendue. L'entreprise renouvelle donc souvent ses stocks. Par contre, un ratio faible peut indiquer une quantité trop élevée de stocks invendus, ce qui peut engendrer des coûts de manutention et d'entreposage élevés. Le gestionnaire doit alors trouver un moyen de rétablir la situation.

Ce ratio peut aussi être exprimé en jours, ce qui permet de déterminer le nombre de jours moyen où les stocks restent dans les entrepôts. Le ratio de rotation des stocks, en jours, est exprimé comme suit :

$$\frac{365\ \textit{jours}}{(\textit{coût des marchandises vendues/stocks})}$$

Lorsque le ratio de rotation des stocks est comparé à la norme du secteur, il faut garder à l'esprit que les méthodes de gestion des stocks peuvent varier d'une entreprise à une autre. En effet, il existe différentes méthodes de comptabilisation des stocks (c.-à-d. les inventaires) telles que le LIFO, le FIFO ou le coût moyen et qui peuvent fausser l'interprétation du ratio.

De plus, l'interprétation de ce ratio peut être ambiguë dans le cas où l'entreprise dispose d'un niveau de stocks insuffisant. Le ratio de rotation des stocks peut alors être élevé, nous faisant conclure qu'*a priori* la gestion des stocks est efficace.

Finalement, comme les stocks ont tendance à fluctuer d'une période à une autre, nous pouvons calculer la rotation des stocks sur la base du stock moyen (correspondant à la moyenne des niveaux de stocks pour deux années consécutives) plutôt qu'à partir du total des stocks.

3.3 Le ratio du délai de recouvrement des créances

Le ratio du délai de recouvrement des créances, ou ratio de rotation des comptes clients, est important parce qu'il mesure l'efficacité de la gestion des comptes clients. Ce ratio indique la vitesse avec laquelle l'entreprise recouvre ses créances et donc, indirectement, son aptitude à réduire les besoins de fonds externes de l'entreprise.

Le ratio du délai de recouvrement des créances se calcule comme suit :

$$\textit{ratio du délai de recouvrement des créances} = \frac{\textit{ventes à crédit}}{\textit{comptes clients}}$$

Un ratio du délai de recouvrement des créances élevé indique que l'entreprise met trop de temps pour encaisser ou recouvrer ses comptes clients. Comme nous l'avons vu dans le chapitre 12, une gestion efficace de l'encaisse nécessite que les recouvrements soient faits le plus tôt possible. Un ratio du délai de recouvrement des créances élevé traduit donc un manque d'efficacité à ce niveau.

Ce ratio peut aussi être exprimé en jours, ce qui permet de déterminer le nombre de jours moyens que l'entreprise met pour recouvrer ses créances. Ce ratio, en termes de jours, est déterminé comme suit :

$$\frac{365\ \textit{jours}}{(\textit{ventes à crédit} / \textit{comptes clients})}$$

De plus, ce ratio peut être comparé au ratio du délai de recouvrement moyen ou à la norme du secteur afin de mesurer la gestion de l'entreprise par rapport à celle des entreprises semblables dans la même industrie. Si le ratio du délai de recouvrement est supérieur à ladite norme, la gestion des créances de l'entreprise doit être revue et les créances les plus anciennes doivent être perçues le plus tôt possible afin de corriger la situation.

3.4 Le ratio de rotation des immobilisations

Il est important pour l'entreprise de déterminer si ses immobilisations sont utilisées de manière productive et efficace. Pour mesurer l'utilisation des immobilisations, nous pouvons calculer le ratio de rotation des immobilisations comme suit :

$$\textit{ratio de rotation des immobilisations} = \frac{\textit{ventes}}{\textit{immobilisations nettes}}$$

Ce ratio représente le montant des ventes en dollars générées par l'utilisation des immobilisations nettes. Plus ce ratio est élevé et plus les immobilisations sont mises à profit. Par exemple, un ratio de 1,2 signifie que 1,00 $ d'immobilisations génère 1,20 $ de ventes.

Ce ratio peut être comparé à la norme du secteur. En supposant que cette norme soit égale à 2,4, nous pouvons conclure que l'entreprise génère moitié moins de dollars en ventes par dollar d'immobilisations que les entreprises semblables de l'industrie.

Nous devons cependant noter que l'interprétation du ratio de rotation des immobilisations ne doit pas se faire de manière mécanique. En effet, une entreprise qui vient d'investir dans les immobilisations va avoir un ratio de rotation des immobilisations nettes faible. Or, une entreprise qui investit dans ses équipements ne peut que devenir plus productive et plus concurrentielle dans le futur. Un faible ratio de rotation des immobilisations n'est donc pas nécessairement négatif.

Pour caractériser le quatrième volet de l'analyse de la performance d'une entreprise, à savoir la rentabilité, nous aurons recours à une autre catégorie de ratios présentés dans la section suivante.

4. Les ratios de rentabilité

Les ratios de rentabilité ont pour objectif de mesurer la rentabilité de l'entreprise. Il en existe plusieurs, mais nous allons nous intéresser à ceux qui sont le plus fréquemment utilisés, à savoir :

- la marge bénéficiaire brute et nette,

- le ratio de rentabilité de l'actif,
- le ratio de rentabilité de l'avoir des actionnaires,
- le bénéfice par action,
- le ratio cours/bénéfice.

4.1 La marge bénéficiaire brute et nette

La marge bénéficiaire brute est basée sur les rubriques de l'état des résultats de l'entreprise et relie les ventes de l'entreprise à ses coûts directs de production.

Pour calculer la marge bénéficiaire brute, nous procédons comme suit :

$$\textit{marge bénéficiaire brute} = \frac{\textit{bénéfice brut}}{\textit{ventes totales}}$$

où :

$$\textit{bénéfice brut} = \textit{ventes totales} - \textit{coût des marchandises vendues}$$

Ce ratio donne la marge brute dégagée pour chaque dollar de ventes.

Il est également possible de calculer la marge bénéficiaire nette de la manière suivante :

$$\textit{ratio de la marge bénéficiaire nette} = \frac{\textit{bénéfice net (avant impôts)}}{\textit{ventes totales}}$$

Vous remarquerez que ce ratio est basé sur le bénéfice net *avant impôts*, et non après impôts. Vu que les entreprises ne sont pas imposables de la même façon, il vaut donc mieux utiliser le *bénéfice avant impôts* pour des fins de comparaison.

Plus la marge bénéficiaire brute (ou la marge bénéficiaire nette) est élevée, plus le bénéfice brut (ou net) réalisé par dollar de ventes est élevé. Par exemple, si la marge bénéficiaire brute d'une entreprise est de 13 %, cela indique que, pour chaque tranche de 100 $ de ventes, l'entreprise réalise un bénéfice brut de 13 $.

Ce ratio peut aussi être comparé à la norme de l'industrie. En supposant que cette norme est de 25 % pour l'industrie, nous pouvons donc déduire que l'entreprise analysée est relativement moins rentable par rapport à l'industrie. Ceci pourrait être dû à une baisse du prix des produits vendus ou encore à une hausse du prix des matières premières.

Ces ratios ne permettent pas de mettre le doigt sur la raison pour laquelle la marge bénéficiaire brute ou la marge bénéficiaire nette évoluent dans tel ou tel sens. De plus, dans le cas de la marge bénéficiaire nette, le calcul est basé sur le bénéfice net qui, comme nous l'avons vu au chapitre 8, est tributaire des choix comptables de l'entreprise.

4.2 Le ratio de rentabilité de l'actif

Le ratio de rentabilité de l'actif, fréquemment utilisé, indique, en pourcentage, le bénéfice réalisé pour chaque dollar investi dans l'actif.

Le ratio de rentabilité de l'actif se calcule comme suit :

$$\textit{ratio de rentabilité de l'actif} = \frac{\textit{bénéfice net (avant impôts)}}{\textit{actif total}}$$

Ce ratio mesure le bénéfice réalisé par l'ensemble des capitaux investis dans les actifs de même que l'efficacité globale de la gestion de l'entreprise.

Plus ce ratio est élevé, plus les actifs sont productifs en matière de bénéfice et plus la gestion est efficace. Il peut être comparé à la norme du secteur pour déterminer le degré de rentabilité de l'entreprise. Ainsi, supposons que ce ratio est égal à 73 % pour une entreprise donnée, et que celui du secteur est égal à 34 %; on peut dire alors que l'entreprise est plus rentable que les entreprises semblables du secteur.

Néanmoins, une rentabilité élevée de l'actif n'est pas nécessairement bonne puisqu'elle pourrait indiquer que l'entreprise n'a pas acheté de nouveaux actifs et que, par conséquent, il y a de fortes chances qu'ils soient désuets. De même, une faible rentabilité de l'actif n'est pas nécessairement mauvaise puisqu'elle pourrait indiquer que l'entreprise vient de faire l'acquisition d'actifs pour remplacer les actifs désuets.

Par ailleurs, compte tenu que le calcul de ce ratio de rentabilité de l'actif est basé sur le bénéfice net, l'interprétation et la comparabilité de ce ratio doivent être nuancées puisque, comme nous l'avons constaté dans le chapitre 8, le bénéfice net est particulièrement sensible aux choix comptables.

Finalement, l'actif total peut fluctuer d'une période à une autre à la suite, justement, de l'acquisition et de la vente d'actifs. Par conséquent, la rentabilité de l'actif peut être calculée sur la base de l'actif moyen plutôt que d'après l'actif total. L'actif moyen correspond à la moyenne des niveaux d'actifs en début et en fin d'exercice financier.

4.3 Le ratio de rentabilité de l'avoir des actionnaires

Le ratio de rentabilité de l'avoir des actionnaires, ou de rentabilité du capital-action (ou des fonds propres), est une mesure directe de l'enrichissement des actionnaires qui permet de déterminer le bénéfice net avant impôts généré par les capitaux investis par les actionnaires. Il se calcule comme suit :

$$\textit{ratio de rentabilité de l'avoir des actionnaires} = \frac{\textit{bénéfice net (avant impôts)}}{\textit{avoir des actionnaires}}$$

Plus ce taux est élevé, plus l'entreprise est rentable. Ainsi, un ratio de 12,6 % peut être interprété comme suit : pour chaque tranche de 100 $ qu'ils investissent, les actionnaires reçoivent 12,60 $.

Ce taux peut être comparé à la norme de l'industrie. Ainsi, si le taux de rendement d'une entreprise est plus élevé que ladite norme, alors les actionnaires sont gagnants. Le capital qu'ils ont investi dans l'entreprise rapporte plus qu'un même montant investi dans les entreprises semblables du secteur. Par contre, si les autres entreprises du secteur récompensent leurs actionnaires plus généreusement, les actionnaires de l'entreprise analysée sont relativement perdants.

Tout comme pour le ratio de rentabilité de l'actif, le ratio de rentabilité de l'avoir des actionnaires est largement tributaire des choix comptables. De plus, l'avoir des actionnaires peut varier d'une période à une autre, ce qui peut fausser l'interprétation du ratio. Afin de remédier à ce problème, on peut alors considérer le capital-action moyen au dénominateur, soit la moyenne des niveaux du capital-action sur deux années consécutives.

4.4 Le bénéfice par action

Le bénéfice par action (*BPA*) évalue la valeur de l'action (ordinaire) d'une entreprise en mesurant le montant de bénéfice net généré pour chaque action ordinaire. Ce ratio est particulièrement important pour l'investisseur potentiel qui a des fonds à placer. Il est aussi l'un des ratios les plus utilisés sur les marchés boursiers pour évaluer l'évolution de la rentabilité de l'entreprise dans le temps : en effet, ce ratio ne peut servir qu'à une comparaison interne avec les ratios antérieurs de l'entreprise.

Le bénéfice par action se calcule comme suit :

$$BPA = \frac{\textit{bénéfice net après impôts}}{\textit{nombre d'actions en circulation}}$$

Le nombre d'actions en circulation correspond à la moyenne du nombre d'actions en circulation pour deux années consécutives.

Supposons qu'une entreprise a un *BPA* égal à 0,53 $. Ceci traduit le fait que chaque action ordinaire en circulation a généré 0,53 $ de bénéfice net après impôts.

Plus le *BPA* est élevé, plus les actionnaires s'enrichissent.

4.5 Le ratio cours/bénéfice

Le ratio cours/bénéfice (*C/B*) est usuel sur les marchés boursiers. Il correspond au nombre d'années nécessaire pour recouvrer la mise de fonds dans chaque action. Ce ratio se calcule comme suit :

$$C/B = \frac{\textit{prix de l'action sur le marché}}{\textit{bénéfice par action de l'entreprise}}$$

Plus ce ratio est élevé, plus l'entreprise est bien perçue par les investisseurs. En effet, plus le ratio est élevé et plus il faut d'années pour récupérer le montant investi dans l'achat d'une action. Par conséquent, si nous comparons le ratio *C/B* pour deux entreprises, celle qui est perçue plus favorablement est celle qui obtient le ratio le plus élevé. C'est aussi celle dont le prix de l'action est le plus élevé en termes relatifs.

L'inverse de ce ratio, soit :

$$\frac{\textit{bénéfice par action de l'entreprise}}{\textit{prix de l'action sur le marché}}$$

est aussi un ratio de mesure du rendement annuel de l'action de l'entreprise. Il indique le taux de rendement que peut espérer obtenir un nouvel investisseur en achetant une action ordinaire de l'entreprise.

L'utilisation du ratio *C/B* peut prêter à confusion puisqu'il est basé sur le bénéfice net par action et non sur les flux monétaires de l'entreprise, qui sont pourtant ce que les investisseurs achètent. En effet, le niveau du bénéfice est tributaire des choix comptables, comme nous l'avons vu au chapitre 8. Ainsi, si l'entreprise procède à des achats d'actifs, la charge d'amortissement va augmenter, ce qui va diminuer le bénéfice net (ou le *BPA*). D'un autre côté, les flux monétaires d'exploitation devraient augmenter, d'où une augmentation du ratio *C/B*. Étant donné l'augmentation des flux monétaires, les investisseurs seront prêts à payer l'action plus cher, ce qui confirme que le marché reconnaît la valeur des flux monétaires et non celle des bénéfices comptables.

Maintenant que nous avons appris comment calculer les différents ratios financiers nécessaires à l'évaluation de la performance de l'entreprise en ce qui concerne la solvabilité (à court et à long terme), la gestion et la rentabilité, nous allons présenter, dans la section suivante, le système d'analyse Dupont. Il s'agit d'un système d'analyse qui combine différentes catégories de ratios dans le but d'évaluer l'entreprise par rapport à son objectif principal, qui est la maximisation de l'enrichissement de ses actionnaires.

5. Le système d'analyse Dupont

Le système d'analyse Dupont est un système d'analyse de l'entreprise qui est basé sur différents ratios financiers. L'idée de base de ce système est que l'objectif premier de l'entreprise est de maximiser l'enrichissement de ses actionnaires. Afin de réaliser un tel objectif, l'entreprise doit:

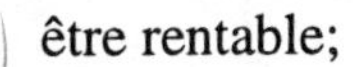

- être rentable;
- gérer ses ressources de manière efficace;
- utiliser l'endettement de manière optimale.

Comme nous l'avons montré tout au long de ce chapitre, il existe des ratios financiers spécifiques pour évaluer chacune de ces facettes de la performance de l'entreprise. Ainsi, on aura recours au ratio de la marge bénéficiaire nette pour évaluer la rentabilité, au ratio de rotation de l'actif pour mesurer l'efficacité ou la gestion et, finalement, au ratio de l'actif sur l'avoir des actionnaires pour mesurer la structure financière (ou la solvabilité à long terme). Les figures 13.1 et 13.2 illustrent cette situation.

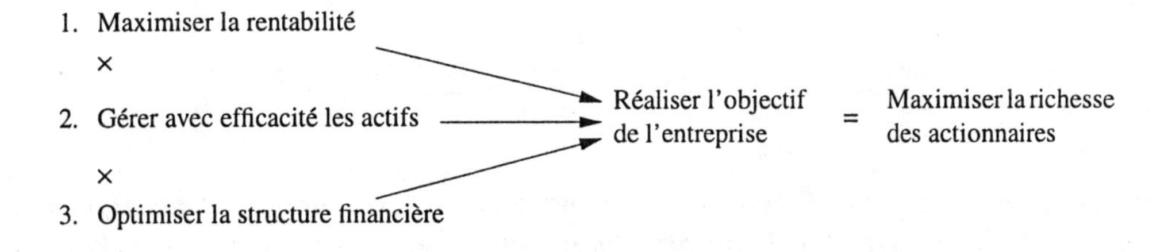

FIGURE 13.1
Le système d'analyse Dupont

La relation entre les ratios telle qu'elle est illustrée à la figure 13.2 peut aussi se traduire algébriquement. En effet, la marge bénéficiaire nette multipliée par le ratio de rotation de l'actif et par le ratio de l'actif total sur l'avoir des actionnaires (ou plus simplement *l'actif sur l'avoir*) aboutit au ratio de rentabilité de l'avoir des actionnaires qui est, d'un point de vue comptable, la mesure par excellence de l'enrichissement des actionnaires puisque ce ratio mesure, comme nous l'avons vu précédemment, le bénéfice généré par la mise de fonds des actionnaires.

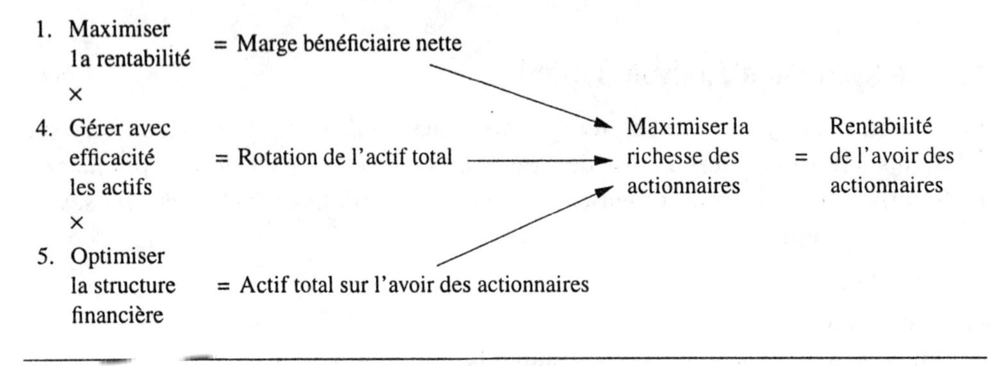

FIGURE 13.2
La relation entre les ratios dans le système d'analyse Dupont

Algébriquement :

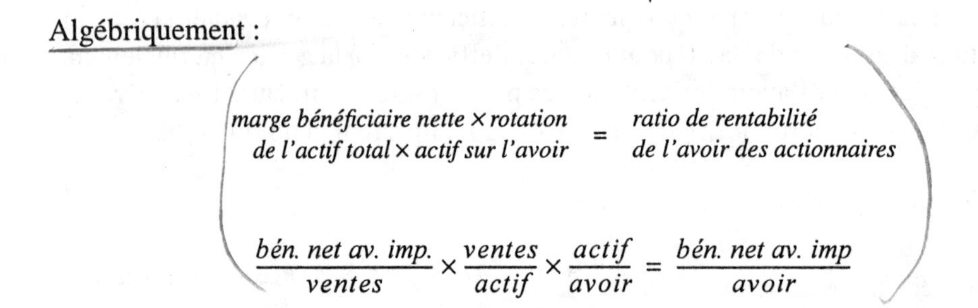

$$\text{marge bénéficiaire nette} \times \text{rotation de l'actif total} \times \text{actif sur l'avoir} = \text{ratio de rentabilité de l'avoir des actionnaires}$$

$$\frac{\text{bén. net av. imp.}}{\text{ventes}} \times \frac{\text{ventes}}{\text{actif}} \times \frac{\text{actif}}{\text{avoir}} = \frac{\text{bén. net av. imp}}{\text{avoir}}$$

où, pour simplifier la notation, *l'avoir* est synonyme de *l'avoir des actionnaires*, tandis que *l'actif* est synonyme de *l'actif total*. Ainsi, l'enrichissement maximal des actionnaires est obtenu en combinant une gestion optimale de la rentabilité, de l'efficacité et de la structure financière.

En reprenant le cas de l'entreprise analysée, nous pouvons regrouper les ratios pertinents dans le cadre du système Dupont afin de déterminer si l'entreprise a permis à ses actionnaires de maximiser leur enrichissement.

En supposant que les ratios de l'entreprise analysée sont les suivants (les chiffres entre parenthèses sont ceux de l'industrie), nous dressons à la figure 13.3 le système d'analyse Dupont, soit :

– ratio de rentabilité de l'avoir des actionnaires :	12,8 %	(12,6 %)
– ratio de la marge bénéficiaire nette :	5,4 %	(4,0 %)
– ratio de rotation de l'actif :	1,9	(1,5)
– ratio de l'actif total sur l'avoir des actionnaires :	1,25	(2,1)

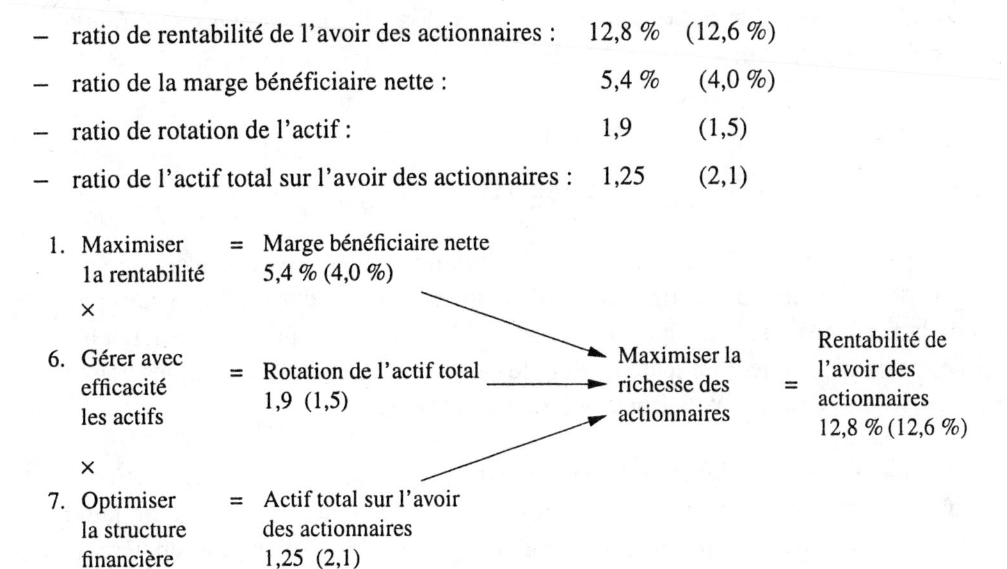

FIGURE 13.3
Le système Dupont : un exemple

À l'examen de la figure 13.3, nous pouvons tirer les conclusions suivantes : *a priori*, l'entreprise a connu une performance financière légèrement supérieure à celle de son industrie avec une rentabilité de l'avoir des actionnaires de 12,8 %, comparativement à la moyenne du secteur qui est de 12,6 %. Nous pouvons voir que cette performance est principalement due à la meilleure rentabilité de l'entreprise par rapport à celle de l'industrie et à une meilleure efficacité dans la rotation de l'actif. Par contre, l'actif total sur l'avoir des actionnaires (1,25) de l'entreprise a été moindre que celui de l'industrie qui affiche un ratio correspondant moyen de 2,1. Ces ratios semblent indiquer que l'entreprise utilise relativement moins de dettes que de fonds propres pour financer ses actifs.

Pour aller au-delà de cette analyse et identifier les facteurs qui déterminent la performance de l'entreprise, on doit calculer tout un ensemble de ratios pour chacune des catégories. Les ratios calculés tout au long de ce chapitre pour les différentes facettes de la performance de l'entreprise nous permettent donc d'analyser plus en profondeur la situation de l'entreprise.

Conclusion

L'objectif premier de l'entreprise étant de maximiser la richesse des actionnaires, celle-ci doit se donner des outils pour évaluer son efficacité dans les différentes facettes de la performance. L'analyse de la performance de l'entreprise est généralement basée sur un ensemble d'indicateurs dont le calcul est basé sur les rubriques comptables rapportées dans les états financiers de l'entreprise.

Le système d'analyse Dupont est un système qui permet de déterminer si l'entreprise a réalisé son objectif principal, celui d'enrichir ses actionnaires, en exploitant la relation qui existe entre les ratios de rentabilité, de gestion et de structure financière. Le chapitre suivant met directement en application cette méthode d'analyse par les ratios.

Les activités d'apprentissage

Questions

1. Expliquez en quoi consiste l'analyse financière.

2. À quoi servent les ratios financiers?

3. Expliquez ce que sont les ratios de structure financière.

4. Identifiez et donnez la définition des différents ratios qui permettent de mesurer la structure financière d'une entreprise.

5. Expliquez ce que sont les ratios de liquidité.

6. Identifiez et donnez la définition des différents ratios qui permettent d'analyser la liquidité d'une entreprise.

7. Expliquez ce que sont les ratios de gestion.

8. Identifiez et donnez la définition des différents ratios de gestion.

9. Expliquez ce que sont les ratios de rentabilité.

10. Identifiez et donnez la définition des différents ratios de rentabilité.

11. Expliquez ce qu'est le système Dupont.

Problèmes

1. À partir du bilan et de l'état des résultats de la société Modulex, calculez les différents ratios présentés dans ce chapitre. (Notez qu'il est préférable de lire le chapitre 14 avant de s'attaquer à ce problème.)

Bilan de Modulex

	Dernier exercice	*Avant-dernier exercice*
Actif		
Actif à court terme		
Encaisse	9 062 $	4 906 $
Valeurs réalisables	226	226
Comptes clients	406 202	377 608
Stocks	228 402	240 334
Frais payés d'avance	22 236	20 680
	666 128	643 754
Placements	16 000	26 286
Avances	2 674	388
Montant à recevoir	10 542	8 310
	29 216	34 984
Immobilisations		
Terrains	31 296	28 086
Bâtiments	198 306	127 020
Matériel	107 346	89 106
	336 948	244 212
Moins : amortissement accumulé	79 090	67 712
	257 858	176 500
Achalandage non amorti	5 026	4 692
Total de l'actif	958 228 $	859 930 $

Bilan de Modulex

	Dernier exercice	*Avant-dernier exercice*
Passif et avoir des actionnaires		
Passif à court terme		
Emprunts à court terme	126 052 $	143 868 $
Comptes fournisseurs	80 388	62 450
Salaires, loyers et intérêts	31 560	30 764
Impôts	16 130	10 658
Régime d'achat d'actions	2 638	4 154
Dividendes	3 760	3 712
	260 528	255 606
Dette à long terme	366 316	295 662
Impôts reportés	18 456	14 704
	645 300	565 972
Avoir des actionnaires		
4 978 actions privilégiées	49 774	40 210
26 400 actions ordinaires	110 000	110 000
	159 774	150 210
Bénéfices non répartis	153 154	143 748
	312 928	293 958
Total du passif et de l'avoir des actionnaires	958 228 $	859 930 $

Note : Le cours de l'action de Modulex sur le marché boursier, à la date où ces états financiers ont été établis, est de 9,50 $.

État des résultats de Modulex

	Dernier exercice	*Avant-dernier exercice*
Ventes nettes	1 293 774 $	1 230 022 $
Autres produits	1 408	1 586
	1 295 182	1 231 608
Coût des marchandises vendues	1 178 750	1 112 596
Bénéfice d'exploitation	116 432	119 012
Provision pour amortissement	15 410	12 676
Taxes municipales	11 410	10 354
Cotisations, régime de retraite	5 556	6 854
Bénéfice avant intérêts et impôts	84 056	89 128
Intérêts sur la dette à long terme	24 756	17 834
Autres intérêts	9 422	9 604
Bénéfice avant impôts	49 878	61 690
Impôts	25 478	31 252
Bénéfice net	24 400 $	30 438 $

ANNEXE 13.1
Les ratios financiers présentés dans ce chapitre

Les ratios de structure financière

$$\text{ratio d'endettement} = \frac{\text{passif total}}{\text{actif total}}$$

$$\text{ratio de la dette sur l'avoir des actionnaires} = \frac{\text{passif total}}{\text{avoir des actionnaires}}$$

$$\text{ratio de l'actif total sur l'avoir des actionnaires} = \frac{\text{actif total}}{\text{avoir des actionnaires}}$$

$$\text{ratio de couverture des intérêts} = \frac{\text{bénéfice avant intérêts et impôts (BAII)}}{\text{intérêts}}$$

$$\text{ratio de couverture des charges fixes} = \frac{\text{bénéfice avant charges fixes}}{\text{charges fixes}}$$

Les ratios de liquidité

$$\text{ratio de liquidité générale} = \frac{\text{actif à court terme}}{\text{passif à court terme}}$$

$$\text{ratio de liquidité immédiate} = \frac{\text{(actif à court terme – stocks)}}{\text{passif à court terme}}$$

$$\text{ratio de l'intervalle défensif} = \frac{\text{actif à court terme (liquide)}}{\text{décaissements quotidiens}}$$

Les ratios de gestion

$$\text{ratio de rotation de l'actif} = \frac{\text{ventes}}{\text{actif total}}$$

$$\text{ratio de rotation des stocks} = \frac{\text{coût des marchandises vendues}}{\text{stocks}}$$

ou

$$\frac{\text{365 jours}}{\text{(coût des marchandises vendues/stocks)}}$$

$$\textit{ratio du délai de recouvrement des créances} = \frac{\textit{ventes à crédit}}{\textit{comptes clients}}$$

ou

$$\frac{365\ \textit{jours}}{(\textit{ventes à crédit / comptes clients})}$$

$$\textit{ratio de rotation des immobilisations} = \frac{\textit{ventes}}{\textit{immobilisations nettes}}$$

Les ratios de rentabilité

$$\textit{marge bénéficiaire nette*} = \frac{\textit{bénéfice net (avant impôts)}}{\textit{ventes totales}}$$

$$\textit{ratio de rentabilité de l'actif} = \frac{\textit{bénéfice net (avant impôts)}}{\textit{actif total}}$$

$$\textit{ratio de rentabilité de l'avoir des actionnaires} = \frac{\textit{bénéfice net (avant impôts)}}{\textit{avoir des actionnaires}}$$

$$BPA = \frac{\textit{bénéfice net après impôts}}{\textit{nombre d'actions en circulation}}$$

$$C/B = \frac{\textit{prix de l'action sur le marché}}{\textit{bénéfice par action de l'entreprise}}$$

Le système d'analyse Dupont

$$\textit{marge bénéficiaire nette} \times \textit{rotation de l'actif total} \times \textit{actif sur l'avoir} = \textit{ratio de rentabilité de l'avoir des actionnaires}$$

$$\frac{\textit{bén. net av. imp.}}{\textit{ventes}} \times \frac{\textit{ventes}}{\textit{actif}} \times \frac{\textit{actif}}{\textit{avoir}} = \frac{\textit{bén. net av. imp}}{\textit{avoir}}$$

---

* $\textit{marge bénéficiaire brute} = \frac{\textit{bénéfice brut}}{\textit{ventes totales}}$

où :

$\textit{bénéfice brut} = \textit{ventes totales} - \textit{coût des marchandises vendues}$

Chapitre 14

Une application de l'analyse par les ratios

Schéma d'intégration des contenus

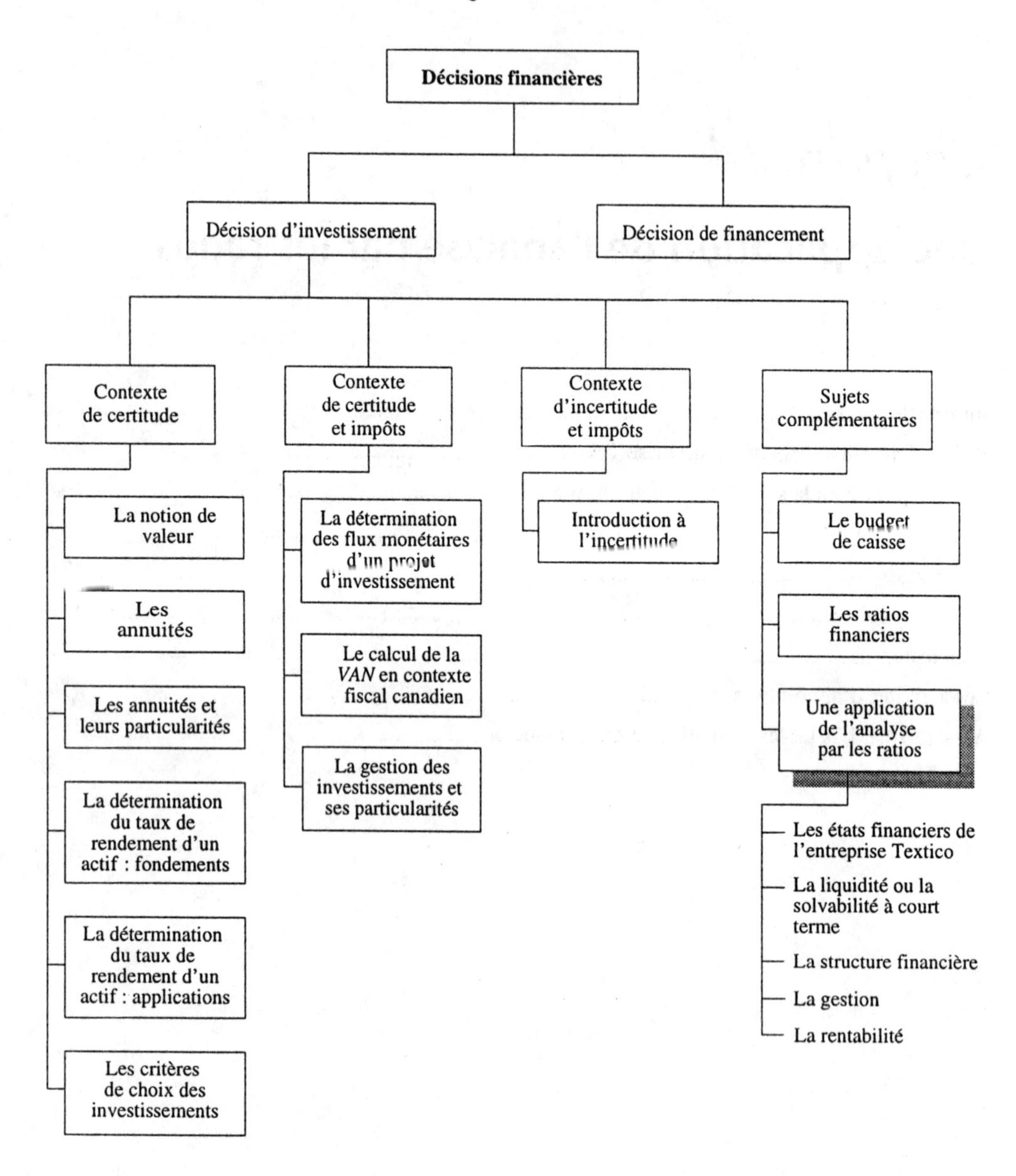

La lecture du présent chapitre devrait vous permettre, à l'aide d'un cas particulier, de mieux vous familiariser avec l'analyse par les ratios.

Introduction

Le chapitre précédent vous a initié aux différents ratios financiers dont dispose le gestionnaire et qui sont destinés à faire un diagnostic de la situation de l'entreprise. Comme nous l'avons vu, il est primordial que le gestionnaire établisse un suivi de la situation de l'entreprise afin de mettre à jour les problèmes auxquels l'entreprise peut faire face et pouvoir ainsi y remédier à temps. De plus, l'analyse de la situation de l'entreprise permet de déterminer sa solvabilité (à court et à long terme), l'efficacité de sa gestion et sa rentabilité.

Ce chapitre permettra de mettre en application la méthode d'analyse par les ratios. Comme nous l'avons vu précédemment, l'analyse par les ratios repose sur les états financiers, soit le bilan, l'état des résultats et l'état de l'évolution de la situation financière. Nous allons donc déterminer la situation d'une entreprise en ce qui a trait à sa solvabilité, à sa gestion et à sa rentabilité. Les états financiers de l'entreprise Textico nous serviront d'exemple.

1. Les états financiers de l'entreprise Textico

Soit le cas d'une entreprise fictive, Textico, qui œuvre dans l'industrie textile. Les états financiers de cette entreprise sont présentés dans les pages qui suivent.

Bilan de Textico
au 30 septembre

	20X1	*20X0*
Actif		
Actif à court terme		
Encaisse	14 600 $	10 200 $
Placements à court terme	5 000	15 000
Débiteurs	430 000	470 000
Stocks	655 800	680 700
Frais payés d'avance	7 800	7 200
	1 113 200	1 183 100
Immobilisations		
Terrain	50 000	50 000
Usine	480 000	450 000
Machinerie et équipement	300 000	250 000
Matériel roulant	70 000	70 000
	900 000	820 000
Moins : amortissement cumulé	500 000	396 500
	400 000	423 500
Terrain et usine – vieux dépôts	75 000	75 000
	475 000	498 500
Autres		
Brevet de fabrication	55 000	60 500
Total de l'actif	1 643 200 $	1 742 100 $
Passif et avoir des actionnaires		
Passif à court terme		
Avances bancaires	250 000 $	270 000 $
Créditeurs	413 931	420 000
Frais à payer	30 000	60 000
Impôts et taxes à payer	20 000	50 000
Dette à long terme à échéance de moins d'un an	42 000	42 000
	755 931	842 000
Passif à long terme		
Prêt hypothécaire à payer (12,5 %)	220 250	232 250
Prêt hypothécaire à payer (16 %)	300 000	330 000
	520 250	562 250
Avoir des actionnaires		
Actions privilégiées (10 000)	100 000	100 000
Actions ordinaires (10 000)	150 000	150 000
Bénéfices non répartis	117 019	87 850
	367 019	337 850
Total du passif et de l'avoir des actionnaires	1 643 200 $	1 742 100 $

État des résultats

	20X1	*20X0*
Ventes	4 075 500 $	4 250 500 $
Coût des marchandises vendues		
Stock initial	680 700	652 300
Matières premières	1 825 400	1 945 500
Main-d'œuvre	688 100	703 910
Frais de fabrication	762 400	790 400
Amortissement – immobilisations	80 500	74 000
	4 037 100	4 166 110
Moins : stock final	655 800	680 700
	3 381 300	3 485 410
Bénéfice brut	694 200	765 090
Salaires	268 120	297 500
Publicité	81 000	84 000
Frais de bureau	129 965	158 290
Amortissement – immobilisations	23 000	22 000
Amortissement – brevet	5 500	5 500
Intérêts : banque	50 750	48 500
Intérêts : prêt hypothécaire	78 681	81 981
	637 016	697 771
Bénéfice avant impôts	57 184	67 319
Impôts à payer	20 015	23 561
Bénéfice net	37 169 $	43 758 $

État de l'évolution de la situation financière
pour l'exercice terminé le 30 septembre

	20X1
Liquidités provenant de l'exploitation	
Bénéfice net de l'exercice	37 169 $
Dépenses n'entraînant pas de sorties de fonds	
Amortissement	109 000
	146 169
Variation nette des soldes hors liquidité de fonds de roulement	(21 769)
	124 400
Activités d'investissement	
Addition aux biens de production	(80 000)
Activités de financement	
Remboursement des hypothèques	42 000
Dividendes sur actions privilégiées	8 000
Sorties nettes	(50 000)
Diminution des liquidités de l'exercice	(5 600)
Situation des liquidités en début d'exercice	25 200
Situation des liquidités en fin d'exercice	19 600 $

Sur la base de ces états financiers, nous allons établir les différentes catégories de ratios financiers développées au chapitre 13. Le but est de faire un diagnostic de la situation de l'entreprise.

2. La liquidité ou la solvabilité à court terme

Comme nous l'avons vu précédemment, les ratios de liquidité permettent de déterminer la capacité de l'entreprise à faire face à ses paiements à court terme. Les paiements à court terme dont il est question ici se retrouvent dans le bilan sous la rubrique du passif à court terme.

Les ratios de liquidité vus dans le chapitre précédent incluent le ratio de liquidité générale (ou ratio du fonds de roulement), le ratio de liquidité immédiate (ou ratio de trésorerie) et le ratio de l'intervalle défensif. Nous les calculons tous les trois en prenant bien soin de les comparer aux normes respectives de l'industrie du textile afin de mettre en évidence si l'entreprise est dans une meilleure ou une pire situation que les entreprises semblables qui œuvrent dans la même industrie.

Ces trois ratios de liquidité sont donnés dans le tableau suivant :

Ratio	Valeur	Norme de l'industrie
Ratio de liquidité générale = actif à court terme/passif à court terme	20X1 : 1,47 20X0 : 1,41	1,75
Ratio de liquidité immédiate = actif à court terme – stocks/passif à court terme	20X1 : 0,61 20X0 : 0,60	1
Ratio de l'intervalle défensif = actif à court terme (liquide)/décaissements quotidiens	20X1 : 42 jours 20X0 : 44 jours	70 jours

1. Le ratio de liquidité générale : nous pouvons voir que, pour Textico, ce ratio est en dessous de la norme, ce qui pourrait faire en sorte que l'entreprise se retrouve à court de liquidités lorsque viendra le temps de rembourser le passif à court terme à même son actif à court terme. L'entreprise génère donc un fonds de roulement inférieur à celui des autres entreprises du secteur, ce qui peut la mettre dans une situation précaire.

2. Le ratio de liquidité immédiate : ce ratio constitue, comme nous l'avons vu antérieurement, une mesure plus rigoureuse de la solvabilité à court terme puisqu'il ne tient compte que des éléments les plus liquides de l'actif à court terme de l'entreprise, en excluant les stocks. Or, nous voyons que ce ratio démontre bien la

situation précaire de l'entreprise par rapport à l'industrie puisqu'elle ne peut faire face à ses paiements à court terme qu'à raison d'environ 60 %, ses ressources étant insuffisantes pour tout couvrir. La différence entre le ratio de liquidité immédiate et le ratio de liquidité générale démontre donc que l'entreprise dispose d'un niveau de stocks élevé.

3. Le ratio de l'intervalle défensif : comme nous l'avons vu, ce ratio permet de déterminer le nombre de jours pendant lesquels l'entreprise serait en mesure de faire face à ses débours à même ses ressources, sans compter sur aucune entrée de fonds. Plus ce ratio est élevé, plus l'entreprise est à l'abri. Or, il s'avère que pour notre entreprise, cet intervalle défensif est très inférieur à la norme de l'industrie. L'entreprise ne peut donc pas faire face à ses échéances à court terme à même ses ressources au-delà de 42 jours comparativement à 70 jours pour l'industrie.

Ainsi, après le calcul de ces différents ratios de liquidité, nous pouvons conclure que, *a priori*, le risque d'insolvabilité à court terme de l'entreprise Textico est assez élevé.

Il est essentiel à cet égard que le gestionnaire de l'entreprise établisse un budget de caisse qui, comme nous l'avons vu au chapitre 12, est un budget prévisionnel des recettes et des dépenses de l'entreprise qui permet de déterminer les besoins de financement de l'entreprise, ce qui donne au gestionnaire la latitude de réagir au plus tôt pour corriger la situation.

Afin de corriger le problème de l'entreprise en ce qui a trait à la gestion de sa liquidité qui, comme nous venons de le voir, est assez précaire, il y aurait deux possibilités. D'abord, l'entreprise étant trop endettée à court terme par rapport à ses ressources, il faudrait que les gestionnaires de l'entreprise trouvent un moyen pour diminuer cet endettement à court terme (au dénominateur des ratios considérés), soit en vendant des éléments d'actif, soit en empruntant à long terme ou encore en faisant appel aux actionnaires de l'entreprise afin qu'ils injectent des fonds.

L'autre possibilité consisterait à augmenter l'actif à court terme (au numérateur des ratios considérés), soit en revendant des éléments d'actif à long terme pour financer les actifs à court terme, soit en contractant un emprunt à long terme ou encore en faisant appel aux actionnaires pour une injection de fonds. Comme nous n'avons pas encore analysé la situation de l'entreprise en ce qui regarde l'endettement, nous attendrons donc avant de suggérer des solutions.

3. La structure financière

Les différents ratios de structure financière tels que nous les avons vus dans le chapitre précédent permettent de mesurer l'endettement à long terme de l'entreprise par rapport aux ressources totales de l'entreprise. Les ratios de structure financière qui sont calculés sont regroupés dans le tableau suivant :

Ratio	Valeur	Norme de l'industrie
Ratio d'endettement = passif total/actif total	20X1 : 78 % 20X0 : 81 %	50 %
Ratio de la dette sur l'avoir des actionnaires = passif total/avoir des actionnaires	20X1 : 3,5 20X0 : 4,2	2
Ratio de couverture des intérêts = bénéfice avant intérêts et impôts (BAII)/intérêts	20X1 : 1,4 20X0 : 1,5	4,0
Ratio de couverture des charges fixes = bénéfice avant charges fixes/charges fixes	20X1 : 0,90 20X0 : 0,95	2,2

1. Le ratio d'endettement : nous pouvons voir que la part du passif total (ou de la dette totale) par rapport à l'actif total est élevée, ce qui suggère que l'entreprise a près de 80 $ de dette à long terme pour 100 $ d'actifs. Afin de diminuer ce ratio, il faudrait une mise de fonds de la part des actionnaires, car un endettement supplémentaire serait difficile à obtenir et, de plus, rendrait l'entreprise encore plus endettée, donc plus risquée.

2. Le ratio de la dette sur l'avoir des actionnaires mesure l'importance relative de la dette par rapport aux capitaux investis par les actionnaires. Plus il est élevé, plus la solvabilité de l'entreprise est précaire. Ici, le ratio (3,5) est trop élevé par rapport à la norme de l'industrie (2).

3. Le ratio de couverture des intérêts et le ratio de couverture des charges fixes : ces ratios montrent que l'entreprise a du mal à faire face aux charges fixes et aux dépenses d'intérêts puisque le bénéfice avant intérêts et impôts *(BAII)* couvre à peine les intérêts et les charges fixes.

Le bénéfice, à la base de ces ratios, peut être déterminé de deux manières, à savoir :

bénéfice = *bénéfice net + impôts + intérêts*

ou

bénéfice = *ventes – coût des marchandises vendues – frais de vente et administration – salaires – publicité – frais de bureau – amortissement*

Le ratio de couverture des intérêts permet de déterminer dans quelle mesure le bénéfice peut absorber la totalité des intérêts. Moins ce ratio est élevé et plus la situation de l'entreprise est précaire, puisqu'elle ne peut couvrir le paiement de ses intérêts et qu'elle peut donc facilement être acculée à la faillite. De plus, comparée à la norme de l'industrie, la situation de l'entreprise, nous le voyons bien, est très sérieuse.

Le faible niveau du ratio de couverture des intérêts pourrait être dû à deux facteurs : soit que l'entreprise est très endettée et donc que la charge d'intérêts à payer l'est aussi, soit que le bénéfice de l'entreprise est trop faible. La première partie de cette analyse sur l'endettement nous a déjà permis de démontrer que l'entreprise avait des ratios particulièrement élevés, et donc des intérêts à payer aussi importants.

Le ratio de couverture des charges fixes permet pour sa part de mesurer l'aptitude de l'entreprise à faire face au paiement de ses charges fixes à même son bénéfice. Les charges fixes incluent, outre les intérêts, les remboursements des prêts hypothécaires et les contrats de location à long terme.

Pour l'entreprise analysée, la situation apparaît toujours sérieuse, car non seulement elle a de la difficulté à faire face à ses paiements d'intérêts, en raison de son niveau d'endettement élevé, mais elle a aussi de la difficulté à faire face au paiement de ses charges fixes à même son bénéfice.

4. La gestion

Comme nous l'avons vu au chapitre 13, les ratios de gestion permettent de déterminer si l'entreprise utilise ses ressources de manière efficace. Les ratios de gestion développés au chapitre 13 sont mis en application ici pour l'entreprise analysée et leur valeur respective est donnée dans le tableau suivant, avec les normes de l'industrie.

Ratio	Valeur	Norme de l'industrie
Ratio de rotation de l'actif = ventes/ actif total	20X1 : 2,48 20X0 : 2,44	2,75
Ratio du délai de recouvrement des créances = ventes à crédit/comptes clients	20X1 : 38,5 20X0 : 40,4	60 jours
Ratio de rotation des stocks = coût des marchandises vendues/stocks	20X1 : 5,2 20X0 : 5,1	7
Ratio de rotation des immobilisations = ventes/immobilisations nettes	20X1 : 8,6 20X0 : 8,5	10

1. Le ratio de rotation de l'actif mesure l'efficacité de l'entreprise à produire des ventes sur la base de l'actif total de l'entreprise (ou de son capital). Nous pouvons voir, à la lumière de ces chiffres, que la rotation de l'actif de l'entreprise est inférieure à la norme de l'industrie.

   Pour plus de détails, nous allons analyser ce ratio sur la base des différents éléments de l'actif, à savoir les immobilisations, les stocks et les comptes clients.

2. Le ratio du délai de recouvrement des créances : rappelons que ce ratio mesure le temps que met l'entreprise pour recouvrer ses comptes clients. Pour une gestion efficace des comptes clients, ce délai doit être le plus court possible. Pour l'entreprise analysée, nous voyons que le délai de recouvrement des comptes clients est inférieur à la norme de l'industrie, ce qui est en soi une bonne chose. Cependant, il est évident que ce délai ne doit pas être trop court, car cela traduirait une rigidité dans la politique de crédit. Dans le cas de Textico, le délai de recouvrement des comptes clients est court, traduisant ainsi d'une certaine façon le besoin de liquidité de l'entreprise pour faire face à ses déboursés immédiats, comme il a déjà été discuté dans la section précédente. Si le délai est trop court par rapport à celui de

l'industrie, la stratégie de vente de l'entreprise peut s'avérer moins efficace dans la mesure où les clients potentiels peuvent recourir aux services d'une autre entreprise qui est moins rigide en ce qui a trait au recouvrement (c.-à-d. qui offre des délais de recouvrement plus longs) ou tout au moins plus près de la norme du secteur.

3. Le ratio de rotation des stocks : ce ratio mesure l'aptitude de l'entreprise à renouveler ses stocks, et donc indirectement le niveau de ses ventes. En effet, plus les ventes sont élevées et plus vite les stocks sont renouvelés. Par conséquent, et comme nous l'avons vu dans le chapitre précédent, un ratio de rotation des stocks élevé traduit une gestion adéquate des stocks. Les ventes sont élevées, donc la rentabilité est plus élevée et les stocks sont remplacés plus rapidement. Il est évident que ce ratio ne peut être trop élevé, car cela signifierait que l'entreprise garde un niveau de stocks trop faible, et qu'elle peut donc se trouver à court de stocks devant la demande des clients. Par contre, un ratio faible traduit un niveau élevé de stocks, un faible niveau de ventes et des coûts d'entreposage associés à la gestion des stocks qui sont plus élevés. Pour Textico, ce ratio de rotation des stocks est inférieur à la norme de l'industrie. L'entreprise maintient donc un niveau élevé de stocks et la politique d'approvisionnement doit être revue, car les stocks sont supérieurs aux besoins de l'entreprise pour les ventes.

4. Le ratio de rotation des immobilisations : ce ratio permet, comme nous l'avons déjà vu, de déterminer l'efficacité de l'entreprise à gérer ses immobilisations. Pour Textico, ce ratio est inférieur à la norme de l'industrie. Un ratio de rotation des immobilisations faible pourrait indiquer que les immobilisations sont trop importantes comparativement au chiffre d'affaires réalisé par l'entreprise. Par conséquent, on peut dire que ces immobilisations ne sont pas pleinement utilisées. L'entreprise Textico semble donc détenir trop d'immobilisations et, à moins que ces immobilisations aient été acquises récemment pour remplacer les anciennes immobilisations devenues désuètes, la situation devra être corrigée.

5. La rentabilité

Afin d'évaluer la rentabilité de l'entreprise, nous faisons appel à quelques-uns des ratios de rentabilité développés au chapitre précédent, à savoir : la marge bénéficiaire nette, la marge bénéficiaire brute, le ratio de rentabilité de l'actif et le ratio de rentabilité de l'avoir des actionnaires. Ces ratios sont regroupés dans le tableau qui suit :

Ratio	Valeur	Norme de l'industrie
Ratio de la marge bénéficiaire brute = bénéfice brut/ventes totales	20X1 : 17 % 20X0 : 18 %	15 %
Ratio de la marge bénéficiaire nette = bénéfice net (avant impôts)/ventes totales	20X1 : 1,4 % 20X0 : 1,6 %	2 %
Ratio de rentabilité de l'actif = bénéfice net (avant impôts)/actif total	20X1 : 3,5 % 20X0 : 3,9 %	5,5 %
Ratio de rentabilité de l'avoir des actionnaires = bénéfice net (avant impôts)/avoir des actionnaires	20X1 : 15,6 % 20X0 : 19,9 %	15 %

1. La marge bénéficiaire brute et la marge bénéficiaire nette : entre 20X0 et 20X1, l'entreprise a réalisé une marge bénéficiaire brute supérieure à la norme de l'industrie. Ce ratio dépend toutefois de deux facteurs auxquels cette performance pourrait être due, soit un prix de vente élevé ou un coût d'achat faible. Afin d'avoir une réponse plus rigoureuse, nous faisons appel à la marge bénéficiaire nette qui, elle, dépend du bénéfice net et non du bénéfice brut. Il apparaît à ce calcul que la marge bénéficiaire nette de l'entreprise est inférieure à la norme, et cela malgré le fait que la marge bénéficiaire brute soit supérieure à la norme de l'industrie. On peut attribuer cette performance à des frais d'administration élevés ou à des frais financiers trop élevés. D'après les ratios calculés pour cette entreprise, nous savons déjà que l'entreprise est très endettée et doit donc faire face à des paiements élevés d'intérêts.

2. Le ratio de rentabilité de l'actif : le ratio de rentabilité de l'actif pour Textico est lui aussi inférieur à la norme de l'industrie. Pour chaque dollar d'actif, l'entreprise

ne génère que 3,50 $ de bénéfice net comparativement à 5,50 $ pour les entreprises du secteur.

3. Le ratio de rentabilité de l'avoir des actionnaires : le calcul de ce ratio montre que le rendement de l'avoir des actionnaires était supérieur à la norme de l'industrie pour l'année 20X0, mais est remonté au niveau de l'industrie en 20X1. Cela s'explique par le fait que l'entreprise s'est encore endettée pendant les deux dernières années. En effet, l'endettement a permis à l'entreprise d'augmenter son actif total, ce qui se traduit par un actif plus important relativement aux capitaux propres des actionnaires. Ceux-ci ont donc pu bénéficier d'un effet de levier.

Conclusion

Les ratios calculés pour Textico nous permettent de conclure que l'entreprise souffre de trois problèmes majeurs : un endettement lourd, de même que des niveaux de stocks et d'immobilisations élevés. Une solution consisterait à vendre des actifs et à s'en servir pour rembourser les dettes de l'entreprise. De même, si le niveau élevé des immobilisations n'est pas dû à une acquisition récente d'immobilisations, peut-être faudrait-il penser à en vendre une partie afin de minimiser les frais engagés par la détention de ces immobilisations inutilisées.

En ce qui concerne la structure financière de l'entreprise, nous avons vu que le niveau d'endettement élevé occasionnait des frais d'intérêts très élevés que l'entreprise peut rembourser avec peine. Les actionnaires pourraient ici injecter des fonds afin de rembourser l'emprunt dont le coût est le plus élevé. Cet apport de fonds par les actionnaires entraînerait une diminution de la dette de l'entreprise et une augmentation du capital-action. Le ratio d'endettement qui en résulterait serait donc inférieur à ce qu'il est actuellement. La réduction de la dette permettrait de réduire les frais financiers à payer ainsi que le risque financier de l'entreprise.

Les activités d'apprentissage

Problèmes

1. En vous inspirant de l'application de l'analyse par les ratios présentée au chapitre 14, commentez, en un maximum de deux pages, chacun des ratios calculés au problème 1 du chapitre 13 (Modulex). Supposez que les ratios du secteur sont les mêmes que ceux qui ont été présentés au chapitre 14.

2. Appliquez le système d'analyse Dupont à la société Modulex.

ANNEXE
Les tables de mathématiques financières

Table 1 Valeur future d'un montant unique de 1 $ $(1 + i)^n$

Table 2 Valeur actuelle d'un montant unique de 1$ $(1 + i)^{-n}$

Table 3 Valeur capitalisée d'une annuité de 1 $ $\left[\frac{(1 + i)^n - 1}{i}\right]$

Table 4 Valeur actuelle d'une annuité de 1 $ $\left[\frac{1 - (1 + i)^{-n}}{i}\right]$

Table 1 Valeur future d'un montant unique de 1 $ $(1 + i)^n$

n \ i	1 %	2 %	3 %	4 %	5 %	6 %	7 %	8 %	9 %	10 %	11 %	12 %	14 %	15 %	16 %	18 %	20 %	25 %
1	1,0100	1,0200	1,0300	1,0400	1,0500	1,0600	1,0700	1,0800	1,0900	1,1000	1,1100	1,1200	1,1400	1,1500	1,1600	1,1800	1,2000	1,2500
2	1,0201	1,0404	1,0609	1,0816	1,1025	1,1236	1,1449	1,1664	1,1881	1,2100	1,2321	1,2544	1,2996	1,3225	1,3456	1,3924	1,4400	1,5625
3	1,0303	1,0612	1,0927	1,1248	1,1576	1,1910	1,2250	1,2597	1,2950	1,331	1,3676	1,4049	1,4815	1,5208	1,5608	1,6430	1,728	1,9531
4	1,0406	1,0824	1,1255	1,1698	1,2155	1,2624	1,3107	1,3604	1,4115	1,4641	1,5181	1,5735	1,6889	1,7490	1,8106	1,9387	2,0736	2,4414
5	1,0510	1,1040	1,1592	1,2166	1,2762	1,3382	1,4025	1,4693	1,5386	1,6105	1,6851	1,7623	1,9254	2,0113	2,1003	2,2877	2,4883	3,0517
6	1,0615	1,1261	1,1940	1,2653	1,3400	1,4185	1,5007	1,5868	1,6771	1,7715	1,8704	1,9738	2,1949	2,3130	2,4363	2,6995	2,9859	3,8146
7	1,0721	1,1486	1,2298	1,3159	1,4071	1,5036	1,6057	1,7138	1,8280	1,9487	2,0762	2,2106	2,5022	2,6600	2,8262	3,1854	3,5831	4,7683
8	1,0828	1,1716	1,2667	1,3685	1,4774	1,5938	1,7181	1,8509	1,9925	2,1435	2,3045	2,4759	2,8525	3,0590	3,2784	3,7588	4,2998	5,9604
9	1,0936	1,1950	1,3047	1,4233	1,5513	1,6894	1,8384	1,9990	2,1718	2,3579	2,5580	2,7730	3,2519	3,5178	3,8029	4,4354	5,1597	7,4505
10	1,1046	1,2189	1,3439	1,4802	1,6288	1,7908	1,9671	2,1589	2,3673	2,5937	2,8394	3,1058	3,7072	4,0455	4,4114	5,2338	6,1917	9,3132
11	1,1156	1,2433	1,3842	1,5394	1,7103	1,8982	2,1048	2,3316	2,5804	2,8531	3,1518	3,4785	4,2262	4,6523	5,1172	6,1759	7,4300	11,641
12	1,1268	1,2682	1,4257	1,6010	1,7958	2,0121	2,2521	2,5181	2,8126	3,1384	3,4985	3,8959	4,8179	5,3502	5,9360	7,2875	8,9161	14,551
13	1,1380	1,2936	1,4685	1,6650	1,8856	2,1329	2,4098	2,7196	3,0658	3,4522	3,8833	4,3634	5,4924	6,1527	6,8857	8,5993	10,699	18,189
14	1,1494	1,3194	1,5125	1,7316	1,9799	2,2609	2,5785	2,9371	3,3417	3,7974	4,3104	4,8871	6,2613	7,0757	7,9875	10,147	12,839	22,737
15	1,1609	1,3458	1,5579	1,8009	2,0789	2,3965	2,7590	3,1721	3,6424	4,1772	4,7846	5,4735	7,1379	8,1370	9,2655	11,973	15,407	28,421
16	1,1725	1,3727	1,6047	1,8729	2,1828	2,5403	2,9521	3,4259	3,9703	4,5949	5,3109	6,1303	8,1372	9,3576	10,748	14,129	18,488	35,527
17	1,1843	1,4002	1,6528	1,9479	2,2920	2,6927	3,1588	3,7000	4,3276	5,0544	5,8951	6,8660	9,2764	10,761	12,467	16,672	22,186	44,408
18	1,1961	1,4282	1,7024	2,0258	2,4066	2,8543	3,3799	3,9960	4,7171	5,5599	6,5436	7,6899	10,575	12,375	14,462	19,673	26,623	55,511
19	1,2081	1,4568	1,7535	2,1068	2,5269	3,0255	3,6165	4,3157	5,1416	6,1159	7,2633	8,6127	12,055	14,231	16,776	23,214	31,947	69,388
20	1,2201	1,4859	1,8061	2,1911	2,6532	3,2071	3,8696	4,6609	5,6044	6,7274	8,0623	9,6462	13,743	16,366	19,460	27,393	38,337	86,736
25	1,2824	1,6406	2,0937	2,6658	3,3863	4,2918	5,4274	6,8484	8,6230	10,834	13,585	17,000	26,461	32,918	40,874	62,668	95,396	264,69
30	1,3478	1,8113	2,4272	3,2433	4,3219	5,7434	7,6122	10,062	13,267	17,449	22,892	29,959	50,950	66,211	85,849	143,37	237,37	807,79
35	1,4166	1,9998	2,8138	3,9460	5,5160	7,6860	10,676	14,785	20,413	28,102	38,574	52,799	98,100	133,17	180,31	327,99	590,66	2465,1
40	1,4888	2,2080	3,2620	4,8010	7,0399	10,285	14,974	21,724	31,409	45,259	65,000	93,050	188,88	267,86	378,72	750,37	1469,7	7523,1
45	1,5648	2,4378	3,7815	5,8411	8,9850	13,764	21,002	31,920	48,327	72,890	109,53	163,98	363,67	538,76	795,44	1716,6	3657,2	22958,
50	1,6446	2,6915	4,3839	7,1066	11,467	18,420	29,457	46,901	74,357	117,39	184,56	289,00	700,23	1083,6	1670,7	3927,3	9100,4	70064,

Table 2 Valeur actuelle d’un montant unique de 1 $ $(1 + i)^{-n}$

n \ i	1 %	2 %	3 %	4 %	5 %	6 %	7 %	8 %	9 %	10 %	11 %	12 %	14 %	15 %	16 %	18 %	20 %	25 %
1	0,9900	0,9803	0,9708	0,9615	0,9523	0,9433	0,9345	0,9259	0,9174	0,9090	0,9009	0,8928	0,8771	0,8695	0,8620	0,8474	0,8333	0,8000
2	0,9802	0,9611	0,9425	0,9245	0,9070	0,8899	0,8734	0,8573	0,3416	0,8264	0,8116	0,7971	0,7694	0,7561	0,7431	0,7181	0,6944	0,6400
3	0,9705	0,9423	0,9151	0,8889	0,8638	0,8396	0,8162	0,7938	0,7721	0,7513	0,7312	0,7117	0,6749	0,6575	0,6406	0,6086	0,5787	0,5120
4	0,9609	0,9238	0,8884	0,8548	0,8227	0,7920	0,7628	0,7350	0,7084	0,6830	0,6587	0,6355	0,5920	0,5717	0,5522	0,5157	0,4822	0,4096
5	0,9514	0,9057	0,8626	0,8219	0,7835	0,7472	0,7129	0,6805	0,6499	0,6209	0,5935	0,5674	0,5193	0,4971	0,4761	0,4371	0,4018	0,3276
6	0,9420	0,8879	0,8374	0,7903	0,7462	0,7049	0,6663	0,6301	0,5952	0,5644	0,5346	0,5066	0,4555	0,4323	0,4104	0,3704	0,3348	0,2621
7	0,9327	0,8705	0,8130	0,7599	0,7106	0,6650	0,6227	0,5834	0,5470	0,5131	0,4817	0,4523	0,3996	0,3759	0,3538	0,3139	0,2790	0,2097
8	0,9234	0,8534	0,7894	0,7306	0,6768	0,6274	0,5820	0,5402	0,5018	0,4665	0,4339	0,4038	0,3505	0,3269	0,3050	0,2660	0,2325	0,1677
9	0,9143	0,8367	0,7664	0,7025	0,6446	0,5918	0,5439	0,5002	0,4604	0,4240	0,3909	0,3606	0,3075	0,2842	0,2629	0,2254	0,1938	0,1342
10	0,9052	0,8203	0,7440	0,6755	0,6139	0,5583	0,5083	0,4631	0,4224	0,3855	0,3522	0,3219	0,2697	0,2471	0,2266	0,1910	0,1615	0,1073
11	0,8963	0,8042	0,7224	0,6495	0,5846	0,5267	0,4750	0,4288	0,3875	0,3504	0,3173	0,2874	0,2366	0,2149	0,1954	0,1619	0,1345	0,0858
12	0,8874	0,7884	0,7013	0,6245	0,5568	0,4969	0,4440	0,3971	0,3555	0,3186	0,2858	0,2566	0,2075	0,1869	0,1684	0,1372	0,1121	0,0687
13	0,8786	0,7730	0,6809	0,6005	0,5303	0,4688	0,4149	0,3676	0,3261	0,2896	0,2575	0,2291	0,1820	0,1625	0,1452	0,1162	0,0934	0,0549
14	0,8699	0,7578	0,6611	0,5774	0,5050	0,4423	0,3878	0,3404	0,2992	0,2633	0,2320	0,2046	0,1597	0,1413	0,1251	0,0985	0,0778	0,0439
15	0,8613	0,7430	0,6418	0,5552	0,4810	0,4172	0,3624	0,3152	0,2745	0,2393	0,2090	0,1826	0,1400	0,1228	0,1079	0,0835	0,0649	0,0351
16	0,8528	0,7284	0,6231	0,5339	0,4581	0,3936	0,3387	0,2918	0,2518	0,2176	0,1883	0,1631	0,1228	0,1068	0,0930	0,0707	0,0540	0,0281
17	0,8443	0,7141	0,6050	0,5133	0,4362	0,3713	0,3165	0,2702	0,2310	0,1978	0,1696	0,1456	0,1077	0,0929	0,0802	0,0599	0,0450	0,0225
18	0,8360	0,7001	0,5873	0,4936	0,4155	0,3503	0,2958	0,2502	0,2119	0,1798	0,1528	0,1300	0,0945	0,0808	0,0691	0,0508	0,0375	0,0180
19	0,8277	0,6864	0,5702	0,4746	0,3957	0,3305	0,2765	0,2317	0,1944	0,1635	0,1377	0,1161	0,0829	0,0702	0,0596	0,0430	0,0313	0,0144
20	0,8195	0,6729	0,5536	0,4563	0,3768	0,3118	0,2584	0,2145	0,1784	0,1486	0,1240	0,1036	0,0727	0,0611	0,0513	0,0365	0,0260	0,0115
25	0,7797	0,6095	0,4776	0,3751	0,2953	0,2329	0,1842	0,1460	0,1159	0,0922	0,0736	0,0588	0,0377	0,0303	0,0244	0,0159	0,0104	0,0037
30	0,7419	0,5520	0,4119	0,3083	0,2313	0,1741	0,1313	0,0993	0,0753	0,0573	0,0437	0,0333	0,0196	0,0151	0,0116	0,0069	0,0042	0,0012
35	0,7059	0,5000	0,3553	0,2534	0,1812	0,1301	0,0936	0,0676	0,0489	0,0355	0,0259	0,0189	0,0101	0,0075	0,0055	0,0030	0,0016	0,0004
40	0,6716	0,4528	0,3065	0,2082	0,1420	0,0972	0,0667	0,0460	0,0318	0,0220	0,0154	0,0107	0,0052	0,0037	0,0026	0,0013	0,0006	0,0001
45	0,6390	0,4101	0,2644	0,1711	0,1112	0,0726	0,0476	0,0313	0,0206	0,0137	0,0091	0,0060	0,0027	0,0018	0,0012	0,0005	0,0002	0,0000
50	0,6080	0,3715	0,2281	0,1407	0,0872	0,0542	0,0339	0,0213	0,0134	0,0085	0,0054	0,0034	0,0014	0,0009	0,0005	0,0002	0,0001	0,0000

Table 3 Valeur capitalisée d'une annuité de 1 $ $\left[\frac{(1+i)^n - 1}{i}\right]$

n \ i	1 %	2 %	3 %	4 %	5 %	6 %	7 %	8 %	9 %	10 %	11 %	12 %	14 %	15 %	16 %	18 %	20 %	25 %
1	1	1	1	1	1	1	1	1	1	1		1	1	1	1	1	1	1
2	2,0100	2,0200	2,0300	2,0400	2,0500	2,0600	2,0700	2,0800	2,0900	2,1000	1,0000	2,1200	2,1400	2,1500	2,1600	2,1800	2,2000	2,2500
3	3,0301	3,0604	3,0909	3,1216	3,1525	3,1836	3,2149	3,2464	3,2781	3,3100	2,1100	3,3744	3,4396	3,4725	3,5056	3,5724	3,6400	3,8125
4	4,0604	4,1216	4,1836	4,2464	4,3101	4,3746	4,4399	4,5061	4,5731	4,6410	3,3421	4,7793	4,9211	4,9933	5,0664	5,2154	5,3680	5,7656
5	5,1010	5,2040	5,3091	5,4163	5,5256	5,6370	5,7507	5,8666	5,9847	6,1051	6,2278	6,3528	6,6101	6,7423	6,8771	7,1542	7,4416	8,2070
6	6,1520	6,3081	6,4684	6,6329	6,8019	6,9753	7,1532	7,3359	7,5233	7,7156	7,9129	8,1151	8,5355	8,7537	8,9774	9,4419	9,9299	11,258
7	7,2135	7,4342	7,6624	7,8982	8,1420	8,3938	8,6540	8,9228	9,2004	9,4871	9,7833	10,089	10,730	11,066	11,413	12,141	12,915	15,073
8	8,2856	8,5829	8,8923	9,2142	9,5491	9,8974	10,259	10,636	11,028	11,435	11,859	12,299	13,232	13,726	14,240	15,326	16,499	19,841
9	9,3685	9,7546	10,159	10,582	11,026	11,491	11,977	12,487	13,021	13,579	14,164	14,775	16,085	16,785	17,518	19,085	20,798	25,802
10	10,462	10,949	11,463	12,006	12,577	13,180	13,816	14,486	15,192	15,937	16,722	17,548	19,337	20,303	21,321	23,521	25,958	33,252
11	11,566	12,168	12,807	13,486	14,206	14,971	15,783	16,645	17,560	18,531	19,561	20,654	23,044	24,349	25,732	28,755	32,150	42,566
12	12,682	13,412	14,192	15,025	15,917	16,869	17,888	18,977	20,140	21,384	22,713	24,133	27,270	29,001	30,850	34,931	39,580	54,207
13	13,809	14,680	15,617	16,626	17,712	18,882	20,140	21,495	22,953	24,522	26,211	28,029	32,088	34,351	36,786	42,218	48,496	68,759
14	14,947	15,973	17,086	18,291	19,598	21,015	22,550	24,214	26,019	27,974	30,094	32,392	37,581	40,504	43,671	50,818	59,195	86,949
15	16,096	17,293	18,598	20,023	21,578	23,275	25,129	27,152	29,360	31,772	34,405	37,279	43,842	47,580	51,659	60,965	72,035	109,68
16	17,257	18,639	20,156	21,824	23,657	25,672	27,888	30,324	33,003	35,949	39,189	42,753	50,980	55,717	60,925	72,939	87,442	138,10
17	18,430	20,012	21,761	23,697	25,840	28,212	30,840	33,750	36,973	40,544	44,500	48,883	59,117	65,075	71,673	87,068	105,93	173,63
18	19,614	21,412	23,414	25,645	28,132	30,905	33,999	37,450	41,301	45,599	50,395	55,749	68,394	75,836	84,140	103,74	128,11	218,04
19	20,810	22,840	25,116	27,671	30,539	33,759	37,378	41,446	46,018	51,159	56,939	63,439	78,969	88,211	98,603	123,41	154,73	273,55
20	22,019	24,297	26,870	29,778	33,065	36,785	40,995	45,761	51,160	57,274	64,202	72,052	91,024	102,44	115,37	146,62	186,68	342,94
25	28,243	32,030	36,459	41,645	47,727	54,864	63,249	73,105	84,700	98,347	114,41	133,33	181,87	212,79	249,21	342,60	471,98	1054,7
30	34,784	40,568	47,575	56,084	66,438	79,058	94,460	113,28	136,30	164,49	199,02	241,33	356,78	434,74	530,31	790,94	1181,8	3227,1
35	41,660	49,994	60,462	73,652	90,320	111,43	138,23	172,31	215,71	271,02	341,58	431,66	693,57	881,17	1120,7	1816,6	2948,3	9856,7
40	48,886	60,401	75,401	95,025	120,79	154,76	199,63	259,05	337,88	442,59	581,82	767,09	1342,0	1779,0	2360,7	4163,2	7343,8	30088,
45	56,481	71,892	92,719	121,02	159,70	212,74	285,74	386,50	525,85	718,90	986,63	1358,2	2590,5	3585,1	4965,2	9531,5	18281,	91831,
50	64,463	84,579	112,79	152,66	209,34	290,33	406,52	573,77	815,08	1163,9	1668,8	2400,0	4994,5	7217,7	10435,	21813,	45497,	280255

Table 4 Valeur actuelle d'une annuité de 1 $ $\left[\frac{1-(1+i)^{-n}}{i}\right]$

n \ i	1 %	2 %	3 %	4 %	5 %	6 %	7 %	8 %	9 %	10 %	11 %	12 %	14 %	15 %	16 %	18 %	20 %	25 %
1	0,9900	0,9803	0,9708	0,9615	0,9523	0,9433	0,9345	0,9259	0,9174	0,9090	0,9009	0,8928	0,8771	0,8695	0,8620	0,8474	0,8333	0,8000
2	1,9703	1,9415	1,9134	1,8860	1,8594	1,8333	1,8080	1,7832	1,7591	1,7355	1,7125	1,6900	1,6466	1,6257	1,6052	1,5656	1,5277	1,4400
3	2,9409	2,8838	2,8286	2,7750	2,7232	2,6730	2,6243	2,5770	2,5312	2,4868	2,4437	2,4018	2,3216	2,2832	2,2458	2,1742	2,1064	1,9520
4	3,9019	3,8077	3,7170	3,6298	3,5459	3,4651	3,3872	3,3121	3,2397	3,1698	3,1024	3,0373	2,9137	2,8549	2,7981	2,6900	2,5887	2,3616
5	4,8534	4,7134	4,5797	4,4518	4,3294	4,2123	4,1001	3,9927	3,8896	3,7907	3,6959	3,6047	3,4330	3,3521	3,2742	3,1271	2,9906	2,6892
6	5,7954	5,6014	5,4171	5,2421	5,0756	4,9173	4,7665	4,6228	4,4859	4,3552	4,2305	4,1114	3,8886	3,7844	3,6847	3,4976	3,3255	2,9514
7	6,7281	6,4719	6,2302	6,0020	5,7863	5,5823	5,3892	5,2063	5,0329	4,8684	4,7122	4,5637	4,2883	4,1604	4,0385	3,8115	3,6045	3,1611
8	7,6516	7,3254	7,0196	6,7327	6,4632	6,2097	5,9712	5,7466	5,[illegible]348	5,3349	5,1461	4,9676	4,6388	4,4873	4,3435	4,0775	3,8371	3,3289
9	8,5660	8,1622	7,7861	7,4353	7,1078	6,8016	6,5152	6,2468	5,9952	5,7590	5,5370	5,3282	4,9463	4,7715	4,6065	4,3030	4,0309	3,4631
10	9,4713	8,9825	8,5302	8,1108	7,7217	7,3600	7,0235	6,7100	6,4[illegible]76	6,1445	5,8892	5,6502	5,2161	5,0187	4,8332	4,4940	4,1924	3,5705
11	10,367	9,7868	9,2526	8,7604	8,3064	7,8868	7,4986	7,1389	6,8051	6,4950	6,2065	5,9376	5,4527	5,2337	5,0286	4,6560	4,3270	3,6564
12	11,255	10,575	9,9540	9,3850	8,8632	8,3838	7,9426	7,5360	7,1607	6,8136	6,4924	6,1943	5,6602	5,4206	5,1971	4,7932	4,4392	3,7251
13	12,133	11,348	10,634	9,9856	9,3935	8,8526	8,3576	7,9037	7,4869	7,1033	6,7499	6,4235	5,8423	5,5831	5,3423	4,9095	4,5326	3,7800
14	13,003	12,106	11,296	10,563	9,8986	9,2949	8,7454	8,2442	7,786[illegible]	7,3666	6,9819	6,6281	6,0020	5,7244	5,4675	5,0080	4,6105	3,8240
15	13,865	12,849	11,937	11,118	10,379	9,7122	9,1079	8,5594	8,0606	7,6060	7,1909	6,8108	6,1421	5,8473	5,5754	5,0915	4,6754	3,8592
16	14,717	13,577	12,561	11,652	10,837	10,105	9,4466	8,8513	8,3125	7,8237	7,3792	6,9739	6,2650	5,9542	5,6684	5,1623	4,7295	3,8874
17	15,562	14,291	13,166	12,165	11,274	10,477	9,7632	9,1216	8,5436	8,0215	7,5488	7,1196	6,3728	6,0471	5,7487	5,2223	4,7746	3,9099
18	16,398	14,992	13,753	12,659	11,689	10,827	10,059	9,3718	8,7556	8,2014	7,7016	7,2496	6,4674	6,1279	5,8178	5,2731	4,8121	3,9279
19	17,226	15,678	14,323	13,133	12,085	11,158	10,335	9,6035	8,9501	8,3649	7,8393	7,3657	6,5503	6,1982	5,8774	5,3162	4,8434	3,9423
20	18,045	16,351	14,877	13,590	12,462	11,469	10,594	9,8181	9,1285	8,5135	7,9633	7,4694	6,6231	6,2593	5,9288	5,3527	4,8695	3,9538
25	22,023	19,523	17,413	15,622	14,093	12,783	11,653	10,674	9,8225	9,0770	8,4217	7,8431	6,8729	6,4641	6,0970	5,4669	4,9475	3,9848
30	25,807	22,396	19,600	17,292	15,372	13,764	12,409	11,257	10,273	9,4269	8,6938	8,0551	7,0026	6,5659	6,1771	5,5168	4,9789	3,9950
35	29,408	24,998	21,487	18,664	16,374	14,498	12,947	11,654	10,566	9,5441	8,8552	8,1755	7,0700	6,6166	6,2153	5,5386	4,9915	3,9983
40	32,834	27,355	23,114	19,792	17,159	15,046	13,331	11,924	10,757	9,[illegible]790	8,9511	8,2437	7,1050	6,6417	6,2334	5,5481	4,9965	3,9994
45	36,094	29,490	24,518	20,720	17,774	15,455	13,605	12,108	10,881	9,8628	9,0079	8,2825	7,1232	6,6542	6,2421	5,5523	4,9986	3,9993
50	39,196	31,423	25,729	21,482	18,255	15,761	13,800	12,233	10,961	9,9[illegible]48	9,0417	8,3044	7,1326	6,6605	6,2462	5,5541	4,9994	3,9999

Achevé d'imprimer en juillet 2005
sur les presses de l'imprimerie
AGMV-Marquis Inc.
à Cap-Saint-Ignace

AutoCAD® 2004 Bible